HOST

ROZBITÍ ANDĚLÉ

Graham Masterton

ROZBITÍ

Graham Masterton

ANDĚLÉ

Brno 2015

Broken Angels
Graham Masterton

Copyright © 2013 by Graham Masterton
Translation © Radka Knotková, 2015
Cover pictures © Shutterstock.com/walshphotos;
plainpicture/Image Source
Czech edition © Host — vydavatelství, s. r. o., 2015
ISBN 978-80-7491-443-0

Pro mou milovanou Wiescku
17. dubna 1946 — 27. dubna 2011
Vždy jsem tě zbožňoval, nikdy na tebe nezapomenu.

„Is milis dá ól é ach is searbh dá íoc é."
„Pít je sladké, ale platit hořké."
Irské přísloví

1

Nejdřív to pokládal za obyčejný černý pytel s použitými plenami nebo uškrcenými štěňaty, který na mělčinu hodil někdo od kočovníků. „Do prdele," zamumlal si pod vousy.

Vytáhl z vody vlasec, hodil si prut přes rameno a začal se brodit k pytli. Řeka Blackwater pro něj byla posvátná. Když ho k ní otec vzal poprvé, bylo Denisovi osm let, a od té doby sem pravidelně jezdil na lososy. Byla to nejlepší řeka v Irsku a do nejlepší řeky se odpadky prostě neházejí.

„Denisi!" zavolal Kieran. „Kam jdeš, kámo? Tam nechytíš ani rýmu, natož lososa!" Jeho hlas se po lesklé hladině rozléhal jako v obrovské koncertní síni. Mezi stromy na opačném břehu se proháněl vítr a jemně Kieranovi tleskal.

Denis neodpověděl. Dál se mlčky brouzdal k černému odpadkovému pytli, postupně mu ale docházelo, že je to něco úplně jiného, než si myslel. Když k němu konečně dospěl, pochopil, že ve skutečnosti jde o mužské tělo oděné od hlavy až k patě do černého — vypadalo to jako kněžská sutana.

„Ježíši," vydechl Denis a opatrně položil prut na břeh.

Muž ležel na boku na úzkém pásu oblázků a nohy měl napůl ponořené ve vodě. Někdo mu spoutal ruce za zády a svázal kolena i kotníky. Tvář měl odvrácenou, ale Denis i přesto podle řídnoucích šedých vlasů poznal, že muži je něco kolem šedesáti. Zdálo se, že je při těle, Denis si však vzpomněl, jak po smrti vypadal jeho otec. Mrtvola Denisova táty ležela v suterénním bytě v Togheru skoro týden, než ji někdo našel, a do té doby se nafoukla jako obří, bledě zelený panák Michelin.

„Kierane!" zahulákal Denis. „Na tohle se musíš kouknout! Je tady nějakej mrtvej chlap!"

Kieran přitáhl vlasec, skočil do vody a za hlasitého šplouchání se k Denisovi připojil. Měl zarudlou tvář, ohnivě zrzavé kudrnaté vlasy a blízko posazené oči, které mu propůjčovaly vzhled nepříčetného šílence. Kieran byl Denisův o osm let mladší švagr a kromě vášně pro chytání lososů je vůbec nic nespojovalo. Denisovi to ale ani v nejmenším nevadilo. Lovení lososů vyžadovalo ticho a usilovné soustředění. Lovení lososů přibližovalo člověka Bohu víc než jakákoli modlitba.

„Prokrista," řekl Kieran, sotva k Denisovi došel, a pokřižoval se. „To bude nějakej kněz." Odmlčel se a dodal: „Co myslíš, je fakt mrtvej?"

„Ne, jen se rozhodl lehnout si do řeky a trošku si dáchnout. Jasně že je mrtvej, ty vole."

„Asi bysme měli zavolat policajty," řekl Kieran a vytáhl z kapsy mobil. Chystal se vytočit sto dvanáct, ale na poslední chvíli zaváhal a nechal prst položený na tlačítku. „Hele, co když si budou myslet, že jsme ho oddělali my?"

„Zavolej jim, prosím tebe," vybídl ho Denis. „Kdybysme ho oddělali my, tak bysme tu přece netvrdli jako párek blbounů, ne?"

„Pravda. To bysme byli dávno v tahu."

Zatímco Kieran mluvil s policií, Denis obezřetně obcházel mrtvé tělo a pod gumáky mu křupaly oblázky. Muž měl otevřené oči a zíral do vody, jako by nechápal, co tam dělá. Nedalo se o tom pochybovat — byl doopravdy mrtvý. Denis si k němu přidřepl a upřeně se na něj zadíval. Zdál se mu povědomý. Netušil, odkud ho zná, byl si však jistý, že ta huňatá bílá obočí, rudé tenké žilky ve tvářích a především zřetelnou rýhu na špičce baňatého nosu už kdysi viděl. Muž měl prasklý spodní ret, jako by ho někdo prudce udeřil.

„Policajti už sem jedou," řekl Kieran s mobilem v ruce. „Prej nemáme na nic sahat."

„No to víš, já na něho určitě budu chmatat. Vždyť pomalu začíná smrdět."

„Díky, zrovna jsem si dal tuňákovej sendvič."

Nečinně u těla postávali a nevěděli, co podniknout dál. Vrátit se k rybaření se jim zdálo neuctivé, Denis si ale nemohl pomoct a po očku sledoval, jak se ve stříbřité vodě tu a tam míhají stíny. Doufal, že uloví svého prvního letošního skokana, a dnes na to byly ideální podmínky.

„Co myslíš, kdo ho zabil?" zeptal se Kieran. „Ať to byl kdokoli, rozhodně mu dal slušně přes držku."

Denis naklonil hlavu na stranu, aby se znovu podíval na mužův obličej. „Víš ty co? Já jsem si jistej, že ho odněkud znám. Pokud je to on, tak je o dost starší, než když jsem ho potkal posledně, což by ale sedělo, protože už je to nejmíň patnáct let."

„A kdo to teda podle tebe je?"

„Řekl bych, že otec Heaney. Po pravdě o tom skoro nepochybuju. Tehdy měl ještě černý obočí. Vždycky jsem si říkal, že vypadá jako dva velcí chlupatí pavouci. Však víš, jako tarantule. Teď sice ten starej páprda nemá brejle, ale toho bych poznal i se zavřenejma očima."

„Odkud ho znáš?"

„Ze školy. Učil hudebku. Pro ránu nešel daleko, to ti povím. Nebylo hodiny, aby děcka neproplesk za kdejakou hovadinu. O mně tvrdil, že zpívám jak rozvrzaný dveře."

Kieran popotáhl a utřel si nos do rukávu.

„Vypadá to, že tentokrát pro změnu někdo zfackoval jeho."

Denis neodpověděl. Mlčky stál vedle napůl ponořené mrtvoly otce Heaneyho, naslouchal šumění větru v korunách nedalekých stromů a zmocňoval se jej stále silnější dojem, že putuje zpátky v čase. V duchu téměř slyšel školní sboristy, jak svými sladkými pronikavými hlásky zpívají „Kyrie eleison", i jak se na chodbách ozývá dupání a otec Heaney vyštěkává: „Zpomal, O'Connore! Tím, že poběžíš, se do nebe rychleji nedostaneš!"

2

Katie otevřela oči a uviděla, že John stojí u okna. Rozhrnul závěsy potištěné růžemi a vyhlížel ven na pole. V ranních slunečních paprscích, které na jeho nahé tělo dopadaly, vypadal jako světec ze středověké malby. Přispíval k tomu i černý kříž chlupů na jeho hrudi a tmavé kudrnaté vlasy, které si od jejich seznámení ani jednou neostříhal. Po osmnácti měsících strávených prací na rodinném statku byl i mnohem štíhlejší a svalnatější.

„Vypadáš zamyšleně," poznamenala Katie a opřela se o loket.

John se ohlédl a neznatelně se na ni usmál. Jeho hnědé oči připomínaly ve slunečním světle třpytivé acháty. „Jenom jsem koukal na jarní pšenici, nic víc."

„A o čem jsi při tom dumal?"

Pustil závěs a přešel k posteli. Chvíli vedle Katie stál, jako by jí chtěl říct cosi důležitého, ale když k němu vzhlédla, pouze se na ni mlčky usmál.

Natáhla se, vzala do levé ruky jeho penis a špičkou pravého ukazováčku po něm jemně přejela. „Tenhle klas mi připadá celkem zralý," poškádlila ho. „Nemám ochutnat?"

Pobaveně zabručel, potom se sklonil, políbil ji na temeno a sedl si k ní. Nepřestávala ho hladit, on ji však něžně chytil za zápěstí a naznačil jí, aby přestala.

„Musím ti něco říct," prohlásil. „Měl jsem v plánu probrat to s tebou včera večer, ale nechtěl jsem nám kazit náladu."

Katie se zamračila. „O co jde? No tak, Johne, teď už si vážně dělám starosti. Doufám, že se mámě nepřitížilo!"

„Ne, ne, mámě se teď daří dobře. No, pokud to vůbec jde... vzhledem k tomu, co se stalo. Díky Bohu, že ji Lucy neřízla hlouběji. Doktoři dokonce říkali, že by se mohla za týden nebo dva vrátit domů. To ale záleží i na tom, jak jí bude psychicky. Stačí, aby viděla nůž, a úplně ji to rozruší. Všechno teď jí jenom lžící."

„To jsou ale vtípky. Tak co se děje?"

Otevřel ústa k odpovědi, ale vtom Katiin mobil zahrál první tři takty z balady „Fields of Athenry". „Momentík," řekla, sáhla po telefonu na nočním stolku a hovor přijala. „Komisařka Maguirová, kdo volá?"

„Tady detektiv O'Sullivan. Promiňte, že ruším, ale zavolali nás do Ballyhooly. Nějací rybáři našli v řece mrtvolu."

„O co se jedná? Nehoda, sebevražda, nebo násilné úmrtí?"

„Násilné úmrtí, o tom nemůže být pochyb. Toho chlapa svázali jako krocana a uškrtili."

„Kdo vede vyšetřování?"

„Momentálně strážmistr O'Rourke. Ale myslí si, že byste sem měla okamžitě přijet a osobně se na to podívat."

„Krucinál, nemůže se toho ujmout sám? Mám dneska volno, poprvé za několik týdnů."

„Když on je strážmistr O'Rourke fakt přesvědčený, že byste se na to měla mrknout. A navíc potřebujeme, aby někdo udělal prohlášení do médií. Jsou tu lidi z RTÉ News, Dan Keane z *Examineru* a nějaká holka z *Catholic Recorderu*."

Katie vzala náramkové hodinky a podívala se na ně. „Dobře, Paddy. Dejte mi čtvrt hodiny." Zaklapla mobil a posadila se.

„Co se děje?" zajímal se John.

„Povinnost volá, jak jinak. Někdo našel mrtvolu v Blackwateru a Jimmy O'Rourke z nějakého důvodu požaduje, abych tam přijela a taky si ji prohlédla."

Oblékla si bílé saténové kalhotky, které večer odložila na křeslo, a zapnula si podprsenku.

„Mám tě tam hodit?" zeptal se John.

Přetáhla si přes hlavu tmavě zelený rolák a krátké, měděně červené vlasy se jí zježily jako kohoutí hřebínek. „Ne, díky. Kdo ví, jak dlouho tam budu. Zavolám ti, hned jak to půjde. A mimochodem, co žes mi chtěl říct?"

John zavrtěl hlavou. „To může počkat."

Zapnula si těsné černé džíny a obula kozačky s vysokým podpatkem. Přesunula se do koupelny a pohlédla na sebe do zrcadla nad umyvadlem.

„Bože můj, já mám ale kruhy pod očima! Co si lidi pomyslí? Že jsem v noci pořádala orgie?"

„Však jo," poznamenal John a díval se, jak si Katie nanáší oční stíny a bledě růžový lesk na rty. Od jejich seznámení na něj působila, jako by byla spřízněna s vílami — kvůli zeleným očím, vystouplým lícním kostem a mírně našpuleným ústům. Měřila sice jen metr pětašedesát, ale energie měla na rozdávání. Johnovi bylo jasné, proč se jí podařilo stát se první policejní komisařkou v Corku a proč se do ní on sám tak bezhlavě zamiloval. Katie vyšla z koupelny a políbila ho. „Co kdybychom zaskočili na večeři k Luigimu Maloneovi? Po těch jeho slávkách bych se utloukla."

„Co já vím, třeba." Pak si ale uvědomil, že říct jí to u večeře by nemuselo být úplně od věci.

Oblékl si tmavě modrý froté župan a bosý ji doprovodil k hlavním dveřím. Otočila se a naposled ho políbila. „Dávej na sebe pozor," řekl jí jako vždy a pozoroval, jak přechází přes svažitý dvůr a za ní cupitá jeho černý labrador Lucifer. Nastoupila do své hondy, poslala Johnovi vzdušný polibek a odjela.

3

Cestou do Ballyhooly vytáhla cédéčko *Elements* vydané sborem při Sirotčinci svatého Josefa a pustila si jejich podání skladby „Gloria" od Guillauma de Machaut. Čisté, pronikavé a nesmírně působivé nazpívání té písně jí pokaždé zvedlo náladu. Vždycky se ke zpěvákům přidala. Snažila se vyzpívat všechny vysoké tóny, na rozdíl od sboristů ale znělo její podání velmi falešně. „Gloria" jí připomínala, že nebe určitě existuje, a to navzdory všem zločinům, s nimiž se policisté musejí dennodenně potýkat — navzdory všemu násilí, drogovým dealerům, prostituci a opilství.

Jela po Lower Main Street a potom odbočila k vesnici Carrignavar. Silnice byla úzká a z obou stran obehnaná šedými kamennými zdmi porostlými břečťanem. Katie po celou cestu nenarazila na žádnou známku života, až zhruba po pěti kilometrech přijela k jakémusi statku. Na travnaté krajnici před branou parkovalo sedm až osm aut a dodávek. Za nimi na dvoře stály dva policejní antony, záchranná služba plus tři hlídková auta s blikajícími modrými světly.

Policista nasměroval Katie do brány a otevřel jí dveře. Vystoupila a uviděla, že ji z opačného konce dvora běží přivítat strážmistr O'Rourke se zelenými gumáky v ruce. Byl to malý muž s pískově žlutými vlasy, ostře řezanými rysy a hranatou hlavou, která byla v poměru ke zbytku těla příliš velká.

„Bez tohohle se asi neobejdete," řekl jí.

„Jaká je to velikost?"

„Třiačtyřicítky. Ale přece se nebudete brodit řekou v podpatcích.“

Posadila se na sedadlo řidiče, rozepnula si černé kozačky a nazula si holínky. Byly obrovské a při chůzi hlasitě vrzaly.

„Takže o co vlastně jde, Jimmy?“ zeptala se a zamířila s ním přes dvůr za dům. Ve dveřích stáli statkář, jeho manželka a dva dospívající synové a ošklivě se na policisty mračili. Katie na rodinku zamávala a zavolala: „Všechno v pořádku? Neradi rušíme!“, oni ale neodpověděli. Jak tam tak spolu stáli, připomínali spíš skupinku nesourodých chrličů než lidi.

„Pěkná parta buranů, co?“ podotkl strážmistr O'Rourke.

„Ale no tak, Jimmy. Trochu respektu k prostým občanům, prosím.“

Šli přes pastvinu, kde v dlouhých lesklých stéblech trávy jemně šeptal vánek, až se nakonec ocitli u břehu řeky Blackwater. Přiblížili se k vodě a spatřili na mělčině černě oděné tělo položené na boku. Nad mrtvolou se skláněli dva technikové v bledě zelených oblecích z tyveku a fotografovali ji. Na břehu postávali tři uniformovaní policisté a spolu s několika záchranáři dávali rozhovor televiznímu štábu a dvěma reportérům. O kus dál přešlapovali tři malí chlapci a dva muži s rybářskými pruty a zapálenými cigaretami.

Strážmistr O'Rourke ukázal na rybáře. „Vidíte tamhlety dva chlapy? To oni tělo našli. Jeden z nich tvrdí, že ví, co je oběť zač. Je si víceméně jistý.“

„Vážně?“

„Myslí si, že jde o jednoho faráře z Mayfieldu, nějakého otce Heaneyho. Prý v osmdesátých letech učil na základní škole u svatého Antonína hudební výchovu.“

„Koukám, že váš člověk má výbornou paměť.“

„Na tom není nic divného, pokud jde skutečně o otce Heaneyho. Byl to totiž jeden z dvanácti kněží v diecézi Cork a Ross, které před sedmi lety vyšetřovali pro podezření ze sexuálního zneužívání. Učitel hudebky? To určitě, učil ty kluky leda tak hrát na píšťalu."

„Obvinili ho někdy z něčeho?"

„Zadal jsem O'Sullivanovi, aby to prověřil. Celkem bylo proti otci Heaneymu vzneseno jedenáct stížností. Nevhodné chování ve sprchách a podobné věci. Státní zástupce ten případ odmítl dotáhnout do konce, údajně proto, že k tomu došlo moc dávno."

„No ale proč jsou tu lidi od tisku? Kvůli tomu podezření ze zneužívání?"

„Částečně jo."

„Na tom případu je ještě něco divného, viďte, Jimmy?"

„Jak říkám, komisařko, bude lepší, když se na to podíváte sama."

Vstoupil do říčního toku a podal Katie ruku, aby jí pomohl. Následovala ho a ledová voda ji i přes gumové holínky zastudila. Strážmistr O'Rourke se začal brodit kupředu a Katie se vydala za ním. Ze všech sil se snažila, aby jí gumáky nesklouzly z nohou. Jakmile se přiblížili k tělu, členové technického oddělení vstali a o pár kroků ustoupili. Jeden z nich měl šedé vlasy a vypadal přibližně na pětačtyřicet. Druhý působil dojmem, že teprve nedávno dostudoval.

„No, rozhodně vypadá jako kněz," poznamenala Katie a sehnula se. „Má u sebe nějaký průkaz?"

„Nic, komisařko," řekl mladší technik. Měl řídký blonďatý knírek a tvář pokrytou výrazně červenými pupínky, takže vypadal, jako by ho někdo z bezprostřední blízkosti střelil brokovnicí. „V kapsách jsme mu našli akorát růženec a balíček extra silných mentolek."

„Očividně se staral o to, na čem doopravdy záleží," poznamenal strážmistr O'Rourke. „O svou duši a dech."

„Tušíte, co bylo příčinou smrti?" zeptala se Katie. „Na oficiální odpověď si samozřejmě počkáme, až doktor Reidy provede pitvu."

Starší technik si odkašlal. „Jsou dvě až tři možnosti. Já bych řekl, že ke smrti přispěly všechny tři. Uškrtili ho velice tenkým drátem, který mu na zátylku utáhli namotáním na polévkovou lžíci. Stejným typem drátu mu svázali zápěstí, kolena a kotníky. Zrovna tak ale mohl vykrvácet nebo umřít na šok." S těmi slovy se nad mrtvolou sklonil a otočil ji na záda. Levá ruka zemřelého se šplouchnutím dopadla do vody. Technici před Katiiným příchodem přeřízli dráty, jimiž měl kněz svázané kotníky a kolena, a rozepnuli mu černou sutanu až k bokům. Muž na sobě neměl spodní prádlo. Jeho ochablý penis ležel na tlustém bílém stehně, ale tam, kde měla být varlata, zela pouze velká tmavá díra.

„Prokrista," hlesla Katie. Předklonila se a prohlédla si ránu zblízka.

„Ať to udělal kdokoli, zjevně k tomu použil něco jako zahradnické nůžky," řekl starší technik. „Jde to poznat podle véčkového zářezu na hrázi, kde se čepele zkřížily."

„Ježíšku na křížku," řekl strážmistr O'Rourke. „Chce se mi brečet, jen si to představím."

„Nezabili ho tady," pokračoval technik. „Posmrtná ztuhlost už částečně pominula, takže je pravděpodobně mrtvý aspoň tři dny. Odhaduju, že ho uškrtili a vykastrovali někde jinde a sem ho pohodili včera večer."

„Co vy na to, komisařko?" zeptal se strážmistr O'Rourke.

„Vražda z pomsty? Třeba ho zabil nějaký nepřítel z časů, kdy učil. Poslední dobou je přece kolem zneužívání dětí hrozný povyk, ne? Papež říká, jak ho to všechno strašně mrzí a tak podobně. Kdosi toho chlapa celá ta léta nesnášel, až nakonec usoudil, že je načase s tím něco udělat."

„No, možná máte pravdu," řekla Katie a narovnala se. „Nesmíme se ale unáhlovat. Třeba ho vrah prostě z nějakého důvodu neměl rád. Vzpomínáte na ten případ v Holyhillu, který jsme řešili před několika lety? Na tu mladou ženu, jejíž manžel umřel na rakovinu a která pak ubodala faráře nůžkami, protože jeho modlitby nezabraly?"

„Musím uznat, že taky znám pár kněží, na které bych s největší radostí vzal kudlu," připustil strážmistr O'Rourke.

Katie se otočila ke staršímu technikovi a prohlásila: „Až skončíte, pošlete tělo na patologii. Víc toho vidět nepotřebuju."

„Než půjdete — je tu ještě jeden zajímavý detail," ozval se technik a zvedl dva kusy mosazného drátu, jímž vrah spoutal knězi nohy. Oba byly na konci uvázané do úhledné dvojité smyčky, která připomínala motýlí křídla.

Katie řekla: „To je dost osobitý podpis. Nepoužívají takové smyčky nějací řemeslníci?"

„O ničem takovém nevím, ale poptám se."

„Fajn, děkuju."

Katie zamířila ke břehu a detektiv O'Sullivan jí podal ruku, aby mohla vylézt z řeky. Bezprostředně poté se k nim seběhl štáb televizní stanice RTÉ — Fionnuala Sweenyová, pohledná zrzavá dívka v jasně zelené větrovce, a neoholený kameraman. Doprovázel je Dan Keane z deníku Examiner — muž se zarudlou tváří oblečený do svého oblíbeného svrchníku s raglánovými rukávy — a bledá mladá žena s kulatým obličejem, havraními kudrnatými vlasy a nápadným znaménkem nad horním rtem. Katie došla k závěru, že se jedná o reportérku z časopisu Catholic Recorder. Pod dívčiným šedým pytlovitým pončem se viditelně dmula velká prsa.

Fionnuala Sweenyová přidržela Katie před ústy mikrofon a řekla: „Komisařko Maguirová, smíme vám položit několik otázek?"

„Nejdřív se na něco zeptám já vás," oznámila Katie ostře. „Kdo vám dal avízo, že se tu našlo tělo?"

Fionnuala Sweenyová prudce zamrkala, jako by ji Katie smrtelně urazila. „Dobře víte, že tohle vám v žádném případě nemůžu prozradit. Mám povinnost chránit svoje zdroje."

„Ale prosím tě, přestaň s tím svatouškovstvím, Nualo," odfrkl si Dan Keane a zapálil si cigaretu. „Mně brnknul ten samý člověk, co tobě, ale nepředstavil se a podle hlasu jsem ho nepoznal. Po pravdě ani netuším, jestli to byl chlap, nebo ženská. Upřímně řečeno, zněl jako žába."

„Dobrá," řekla Katie. „Ptejte se mě, na co chcete, ale vyšetřování je v rané fázi, takže vám toho beztak moc nepovím."

Fionnuala Sweenyová začala: „Tamhle váš svědek identifikoval zemřelého jako otce Dermota Heaneyho z Mayfieldu."

„K tomu se nehodlám vyjadřovat. Bez ohledu na tvrzení svědka si totožností oběti prozatím nejsme jistí."

„Otec Heaney byl jedním z kněží, které v roce 2005 vyšetřovali pro podezření ze zneužívání dětí."

„Slyšela jsem. Pokud je mi ovšem známo, nepodnikl proti němu státní zástupce žádné právní kroky, a navíc ten muž, který se dnes našel, nemusí být otec Heaney. Na co se mě vlastně ptáte?"

„Jen bych ráda věděla, jestli se budete zabývat možností, že otce Heaneyho potrestal někdo z jeho obětí. Za to, co provedl. Nebo lépe řečeno — co údajně provedl."

Katie zvedla ruku. „Poslyšte, Fionnualo, kolikrát vám to mám opakovat? Totožnost oběti jsme pořád ještě neurčili, ne na sto procent. Co já vím, třeba ani o žádného kněze nejde.

A i kdyby to otec Heaney byl, nemáme žádnou teorii, kdo měl důvod ho zabít a proč. Momentálně vám můžu říct jediné, a sice že oblast důkladně pročešeme a promluvíme si s každým, kdo si mohl všimnout něčeho neobvyklého. Pokud vaši diváci usoudí, že totožnost toho muže znají a vědí, kdo mu chtěl ublížit, jako vždy budeme velice vděční, když se nám ozvou."

„Víte aspoň, co způsobilo jeho smrt?" zeptala se Fionnuala Sweenyová.

„Opakuji, že si nejsme jistí. Jakmile to půjde, zařídíme, aby státní patolog Reidy nebo některý z jeho dvou zástupců provedl pitvu."

Dívka se znaménkem krásy zašišlala: „Ciara Clareová z *Catholic Recorderu*, komisařko. Jestli se ukáže, že je ten mrtvý muž skutečně kněz, bezpochyby se obrátíte na diecézi a se zástupci církevní obce se dohodnete na co nejdiskrétnějším způsobu, jak se s případem vypořádat, že?"

Katie se na ni zamračila. „Nejsem si jistá, jestli rozumím vaší otázce."

„Církev teď prochází značně složitým obdobím," pokračovala Ciara Clareová. „Jak sama dobře víte, biskup požádal veřejnost o prominutí minulých chyb. Tvrdím jenom, že je čas na uzdravení, ne na další skandál."

„Promiňte, Ciaro, ale vážně naznačujete to, co si myslím, že naznačujete?"

„Pouze se bojím skandalizace té vraždy, to je celé. Konec-konců se zdá pravděpodobné, že toho člověka zabila oběť sexuálního zneužívání, aby se pomstila, nebo se pletu? To by případně mohlo povzbudit jiné oběti k tomu, aby vzaly zákon do vlastních rukou. Nelze připustit, aby byli napadeni i jiní kněží, bez ohledu na to, co v minulosti spáchali."

„Podle mě to s těmi spekulacemi malinko přeháníte," odsekla Katie. „Jak jsem řekla: jedno po druhém. To, že je zesnulý oblečený do sutany, nic nedokazuje. Třeba měl namířeno na maškarní ples."

Dan Keane si vytáhl cigaretu z úst a štěkavě se rozkašlal. „Vždyť ho přece vykastrovali, ne? To naznačuje, že vrah měl sexuální motiv."

„Je mi líto, Dane, ale dokud patolog nenapíše pitevní zprávu, nelze s jistotou tvrdit, jaká konkrétní zranění oběť utrpěla."

„Na to, abyste poznala, že chlapovi ufikli koule, snad patologa nepotřebujete. Ti rybáři to viděli na vlastní oči. Vykleštěný — přesně tohle slovo použili."

„Byla bych raději, kdybyste si tu informaci nechali pro sebe. To platí i pro vás, Fionnualo. A vy, slečno…"

„Obávám se, že tohle vám slíbit nemůžu," přerušil ji Dan Keane. „Na celé události je to ta nejlepší část. ‚Otec přišel o otcovství'. Skvělý titulek, co vy na to?"

„Dane!" obořila se na něj Katie. „Chcete, abych s vámi v budoucnu spolupracovala, nebo ne?"

Novinář vyfoukl kouř, znovu si odkašlal a řekl: „Dobrá, komisařko. Zatím se budu držet při zdi, aspoň než vám přijde zpráva z pitevny. Ale pokud se kastrace potvrdí i z nějakého jiného zdroje, nebudu mít na výběr a tu informaci zveřejním."

Katie se vrátila k autu a skopla obrovské zelené holínky z nohou tak prudce, že se odkutálely do trávy. Zrovna si nazouvala černé kozačky, když k ní přistoupil strážmistr O'Rourke a opřel se o dveře hondy. „Dám prohledat celou oblast, třeba objevíme stopy po pneumatikách nebo šlápoty, zkrátka nějaké důkazy. Mrkneme se na pole, cestičky, říční koryto, prostě všude. Už jsme poslali lidi, aby v Ballyhooly a okolních vesnicích obešli dům po domu. Někdo přece musel něco vidět."

„Díky, Jimmy. Dejte mi vědět, jak to vypadá. Kdovíproč mám z toho všeho dost nepříjemný pocit. Ostatně jako vždycky, když se případ týká církve. Hodnostáři nám sice nikdy nevykládají úplné lži, ale úplnou pravdu taky ne. Pokaždé je to jedna velká kamufláž."

4

Před odjezdem domů se Katie zastavila na policejním ústředí sídlícím na Anglesea Street. Během uplynulých dvou hodin se od jihozápadu přihnala šedivá mračna, snesla se na Cork jako těžká deka a pohltila veškeré sluneční světlo. Jakmile Katie zaparkovala, rozpršelo se. Déšť nebyl nijak silný, ale zato byl tak jemný, že by by člověku dokázal za pár minut promáčet tlustý vlněný svetr.

Vyšla po schodech do své kanceláře a zapnula laptop. Zvedla sluchátko a vyťukala číslo úřadu státního patologa v Dublinu. Dovolala se Nettě, sekretářce Owena Reidyho, a poprosila ji, ať doktorovi vzkáže, že má Katie zavolat. Venku se stále víc stmívalo a do oken kanceláře začal jemně bubnovat déšť.

Na střeše nadzemního parkoviště naproti budově policejního ústředí sedělo v jedné řadě dvacet až třicet šedých vran. Katie vstala, přešla k oknu a chvíli se na ně upřeně dívala. Byla taková tma, že ve skleněné tabulce viděla odraz vlastní tváře i to, jak jí vlasy trčí do stran. Katie měla dojem, jako by vrány na střechu parkoviště sedaly pouze ve chvílích, kdy se její život měl změnit k horšímu. Možná si to pouze namlouvala. Třeba si jich prostě jen nevšímala, když vše šlo tak, jak mělo. Buď jak buď, ty vrány ji podivně zneklidňovaly a nebylo to jen tím, že v řece Blackwater leželo tělo uškrceného, vykastrovaného muže.

Sedla si k počítači a pročetla si zprávu z roku 2005 o zneužívání v diecézi Cork a Ross. Na otce Dermota Heaneyho bylo podáno celkem jedenáct různých stížností. Většina z nich se týkala obvinění, že se po sportovních trénincích dotýkal chlapců ve sprchách nebo jim po plavání pomáhal s utíráním a při tom je osahával. Navíc je prý brával na projížďky autem, často zaparkoval na odlehlém místě a nutil dotyčného k fyzickému kontaktu.

Navzdory tomu si ho někteří chlapci ze školy velmi oblíbili — „jako svatého Františka z Assisi" —, obzvláště ti, kteří vynikali v hudbě nebo pocházeli z chudých či rozvrácených rodin. Ve zprávě stálo: „Od otce Heaneyho se jim dostávalo pozornosti, lásky a drobných dárků, o něž doma obvykle mívali nouzi. Byly dva důvody, proč proti němu tolik let nevznesli žádnou stížnost: jednak byli vděční za jeho zjevné projevy laskavosti a štědrosti, ale také pociťovali přetrvávající vinu za to, co mu na oplátku dovolili dělat."

Katie zavolala Johnovi, aby mu řekla, že pojede rovnou k sobě domů, až na Anglesea Street skončí. Nezvedl to — nejspíš byl někde na poli a zaháněl dobytek. Usmála se. Když se seznámili, ani omylem by ji nenapadlo, že mu práce na statku půjde tak od ruky. Po studiích dal Irsku sbohem a odstěhoval se do Kalifornie, kde založil úspěšný internetový obchod s produkty alternativní medicíny. Domů se za jedenáct let ani jednou nepodíval, vrátil se teprve po otcově smrti. Původně měl v úmyslu zdržet se jen pár týdnů, jeho matka však předpokládala, že zaujme otcovo místo coby hlava rodiny Meagherových. Totéž od něj očekávali také všichni jeho strýcové, tety, bratranci i sestřenice a on jim nedokázal odmítnout — především matce. Neochotně svůj internetový obchod prodal a odstěhoval se zpátky do Irska, aby se ujal statku.

Katie si oblékla pršiplášť a chystala se k odchodu, když jí zazvonil telefon. Volal Jimmy O'Rourke z fakultní nemocnice.

„Tak jo, je to otec Heaney."

„Víte to jistě?"

„Na sto procent. Zavolali jsme do jeho garsonky na Wellington Road a jeho bytná řekla, že ho od nedělního rána neviděla. Prý se mu to vůbec nepodobalo, protože k ní skoro každý večer chodil na čaj, a kdykoli měl na několik dní odjet, oznámil jí to. Ukázal jsem jí jeho fotku, kterou jsem si udělal mobilem, a ona ho poznala. Odvezli jsme ji do patologické laboratoře, kde Heaneyho osobně identifikovala. Brečela jako děcko, chudák stará."

„Mockrát děkuju, Jimmy. Zatím si to ale nechte pro sebe. Zjistěte, jestli se na něj nedá něco najít, a pak mi dejte vědět, jak vyšetřování pokračuje."

„A co novináři?"

„Nejspíš na zítra ráno svolám tiskovou konferenci, měli bychom si ale moc dobře rozmyslet, co zveřejníme. Mám podezření, že na tom případu je víc, než by se zdálo. Vždyť jste slyšel, co po nás chtěla ta holka z *Catholic Recorderu* — nebo spíš co nechtěla. Nerada bych církvi poskytla záminku udělat pátrání přítrž, dřív než vůbec začneme."

„Fajn, šéfová. Pojedeme teď prohledat Heaneyho garsonku, a pokud narazíme na něco zajímavého, ozvu se vám. Velké naděje bych si ale nedělal — při šťárách v kněžských bytech se většinou najdou leda knihy o životě svatých a pornočasopisy. A poloprázdné balíčky ovocných bonbonů. Neptejte se mě proč."

5

Katie odbočila na příjezdovou cestu ke svému bungalovu v Cobhu, městečku nedaleko corkského přístavu. Hustě pršelo a téměř úplně se setmělo. Její sestra Siobhan měla v obývacím pokoji rozsvíceno, závěsy ale nezatáhla, a tak ji Katie oknem viděla, jak sedí na gauči a dívá se na širokoúhlou televizi. U nohou jí ležel Barney, Katiin zrzavý irský setr, a uši měl doširoka roztažené jako létající pes Falco z *Nekonečného příběhu*.

Katie odemkla dveře, sundala si pršiplášť a vyklepala z něj vodu. Barney se s vyplazeným jazykem okamžitě přihnal do předsíně, aby paničku přivítal. Poplácala ho a zatahala za uši, potom se přesunula do obývacího pokoje.

„Ahoj, Siobhan," pozdravila.

„Jé, ahoj, Katie. Co se děje? Myslela jsem, že trávíš den s Johnem."

Katie se posadila na starodávné křeslo a zula si boty. Barney si stoupl těsně k ní, funěl a plácal ocasem o stolek. Poté, co její manžel Paul před osmnácti měsíci zemřel, měla Katie v úmyslu obývací pokoj renovovat, jenže si na to nikdy nenašla čas. Anebo si místnost podvědomě přála nechat v původním stavu, aspoň nakrátko. Ten rádoby starožitný lustr a pruhovanou tapetu vybral Paul, protože mu připadaly na úrovni, a on taky pořídil reprodukce v pozlacených rámech. Většinou šlo o mořské scenerie s jachtami, do nichž se opíral vítr.

V celé místnosti se nacházel jediný obrázek, který nevybral on: zarámovaná fotografie, na níž byl zachycený Paul při jejich poslední společné dovolené na Lanzarote, jak sedí v kavárně, zubí se od ucha k uchu, pozvedá sklenici sangrie a mhouří oči před sluncem.

„Povolali mě do terénu," vysvětlila Katie. „Dva rybáři našli v Blackwateru u Ballyhooly mrtvé tělo."

„Myslela jsem, že máš dneska volno. A z Blackwateru nějaká mrtvola vyplave každou chvíli. V té řece je snad víc mrtvol než ryb."

„Jenže tahle mrtvola se od těch ostatních lišila," řekla Katie, odnesla kozačky do předsíně a uložila je do botníku. „Zaprvé šlo o kněze."

„Tak to doufám, že si dal poslední pomazání, než do té vody skočil."

„Ty na ten svůj cynismus jednou dojedeš, to ti garantuju. Neskočil tam, někdo ho zavraždil a tělo hodil do řeky. Uškrtili ho a ještě něco — vykastrovali, ale to nikde nevykládej."

„Vykastrovali? Jako že mu uřízli nádobíčko? Fakt?"

Katie přikývla.

„Jauvajs," poznamenala Siobhan. „Tohle si sám asi neudělal, co? I když jsem četla, že někteří kněží to dělají, protože už nedokážou odolávat pokušení."

„V tomhle případě to moc pravděpodobné není. Leda by si přivydělával jako hadí muž."

„Fuj. Tyhle chuťovky si nech pro sebe, děkuju."

„Dáš si drink?" zeptala se Katie.

„Ne, díky."

Katie přešla ke stolku a nalila si do sklenky z broušeného křišťálu velkého panáka vodky Smirnoff Black Label. Pořádně si hltla a bezděky se otřásla.

„Takže co máš na dnešek v plánu?" zeptala se Siobhan. „Pojedeš za Johnem, nebo ti mám něco uvařit? Zbyla trocha kuřecí polívky od včerejška, klidně ji ohřeju, jestli chceš. Anebo si můžeme objednat pizzu."

Katie si k ní přisedla. „Ještě nevím. Brnknu Johnovi, ale nejspíš je venku a prohání krávy."

Siobhan byla Katiina mladší sestra, třetí ze sedmi dětí. Podobala se víc jejich otci než matce. Byla vyšší a baculatější než Katie, měla kulatý obličej, hustou hřívu zrzavých kudrnatých vlasů a modrozelené oči posazené daleko od sebe. Krátce po Paulově smrti se rozešla s přítelem Seanem, realitním makléřem s křivými zuby, vyčesanými vlasy a obřím egem, a nastěhovala se k sestře. Katie to vyhovovalo, protože Siobhan se starala o Barneyho, udržovala dům v čistotě a obstarávala nákupy, zatímco ona sama byla v práci. Navíc to znamenalo, že na ni Katie coby starší sestra mohla dohlížet. Dříve bývala Siobhan jako z divokých vajec a dodnes občas mívala sklony k výstřednímu chování. Když jí nějaký řidič zablokoval cestu, bez váhání vystoupila z auta a zabouchala mu na okno. O sobotách se opíjela v baru Kelly's a někdy pak na ulici zakopla, upadla a nohy jí vylétly do vzduchu, takže se odhalily její černé krajkové kalhotky.

„Cos včera večer podnikla ty?" zeptala se Katie. „Něco zajímavého?"

Siobhan chvilku mlčela a potom odpověděla: „Zavolala jsem Michaelovi, když to musíš vědět."

„Myslela jsem, že jste spolu nadobro skoncovali. Nemluvě o tom, že je ženatý."

„Jenže mně se po něm pořád stýská. A jemu se stýská po mně. Tu svou Nolu si nikdy neměl brát. Ta ženská je ti tak mrdlá! Chová se spíš jako jeho matka než manželka. Neustále kvůli něčemu vyvádí. Nedovoluje mu chodit pít s klukama a chce, aby se doma vždycky zouval a sklapoval prkýnko. A navíc se teď chce odstěhovat do Kinsale, protože je to podle ní stylovější než Carrigaline. Má pravdu, ale o to nejde."

„S tím nic nenaděláš. Tys svou šanci projela."

Siobhan si pohrávala s pramenem vlasů. „Upřímně řečeno si myslím, že mi odpustil. Vždyť jsem ho podvedla jen jednou. No dobrá, dvakrát. Každopádně řekl, že by se se mnou rád sešel, akorát na skleničku."

Katie se napila vodky a povytáhla obočí. „Nechci ti do toho mluvit, ale podle mě si koleduješ. Dobře víš, k čemu jedna sklenička může vést, obzvlášť pokud ji vypiješ ty. A co když se o tom dozví jeho žena? Nola není z těch, kdo snadno odpouštějí, to ti zaručuju."

Katie zazvonil mobil a ona ho zvedla. „Ahoj, Johne! Už hodinu se ti zkouším dovolat. Dostals můj vzkaz?"

„Jo, dostal. Promiň. Někdo nechal otevřenou bránu a mně uteklo minimálně šest těch zatracených jerseyů. Než jsem je všechny sehnal dohromady, byli napůl cesty do Rathcormacu."

„Tušila jsem, že honíš krávy — no neříkala jsem to, Siobhan?"

„Jsi holt rozený detektiv," prohlásil John. „Poslyš, nechceš se večer sejít? Co takhle vyrazit na ty slávky, co jsi o nich básnila?"

„Já nevím. Nějak mě přešel hlad. A navíc jsem unavená."

„Ale no tak."

„Je to tvoje vina, Johne," řekla Katie a mrkla na Siobhan. „To tys mě utahal."

„Prosím, Katie. Potřebuju s tebou probrat něco vážně důležitého. Měl jsem ti to říct včera, ale nějak to nevyšlo. Ve čtvrt na osm tě přijedu vyzvednout, co ty na to?"

„Ok," odpověděla Katie a prohrábla si vlasy. „Půjdu se vysprchovat, to mě probere."

Zavěsila a se staženými rty a zdviženým obočím se podívala na sestru.

„Co je?" zeptala se Siobhan.

„Prý mi musí říct něco hrozně důležitého."

Siobhan se krátce zamračila a potom pronikavě vykřikla: „Já vím, o co jde! On tě chce požádat o ruku! Chce si tě vzít!"

„Propána, vzpamatuj se. Jasně že nechce."

„Vsadím se s tebou, že chce. Zamysli se nad tím. Paul je po smrti přes rok a půl, takže lhůtu na truchlení máš oficiálně odbytou."

„Siobhan, jsem si jistá, že mě John o ruku nepožádá. A i kdyby požádal, co bych mu na to asi řekla?"

„No že jo! Vždyť ho miluješ! A jak skvěle vypadá! A co teprve jeho senza americký přízvuk. Zní jako ten chlap s tím fakt hlubokým hlasem, ten, co na začátku *Zákona a pořádku* vždycky říká: ‚Toto jsou jejich příběhy!'"

„Já nevím. Nejsem si úplně jistá, jestli ho doopravdy miluju."

„Jasně že ho miluješ. Copak má nějakou konkurenci? A koho jako? Roddyho Phelana z Water's Edge?"

„Roddy se mi zamlouvá. Umí mě rozesmát."

„To mě nepřekvapuje. S tím účesem vypadá jako veverka."

„No, to je jedno," uzavřela Katie. „Jdu do sprchy. Jestli někdo zavolá, nejsem tu a nečekáš mě."

Stála se zavřenýma očima pod tekoucí vodou a připadala si nesmírně osamělá a zranitelná. Paul byl dobrodruh a prospěchář, který ji podvedl s jednou z nejlacinějších žen v Corku. Pro peníze byl ochotný udělat cokoli — jak říkávali jeho kamarádi z baru Ovens: klidně by se převlékl za ženskou a šel se producírovat po náměstí, kdybyste mu dost zaplatili.

Zároveň ho ale Katie znala už od školy a v prvních letech manželství se jí zdál vtipný a okouzlující. Ačkoli se z něj nakonec vyklubala příšerná nula, Katie v životě nenapadlo, že by někdy nebyl po jejím boku.

6

Pět minut před tím, než měl John dorazit, zazvonil Katie telefon. Volal strážmistr O'Rourke.

„Skončili jsme s prohledáváním Heaneyho pokoje, ale abych k vám byl upřímný, komisařko, nic světoborného jsme nenašli. Krabici s fotkami, na kterých byli mladí kluci v plavkách — podle všeho si vyrazili do Youghalu na kánoe. Ty snímky jsou minimálně třicet let staré. Pak tři deníky vázané v kůži a opatřené zámky, které jsme museli vypáčit. Ani to nepomohlo — ty zápisky jsou psané tak šílenými blechami, že bychom potřebovali mikroskop, abychom je přečetli. A ke všemu je to v latině."

„Znám se s jedním univerzitním profesorem klasických jazyků," řekla Katie. „Určitě je přeloží, ale předpokládám, že za to bude chtít pěkně mastnou sumičku."

„To je od něj hezké, takhle nezištně se obětovat pro veřejné blaho."

„Samozřejmě můžeme jít za generálním vikářem a poprosit ho, ať nám doporučí nějakého kněze, který ty deníky přeloží zadarmo a bez nároku na jakoukoli odměnu, řekněme jako omluvu za prohřešky církve. Ale v tom případě bychom se nemohli stoprocentně spolehnout, že takový překlad bude nezaujatý. Vy byste to snad riskoval? Obzvlášť pokud si otec Heaney poznačil něco, co by vypovídalo proti němu nebo poukazovalo na vinu dalších kněží. Církev se o své lidi stará, Jimmy, o tom jsme se za ta léta přesvědčili."

„Dobrá tedy," řekl strážmistr O'Rourke. „Stejně jsem ty deníky už sbalil. Donesu je na ústředí a fotky taky. Je to sice sakra nepravděpodobné, ale třeba se nám podaří některé z těch kluků identifikovat."

„Ještě něco zajímavého?"

„Hromada notových zápisů. Samé náboženské písně, zdá se. Jedna se jmenuje ‚Vir perfecte haec dies', jiná ‚Panis angelicus' a další ‚Pije Jesu'."

„Jak je tam napsáno to ‚pije'?"

„P — i — e."

„Nemá se to vyslovovat, jak se to píše, a ne ‚pije', jako když se nemůžete dočkat, až si skočíte na jedno?"

„V tomhle vám neporadím, šéfová. Na policejní akademii jsme latinu nebrali."

„Fajn, Jimmy, přineste i ty notové zápisy. Člověk nikdy neví."

Hlavní branou projelo Johnovo auto a Katie si musela zaclonit oči před světlem reflektorů, které dopadlo na závěsy v obývacím pokoji.

„Dobrá, komisařko. A mimochodem, žádné ovocné bonbony jsme neobjevili. Jen rebarboru a cukroví, které se stářím slepilo dohromady."

John stiskl tlačítko zvonku a Siobhan ho běžela pustit dovnitř. Nesl velký pugét růžových růží zabalených do lesklého zlatého papíru a krabici pamlsků pro Barneyho.

„Jsou nádherné," řekla Katie a květiny si od něj vzala. Siobhan na ni za Johnovými zády významně pohlédla.

„A teď vážně, máš chuť si někam vyrazit?" zeptal se John Katie. „Pokud se na to fakt necítíš…"

„Umyla jsem si vlasy a vyhrabala svoji nejlepší bundu, takže nehodlám připustit, aby to bylo pro nic za nic," usmála se Katie a políbila ho. Jeho tvář byla stále mokrá od deště a voněla po jakési výrazné pižmové vodě po holení. „A kromě toho jsem dostala obrovský hlad."

Nechali Siobhan s Barneym stát ve dveřích, nasedli do Johnova tmavě modrého mercedesu a rozjeli se ke Corku. Dešťové kapky stékající po kapotě se třpytily jako šperky.

„Takže jsi všechny ty krávy našel?" prohodila Katie.

„Nakonec jo. Pomáhal mi chudák Gabriel. No, pomáhal, spíš se mi jako vždycky pletl pod nohy."

„Podle mě je od tebe moc hezké, že ho pořád zaměstnáváš, vzhledem k tomu, jak je k ničemu."

„Asi máš pravdu, ale na druhou stranu je Gabriel to poslední, co mě ještě spojuje s tátou. Je poslední žijící člověk, který s ním chodil pít a tropit vylomeniny. Máma byla odjakživa přesvědčená, že táta je děsný nemluva a bručoun, o skrblíkovi nemluvě. Gabriel ho ale znal ze stránky, jakou ona nikdy neviděla."

„Opravdu?"

„To si piš. Táta očividně miloval kanadské žertíky. V hospodě, kde s Gabrielem obvykle popíjel, jednou hrála nějaká gaelská kapela. Táta otevřel plechovku sardinek a polil hráčům židle olejem. Hospodský měl asi pět koček, aby se v lokále nedržely myši, a ty se pak za těmi chlapy celý večer couraly, očichávaly jim zadky, mňoukaly a olizovaly se." Odmlčel se, usmál se od ucha k uchu a řekl: „V tu chvíli to musela být parádní sranda."

„K popukání," odvětila Katie a předstírala, že jí to nepřipadá ani trochu vtipné. „Já jsem hlavně ráda, že jsi tatínkův smysl pro humor nepodědil."

Dojeli ulicí Horgan's Quay do centra. Na opačném břehu řeky se tyčily jeřáby a planula světla doků. Déšť polevil a ulice se dosud leskly. John přejel přes most svatého Patrika a zaparkoval nedaleko Emmet Place, široké nákupní třídy před galerií Crawford. Otevřel Katie dveře a společně došli až k restauraci Luigiho Malonea. Ulicí se proháněli tři kluci na skateboardech, jejichž kolečka dělala na kalužích vlnky.

V restauraci bylo rušno a veselo, ale John jim zarezervoval stůl v poměrně klidném koutě. Objednal suché bílé víno a číšnice jim nalila. John zvedl svou sklenici a řekl: „*Sláinte!*"

„*Sláinte!*" zopakovala Katie o poznání tišeji, aniž by z něj spustila oči. Po chvíli řekla: „Takže — cos mi to chtěl říct důležitého?"

John otevřel jídelní lístek a prohlásil: „Nejdřív bychom se měli najíst. Umírám hlady."

„Ne, napřed mi řekni, cos měl na srdci, jinak nebudu schopná spolknout jedinou slávku."

John civěl na jídelní lístek a dlouho zarputile mlčel, Katie však bylo jasné, že neuvažuje nad tím, co si objedná. Stejně si pokaždé vybral totéž: kuřecí fajitas.

„Já, ehm..." spustil, ale pak zmlkl a podíval se na ni. „Mám potíže."

„Potíže? Jaké?"

„Finanční. Žádné jiné snad ani neexistují. Krize mě podobně jako všechny v Irsku nachytala se spuštěnými kalhotami."

„Co tím myslíš?"

„Tím myslím, že když jsem v Kalifornii prodal svůj internetový obchod a přestěhoval se sem, ekonomika byla na vzestupu. Keltský tygr řval jako šílený. Kurzy cenných papírů stoupaly a nové podniky rostly jako houby po dešti. To všechno šlo samozřejmě do háje. Ceny vystřelily ke stropu a hodnota nemovitostí spadla na dno. Vytřískat ze statku nějaké peníze bylo dost těžké, i když byla situace příznivá, ale teď je to absolutně nemožné."

„Vždyť jsi ho zdědil," namítla Katie. „Jeho hodnota sice klesla, ale tys na něm nic neprodělal."

„Problém je, že tohle není ani zdaleka všechno, Katie. Pravda, svůj obchod jsem prodal se slušným ziskem, ale většinu peněz jsem investoval — třetina je vázaná v nových irských společnostech a zbytek ve velkých nadnárodních podnicích. Je to jen pár let, co se firmy jako Pfizer a Hitachi mohly přetrhnout, aby v Irsku otevřely nové továrny. Byl jsem upřímně přesvědčený, že zbohatnu. Místo toho mě od bankrotu dělí ani ne pět eur."

Katie se k němu natáhla přes stůl a vzala ho za ruku. „Co hodláš dělat? Nemůže ti pomoct banka?"

„Moje banka je na tom ještě hůř než já, to mi věř."

„Třeba bych ti mohla trochu píchnout, ale sama moc peněz nemám."

John se usmál a zavrtěl hlavou. „Díky, zlato, ale tohle dalece přesahuje tvoje prostředky. Částka, kterou bych potřeboval, se pohybuje v řádu milionů."

„A co tedy uděláš?"

„Nemám na výběr, zlato. Musím statek prodat, vrátit se zpátky do San Francisca a začít znovu."

Katie chvíli trvalo, než zcela pochopila, co jí říká. Okolní hudba a smích zničehonic zněly podivně tlumeně, jako by se ozývaly zpod vodní hladiny.

„Ty hodláš prodat statek? A odjet do Ameriky?"

John přikývl. Náhle se zašklebil a Katie si teprve v tom okamžiku uvědomila, že se mu do očí hrnou slzy.

Stiskla mu ruku pevněji a řekla: „To nemůžeš. Musí existovat nějaký způsob, jak se z toho vylízat."

„Co třeba?"

„Já nevím, něco."

„No jo, jasně, třeba bych mohl jít hrát na roh Patrick Street. Blbé je, že na banjo jsem naposledy drnkal na vysoké, a i tenkrát jsem na to byl absolutně levý. A fakt ti nepřeju, abys mě někdy slyšela zpívat ‚Mr. Tambourine Man'."

„Nedělej si ze mě srandu, Johne."

„Nedělám, zlato. Kéž by to tak bylo. Celé měsíce jsem se snažil udržet nad vodou, ale nadarmo. Včera jsem mluvil se svým účetním. Řekl mi, že jsem naprosto a kompletně v prdeli. Statek jde zítra na trh a budu mít zatracené štěstí, když za něj dostanu aspoň sto padesát tisíc. Pochopitelně za předpokladu, že se mi ho vůbec podaří prodat."

Katie pustila Johnovu ruku. Sotva popadala dech.

„A co bude s námi?" zeptala se.

„Na nic jiného nemyslím. Zjišťoval jsem, jestli by nešlo založit si firmu v Irsku, abych tu mohl zůstat. Je to ale otázka konexí, dodavatelů a hlavně investic. Vzhledem k tomu, v jakém stavu se teď irská ekonomika nachází, je to zcela beznadějné. A mám dojem, že beznadějné to bude ještě hodně, hodně dlouho. Možná i příštích deset let."

Odmlčel se a ona věděla, co přijde. Detaily sice neznala, přesto měla pocit, že by mohla následující věty říct zároveň s ním.

„Dva moji kamarádi si v Los Angeles zřídili internetovou lékárnu. Daří se jim tak dobře, že potřebují, aby se k nim přidal někdo další a vypomohl jim. V současnosti je to jediná realistická nabídka, kterou mám."

„Chápu," řekla Katie. Jistě, Paul jí tou svou stupidní aférkou strašně ublížil, přesto měla dojem, že takhle příšernou bolest dosud necítila. Když už nic jiného, Paul s ní aspoň zůstal a předstíral, že ji miluje, ačkoli to nebyla pravda.

Chtěla promluvit, ale nejprve si musela odkašlat.

„Uvědomuješ si, doufám, že je naprosto vyloučené, abych jela s tebou?"

John si osušil oči papírovým ubrouskem. „Já vím, zlato, já vím."

„Jsem policejní komisařka, Johne. Bojovala jsem zuby nehty, abych se dostala tam, kde dneska jsem. Potýkala jsem se s tolika sexistickými předsudky a projevy nepřátelství a neustále musela dokazovat, že na to mám. Jak by to asi vypadalo, kdybych se ke všemu obrátila zády, jako by na ničem nezáleželo? Je toho tolik, co na mně závisí. Kolegové a pracovní povinnosti. Spoustě lidí jsem nesmírně zavázaná. A co bych dělala v Kalifornii? K tamní policii se přece dát nemůžu. Jasně, mohla bych se rozvalovat u bazénu a děkovat bohu za to, že nemusím snášet ten nekonečný déšť, ale co jinak?"

Přišla k nim usměvavá číšnice a zeptala se, jestli si přejí objednat.

John řekl: „Co myslíš? Pořád ještě chceš ty slávky?"

„Víš ty co?" odsekla Katie. „Asi jsem zbytečně přecitlivělá, ale pochybuju, že bych zvládla zároveň brečet a jíst."

7

Otec Quinlan zamkl dveře sakristie a vyrazil po schodech dolů, najednou se však zastavil. Měl dojem, že ve stínech na protější straně parkoviště kohosi zahlédl. Lampa bzučela a přerušovaně poblikávala, takže bylo těžké si to ověřit. Přesto kněz zůstal stát jako přibitý, ve tváři napjatý výraz člověka, který se bojí, že jej po dlouholetém pronásledování konečně dohnala jeho celoživotní noční můra.

Zhruba před dvaceti minutami přestalo pršet, vítr byl však stále vlhký a přinášel zvuky města, které se rozkládalo kdesi dole: hluk dopravy, hučení ropných tankerů kotvících v přístavu a zkormoucené vrzání jeřábů.

Paní O'Malleyová hlasitě zabouchla dveře kostela, až kněz nadskočil. „Dobrou noc, otče!" zavolala. „Zase zítra večer!"

„Ano, ano, dobrou noc, Mary!" rozloučil se, strnule zvedl levou ruku a zamával. „Díky za všechno!" Poté se podíval zpět k opačnému konci parkoviště. Opravdu vedle toho bílého minibusu postával nějaký muž, nebo to byl jen přelud vyčarovaný stíny a převislými větvemi?

Paní O'Malleyová se zastavila, zaváhala a pak vykročila směrem ke knězi. „Ještě jedna věc, otče. Ty lilie v kapli Naší Paní jsem ještě nenaaranžovala, protože z květinářství poslali pět kytic místo šesti, zítra ale donesu zbytek a před začátkem zádušní mše to dodělám."

Otec Quinlan se na ni letmo, roztržitě usmál. „Ovšem, Mary, Bůh vám žehnej."

Paní O'Malleyová se zamračila. „Děje se něco, otče?"

„Jistě že ne, Mary."

Ona se nicméně rozhlédla, aby zjistila, na co se kněz dívá.

„Zase ty děcka? Prospěl by jim pořádný výprask, to tedy ano."

„Ne, ne, o nic nejde. Jen jsem se snažil si vzpomenout, kam jsem založil adresář, to je celé."

„Nepřekvapilo by mě, kdybyste ho nechal na střeše auta jako tuhle ten karton vajec."

Otec Quinlan řekl: „Nejspíš máte pravdu. Asi bych se měl začít pořádně soustředit na to, co dělám."

Paní O'Malleyová se znovu rozloučila a odešla, otec Quinlan se však ani nehnul a teprve po deseti dlouhých vteřinách pomalu sešel ze schodů. Byl to velmi hubený muž s velkou pleší obrostlou posledními chomáči bílých vlasů. Měl vpadlé lesklé oči posazené blízko u sebe a kvůli svému dlouhému kostnatému nosu vypadal jako stařešina z *Planety opic*. Jeho ztuhlá, trhaná chůze zřetelně prozrazovala, že trpí revmatem.

Přešel ke svému autu, deset let starému modrému passatu zaparkovanému pod velkým kaštanem. Než vůz odemkl, opět se kolem sebe rozhlédl, ale na parkovišti kromě něj zjevně nikdo nebyl.

Vyšiluješ úplně zbytečně, pomyslel si. Došlo k tomu před třiceti lety. Kál ses a Bůh ti odpustil. Čas ti taky odpustil. I kdybys za to býval skončil ve vězení, už dávno by tě pustili.

Zrovna si sedal za volant, když k jeho autu ze strany kdosi přiběhl, popadl dveře a přibouchl do nich knězi nohu.

„Au!" vykřikl otec a zděšeně vzhlédl. O auto se opíral podsaditý muž v objemném šedém pršiplášti a držel knězovu holeň přiskřípnutou mezi dveřmi. Jeho obličej halila bílá látka se dvěma kruhovými průstřihy pro oči a na hlavě mu seděl bílý kuželový čepec, na němž byl namalovaný černý otazník.

44

Otci Quinlanovi ten muž připomínal kajícníky *nazarenos*, kteří ve Španělsku chodí o svatém týdnu v průvodech, nebo členy Ku-klux-klanu. Bylo jasně vidět, že pod maskou přerývaně dýchá, jako by zuřil.

Otec Quinlan byl k smrti vyděšený. „Kdo jste?" obořil se na muže ječivěji, než měl v úmyslu. „Co si myslíte, že děláte? To bolí! Bolí to! Hned ty dveře pusťte!"

„Tak vás to bolí?" odvětil muž. „Vás to bolí, vy hajzle jeden mizerná?" Mluvil tichým chraplavým hlasem, na kterém však bylo cosi hřmotného, jako když chce tatínek vystrašit malé dítě: Grr, já jsem příšera a jdu si pro tebe!

„Co ode mě chcete?" zavřeštěl otec Quinlan. „Peníze? Mobil? Pro lásku Boží, vezměte si, co chcete! Lámete mi nohu!"

„Nestojím o peníze ani o mobil a je mi úplně jedno, jestli vám zlomím nohu. Vystupte si, otče, půjdete se mnou."

Muž ukročil a rozrazil dveře. Otec Quinlan okamžitě vykřikl: „Pomoc! Pomozte mi někdo! Pomoc!"

Útočník ho bez váhání udeřil do tváře a s hlasitým prasknutím mu zlomil nos. Z kněžových dírek se vyvalila krev a stekla mu po ústech až na krk, takže vypadal, jako by měl rudý knírek i plnovous. Kolárek se mu zbarvil dočervena. Otec zvedl obě ruce k obličeji, úpěl a chroptěl. Muž nad ním postával a s okázalou netrpělivostí se opíral o auto.

„Už jste s tím fňukáním skončil?" zavrčel. „Půjdete se mnou, otče, ať se vám to líbí nebo ne."

Otec Quinlan sáhl do kapsy kalhot a vytáhl z ní kapesník. Otřel si nos a látka ihned zrudla. „Prosím," žadonil kněz. „Prosím, už mě nebijte."

„Tomu ale říkám ironie, otče. Vzpomínám si, že jsem vás jednou žádal o to samé. Dokonce jsem na vás naléhal. A jak jste zareagoval?"

Otec Quinlan vzhlédl. „My se odněkud známe?" zeptal se. Rty měl slepené srážející se krví. „Vy jste jeden z těch chlapců ze sirotčince? Nejste Dooley?"

„Na tom, jestli mě znáte, v nejmenším nezáleží. Podstatné je, že já znám vás."

„Ale pokud jste jeden z těch chlapců ze sirotčince a pokud se domníváte, že jsem s vámi špatně zacházel... musíte mi dát příležitost říct, jak hrozně mě to mrzí."

„Špatně zacházel? Špatně zacházel? Takhle tomu říkáte? Lidi to za ta léta nazvali různě, ale špatné zacházení — kurva, slabší výraz snad nikdo nepoužil."

„Jednal jsem pošetile, to uznávám bez vytáček. Věřte mi ale, dělal jsem to pouze pro slávu Boží."

Muž se k němu naklonil a otec Quinlan uviděl jeho oči lesknoucí se v průstřizích masky. V tom kuželovém čepci působil útočník neskutečně děsivě, jako strašidelná postava z dětské pohádky. „Pojďte, otče, je načase, abyste odčinil své hříchy." Popadl ho za pravou paži a vytáhl jej z auta. Kněz poklesl v kolenou, ale muž ho zvedl a donutil se napřímit.

„Prosím, udělám všechno, co si budete přát," řekl otec Quinlan.

„To máte naprostou pravdu, otče," odvětil útočník. Stoupl si za něj, dal mu ruce za záda a odvedl ho na protější konec parkoviště, kde byla ve stínech nedaleko kostelní zdi ukryta černá dodávka renault. Otevřel zadní dveře a hodil kněze dovnitř jako vak plný starých kostí.

Otec Quinlan přistál na hromadě složených pytlů a narazil si rameno, hned si ale klekl.

„Pomoc!" zakřičel. „Pomozte mi někdo, prosím!"

Muž dveře mlčky přibouchl a zamkl. Nato se dodávka zhoupla a otec Quinlan poznal, že jeho únosce usedl za volant. Motor nastartoval a auto se rozjelo.

„Bože na nebesích," zašeptal kněz a sepjal ruce. „Prosím, pomozte mi někdo."

8

Katie umývala svůj hrnek na kávu, když se do kuchyně přišourala Siobhan v pruhované noční košili. Měla zarudlé tváře a její kudrnaté zrzavé vlasy byly rozcuchané, jako by celý večer strávila na jachtě.

„Včera ses vrátila dost pozdě," poznamenala.

„To víš. John jel domů a já jsem zaskočila na Anglesea Street. Jsem trochu pozadu s papírováním."

„Ve dvě ráno?"

„Prostě jsem nebyla unavená, nic víc."

„Zato nadšená jsi byla pořádně, co? Náš senzační John tě přece jenom požádal o ruku, viď?"

„Ne," přiznala Katie. „Nepožádal."

„Tomu říkám zklamání," podotkla Siobhan, otevřela dvířka od kredence a vytáhla z ní krabici cereálií. „A co teda bylo tak důležité, že jste si o tom museli za každou cenu popovídat?"

Katie se od ní odvrátila. „Nešlo o nic zvláštního. Akorát uvažuje o tom, že by prodal statek."

„To jako fakt?"

„Jo. Příbuzní mu pomáhat nemůžou a za současné ekonomické situace se mu práce v zemědělství zkrátka nevyplatí."

„A co má v plánu?"

Katie pokrčila rameny a řekla: „Kdo ví? Poslyš, musím do práce. Dneska ráno přiletí z Dublinu doktorka Collinsová, aby provedla pitvu otce Heaneyho. Asi ji moc nepotěší, když přijedu pozdě."

Zamířila ke dveřím, ale Siobhan ji chytila za rukáv halenky. „Podívej se na sebe, ségra. Oči máš úplně opuchlé. Ty jsi bulela, viď že jo?"

„Ovšem že ne. Obyčejná senná rýma."

„Dal ti kopačky?"

„Ne, nedal."

„Tak co se děje?"

„Povím ti to později," odpověděla Katie. „Teď toho mám hodně na práci."

„On ten statek prodá a vrátí se do Států, že mám pravdu?"

Katie mlčky přešla do místnosti, kterou stále nazývala dětským pokojem, přestože jí v současnosti sloužila jako domácí kancelář. Pokoj kdysi patřil malému Seamusovi, Katie a Paul z něj však odstranili původní modrou tapetu s obrázky houpacích koní, takže jejich syna tam nyní připomínala pouze malá zarámovaná fotografie pořízená o jeho prvních a jediných narozeninách.

Odemkla horní zásuvku psacího stolu a vytáhla z ní poniklovaný revolver Smith & Wesson ráže 38. Vyklopila zásobník, podívala se, jestli je zbraň nabitá, a uložila ji do plochého pouzdra, které měla připevněné k pravému boku.

Siobhan se postavila do dveří a zopakovala: „Mám pravdu, viď? On ten statek prodává a vrací se do Států."

Katie se dívala na svůj odraz v okenní tabulce. Připadala si, jako by místo mozku měla rozbitý porcelán, přesto neměla ve tváři žádný výraz. Zavřela šuplík a řekla: „Jo, prodává."

„Pojedeš do Států s ním?"

„Ovšem že ne. Copak to jde?"

„Přece ho miluješ, ne?"

Katie se kolem ní protáhla do předsíně a sundala z věšáku pršiplášť. „Ano. Ne. Nemůžu," odpověděla. „Je to naprosto vyloučené."

Siobhan řekla: „Katie, žiješ jenom jednou. Já jsem například mohla zůstat se Seanem. Třeba jsem s ním zůstat měla, jenže kdo by o to stál? Ale tvůj John? Neměla bys připustit, aby odjel bez tebe, a to myslím smrtelně vážně."

Katie otevřela hlavní dveře. Venku svítilo slunce a mezi stromy na protější straně silnice se třpytilo moře. „Zatím," prohodila směrem k Siobhan. „Zaskočím k tátovi na čaj, ale nezdržím se dlouho."

Vyrazila na corkské letiště. Letadlo z Dublinu přistálo dřív a doktorka Collinsová netrpělivě přešlapovala u sochy Christyho Ringa, přeborníka v hurlingu. Byla to vysoká žena s ostře řezanými rysy a do bronzova zbarvenými vlasy spletenými do neuhlazeného francouzského copu. Vzdáleně připomínala Katharine Hepburnovou, tedy pokud by Katharine Hepburnová nosila úzké brýle s kostěnými obroučkami a měla na bradě velké mateřské znaménko.

„Promiňte, že jste musela čekat," omluvila se Katie.

„To jsem si zrovna tak dobře mohla mávnout na taxíka," popotáhla doktorka Collinsová a kapesníkem si otřela špičatý nos. „Vám by to ušetřilo cestu a mně zase dvacet minut čekání v téhle proklaté zimě."

Katie otevřela kufr auta a pomohla jí uložit zavazadlo. „Chtěla jsem si s vámi o té pitvě promluvit, ještě než se do ní pustíte," řekla. Nastoupily, Katie nastartovala a odjela z letiště.

„Bývám radši, když se lidi nepokoušejí předpovědět, k jakým závěrům dojdu," prohlásila doktorka Collinsová.

„To bych si v životě nedovolila. Jde jen o to, že tenhle případ provázejí jisté neobvyklé okolnosti, kterých byste si asi měla být vědoma. Obětí je někdejší farář z Mayfieldu, otec Dermot Heaney. Svázali ho, uškrtili drátem a vykastrovali."

„Jinými slovy ho k Pánu poslali neúplného."

„V roce 2005 byl obviněn ze zneužívání dětí, ale biskup se za něj postavil, takže nebyl soudně stíhán. Teď se ovšem zdá, že církev k podobným věcem zaujímá přesně opačný postoj. Člověk by si myslel, že se od celé té záležitosti budou co nejvíc distancovat. Jenže oni hbitě přišli s teorií, že toho kněze zabila některá z jeho obětí, aby se mu pomstila. Skoro jako by naznačovali, že si to zasloužil."

„A co si myslíte vy?"

„Já jsem prozatím k ničemu nedospěla," prohlásila Katie. „Nemáme dostatek důkazů."

„Ale?"

„Ale překvapuje mě, že se lidi od církve nijak nevykrucují a sami bez vyzvání připouštějí, že otec Heaney zneužíval děti. Můžu říct jediné, a sice že jim to dalo legitimní záminku požadovat po nás, abychom vyšetřování vedli co nejdiskrétněji — však víte, pro případ, že by nějaké další oběti náhodou napadlo pomstít se kněžím, kteří je zneužívali. Je to otočka o sto osmdesát stupňů, o tom není pochyb. Když byl otec Heaney v roce 2005 obviněn ze zneužívání, na diecézi ho hájili do roztrhání těla. Dokonce si dovolili tvrdit, že veškerá ta nařčení jsou smyšlená, že jsou dílem fantastů."

„Co na to říct? Doba se změnila," poznamenala doktorka Collinsová. „Samé ubohé omluvy a bití se v prsa. Mea culpa, mea culpa. Strašní pokrytci." Opět vytáhla kapesník a rozložila ho. „Nechápu ovšem, jak se to týká pitvy."

Katie projela kruhovým objezdem na Kinsale Road a zamířila do centra. „Třeba se jí to netýká nijak. Jen jsem si přála, abyste to věděla. Chápete, pro případ, kdybyste náhodou narazila na nějaké důkazy, které na první pohled nepůsobí zvlášť důležitě, ale které by potenciálně vysvětlovaly situaci. Opravdu by mě zajímalo, proč církevní představitelé otce Heaneyho tak urychleně prohlašují za bezohledného pedofila, který dostal, co mu patřilo."

Katie odbočila ke vjezdu do fakultní nemocnice. Doktorka se vysmrkala a příkře se na ni zadívala.

„Vy máte podezření, že udělal něco mnohem horšího, viďte?"

9

Když Katie dorazila na Anglesea Street, strážmistr O'Rourke a detektiv O'Donovan už na ni čekali. Odložila umělohmotný kelímek s kapučínem na stůl, pověsila pršiplášť na věšák a zeptala se: „Tak jak to vypadá? Přihlásili se nějací svědkové?"

„Celkem dva," řekl strážmistr O'Rourke. „Pošťák z Ballyhooly a jedna stará babka, která šla venčit psa."

„Tak povídejte."

„V 7.20 ráno, poté co pošťák doručil zásilku na statek Grindellových, ho na silnici předjela černá dodávka a málem ho vytlačila do příkopu. Ten chlap odhaduje, že auto jelo nejmíň sedmdesátkou. Sama jste viděla, jak je ta silnice úzká."

„Předpokládám, že poznávací značku si nenapsal."

„Nenapsal, ale tvrdí, že byla corkská. A všiml si ještě něčeho: na zadním okně byl přilepený bílý otazník."

„Takže by neměl být problém ji najít. Dejte to do záznamu."

„Už se stalo, komisařko."

„A co ta svědkyně? Ta stará paní se psem..."

„Těsně po sedmé přecházela přes most mezi Bloomfieldem a Ballyhooly. Aspoň si myslí, že to bylo po sedmé. Prý se snesla slušná mlha a nebylo moc vidět, ona si ale všimla, že u břehu řeky parkuje černá dodávka s otevřenými zadními dveřmi. Taky ve vodě zahlédla nějakého chlápka, jak cosi vláčí."

„Řekla vám, co to bylo?"

„Ne, mlha byla příliš hustá. Prohlásila ale, že to muselo být něco těžkého, jinak by se s tím tolik netahal. Požádal jsem ji, jestli by si nemohla tipnout, o co asi šlo, a ona řekla, že jí to připomínalo pytel uhlí.“

„Popsala toho muže nějak?“

„Byl velký. Přesněji řečeno tlustý a nahrbený. Na sobě nejspíš měl šedý pršiplášť a holínky, ale ji zaujal hlavně jeho klobouk. Údajně byl vysoký a špičatý. Jako oslovská čepice.“

„To je zvláštní. Kdo by něco takového nosil dobrovolně?“

„Co já vím? Asi nějaký osel. Většinu času k ní stál zády, ale její pes nepřestával štěkat, takže se na vteřinku ohlédl a ona mu uviděla do tváře.“

„A? Jak vypadal?“

„Jak jsem řekl, zahlédla ho jen na chvilku a výstižný popis očividně nepatří mezi její silné stránky. Prohlásila, že byl tlustý, ale zdůraznila, že nebyl ošklivý. ‚Tlustý jako cherubín‘, tak se vyjádřila, to prý na něj sedí líp než ‚tlustý jako prase‘.“

„Tlustý jako cherubín? Fajn… Ráda bych si s ní promluvila osobně, třeba ho napodruhé popíše srozumitelněji.“

„Odpoledne vás k ní hodím, jestli chcete,“ nabídl se detektiv O'Donovan. „Musím obejít ještě čtyři pět domů, protože tam ráno nikdo nebyl, takže do Ballyhooly stejně pojedu.“

„Výborně,“ řekla Katie. „Aspoň máme přibližnou představu, kdy otce Heaneyho do té řeky hodili. Prohlédněte si záznamy bezpečnostních kamer v okruhu pětadvaceti kilometrů. V Corku, Mallow, Limericku a Fermoy. Třeba tu dodávku cestou do Ballyhooly zachytily a my zjistíme, odkud přijela.“

„Dobrý nápad. Hned se na to vrhnu.“

Právě v tom okamžiku zaklepal na dveře kanceláře vrchní policejní inspektor Dermot O'Driscoll. „Máte minutku, Katie?“

„Samozřejmě.“ Na Dermota O'Driscolla si minutku našla vždycky. Byl to velký muž s rozcuchanou bílou kšticí a obličejem barvy naloženého hovězího, člověk z lidu, nadšený fanoušek ragby a hurlingu a ve volných dnech nezřízený piják. Katiino povýšení od samého začátku zapáleně podporoval a svou podřízenou hájil, kdykoli si myslel, že to potřebuje. Choval nesmírný respekt k jejímu „talentu na detektivování", jak to označoval, a věřil, že ženy mají na lháře, podvodníky a prospěcháře nesrovnatelně lepší čich než muži. „Ženské vycítí žvásty na míli daleko," tvrdil přesvědčeně.

Strážmistr O'Rourke a detektiv O'Donovan z kanceláře odešli. Vrchní inspektor O'Driscoll vstoupil a masitou levou hýždí se uvelebil na okraji Katiina stolu. Ládoval se pirohem a čas od času si z břicha smetl drobečky.

„Tak jak to jde?" zeptal se s plnými ústy.

„Na nějaké odhady je ještě moc brzo. Víc se dozvíme až z pitevní zprávy."

„Věřila byste, že mi před chviličkou volali z kanceláře diecéze na Redemption Road? Monsignore Kevin Kelly, generální vikář."

„Opravdu? A copak si přál?"

„Říká, že tu vraždu nejspíš vyřešil za nás."

„Fakt? Já sice vím, že kněží mají být schopni konat zázraky, ale přesto by mě zajímalo, jak se mu to povedlo."

„Po telefonu mi nechtěl nic prozradit a uctivě mě požádal, abychom se zastavili u něj v kanceláři na diecézi."

„No proč ne, když nás požádal uctivě? A pokud tu vraždu vážně vyřešil, ušetří nám to spoustu času."

Vrchní inspektor O'Driscoll dojedl piroh a oprášil si ruce od drobků. „Člověk nikdy neví, Katie. Přihodily se už podivnější věci. Před šesti nebo sedmi lety jsem vyšetřoval jedno ubodání v Sunday's Well a byl jsem úplně v koncích. Neměl jsem žádné svědky, vražednou zbraň ani forenzní důkazy. Jakmile se ale v novinách objevilo jméno oběti, brnkl mi jistý kněz a řekl, že v den vraždy volal své matce, jenže ho špatně přepojili a on toho mrtvého chlapa zaslechl, jak se po telefonu hádá s jiným chlapem, a ten mu vyhrožoval, že do něj vrazí nůž. Jméno ten kněz neslyšel, jenom přezdívku Tazzer, ale oběť znala akorát jednoho člověka zvaného Tazzer, takže netrvalo ani půl hodiny a měl jsem ho pod zámkem."

„Předpokládám, že ten kněz dostal odměnu."

„Ne. Rozpočet to neumožňoval. Ale jednoho dne mu ji vyplatí v nebi, na to se můžete spolehnout."

10

Když otec Quinlan opět nabyl vědomí, uslyšel vzdálený zpěv — vysoké, sladké, pronikavé hlasy sboristů ze Sirotčince svatého Josefa, jak zpívají „Ave Maria". Otevřel oči a spatřil na stropě trojúhelník slunečního světla. Viděl rozmazaně a připadal si jako po nemilosrdném výprasku. V nose ucpaném zaschlou krví mu cukalo, ramena jej bolela a žebra měl natolik rozcitlivělá, že se musel nadechovat mělce a rychle. Kolena mu otekla a zdálo se, že má rozdrcené prsty u nohou, jako by mu po nich někdo opakovaně dupal.

Zabručel a zkusil se posadit, zjistil ale, že je k posteli přivázaný nylonovou prádelní šňůrou, a může tudíž zvednout hlavu jen o několik centimetrů. Navíc měl ztuhlý krk, takže po pár vteřinách musel hlavu zase položit.

Nacházel se kdesi v patře, v ložnici s ušmudlanými zdmi omítnutými vápnem a s podlahou pokrytou ochozeným, tmavě zeleným kobercem. Kromě postele tam bylo už jen prosezené křeslo z hnědé kůže. Podle staromódních výsuvných oken a rozpraskané loupající se omítky na stropě otec Quinlan poznal, že je v nějaké staré budově z devatenáctého století.

S námahou podruhé zvedl hlavu a na opačné straně ulice spatřil pastelové fasády krámků a nápis „Tom Murphy — Konfekce". Okamžitě pochopil, že je ve třetím patře obchodní nebo kancelářské budovy někde na severním konci Patrick Street, hlavní nákupní třídy v Corku.

„Dobrý Bože," vydechl popraskanými rty a položil hlavu na postel. Soudě podle množství slunečního světla muselo být kolem jedenácté ráno. Pamatoval si, jak včera večer vyšel ze sakristie, zamkl za sebou, rozloučil se s paní O'Malleyovou a jak se domníval, že nedaleko jeho auta kdosi stojí ve stínu, nemohl si však vzpomenout, co se odehrálo potom. Dokonce si ani nevybavoval žádný výprask, třebaže bylo zjevné, že ho zbili opravdu důkladně.

Zaslechl, že kdesi dole někdo uhání po schodišti a bere schody po dvou nebo po třech, a vykřikl: „Haló! Vy tam! Je tu někdo? Pomozte mi, prosím!"

Uslyšel bouchnutí dveří, po němž se ozývalo už jen troubení aut, dusavé kroky z chodníku a rozechvělý zpěv „Ave Maria".

„Prokrista, pomozte mi někdo," zopakoval tak tiše, že bylo zhola nemožné, aby ho uslyšel kdokoli kromě Boha a jeho andělů. Poté se začal modlit.

„Domine Iesu, dimitte nobis debita nostra, salva nos ab igne inferiori, perduc in caelum omnes animas, praesertim eas quae misericordiae tuae maxime indigent. Pane Ježíši, odpusť nám naše hříchy, uchraň nás pekelného ohně a přiveď do nebe všechny duše, zvláště ty, které tvého milosrdenství nejvíce potřebují."

Uplynula téměř hodina. Vystoupení sboru při Sirotčinci svatého Josefa ne a ne skončit — „Kyrie eleison", „Credo", „Agnus Dei" a pak opět „Ave Maria". Otce Quinlana ta hudba nepovzbuzovala, naopak ho silně rozrušovala, jako by jejím jediným účelem bylo posluchače vyděsit. Ovšem, cédéčko *Elements* se těšilo velké oblibě, obzvlášť zde v Irsku, a pouštělo se naprosto všude — v obchodech, restauracích, dokonce i hospodách —, jeho ale znepokojovalo, že hraje stále dokola.

„Pomoc!" volal zas a znovu, ačkoli nevěřil, že ho někdo uslyší. Pochyboval, že by jej přišli vysvobodit, i kdyby jeho křik zaznamenali.

Vtom bez jakéhokoli varování zarachotila klika a dveře do ložnice se otevřely. Otec Quinlan ze svého místa na příchozího neviděl, přesto tím směrem otočil hlavu a řekl: „Prosím! Je mi jedno, co jste zač, ale pomozte mi!"

Rozhostilo se ticho a pak se ozval tentýž hlas, který faráře oslovil předchozího večera na parkovišti před kostelem: „Tak vy stojíte o pomoc?"

„Co chcete?" zeptal se otec Quinlan. „Potrestat mě?"

„Podle mě moc dobře víte, co chci," odvětil muž. „Řekněme, že kdyby spravedlnost byla dort, hodlal bych si z ní uříznout pořádný kus."

„Nechápu, co tím myslíte."

Muž na několik vteřin zaváhal, potom udělal pár kroků a postavil se vedle postele, aby na něj otec Quinlan viděl. Obličej měl dosud zakrytý rouškou s dírami pro oči a na hlavě mu seděla tatáž špičatá čepice jako předtím. Byl tělnatý, měřil zhruba metr devadesát a přes opasek pytlovitých šedých kalhot mu přečnívalo vystoupé břicho. Na sobě měl beztvarou šedivou bundu a flanelovou košili téže barvy. Ustavičně si třel ruce. Na otce Quinlana působil strašidelným dojmem a také se zdálo, jako by se kolem muže vznášel vlhký odér z neustálého pocení.

Jeho čepice se dvěma zašpičatělými klapkami na uši byla téměř půl metru vysoká a vyrobená z roztřepeného šedého hedvábí nalepeného na karton. Vepředu se skvěl černý symbol, který připomínal otazník, zrovna tak to ale mohl být zahradnický nůž nebo srp.

„Kdo jste?" zeptal se otec Quinlan.

Příchozí si podivně, pisklavě odfrkl. „Na tom, kdo jsem, vůbec nesejde, otče. Stejně to nakonec všechno přistane ve stejném kýblu."

„Zníte úplně jako malý Charlie Dooley. Jste Charlie Dooley?"

„To jméno mi nic neříká, otče. Lidi mě znají jako Cípala. Potřebujete, aby bylo spravedlnosti učiněno zadost? Přejete si s někým srovnat účty? Pronásleduje vás nějaká ostudná vzpomínka, která ne a ne pominout, ať děláte co děláte? Obraťte se na Cípala a máte po starostech. Cípal za vás vše zařídí, na to se můžete spolehnout."

„To vy jste mě takhle zmlátil?" zeptal se otec Quinlan.

„Vy myslíte, že jste si to nezasloužil?"

„Vyzpovídal jsem se z každého lehkého i smrtelného hříchu, který jsem spáchal, kál jsem se a jsem si jistý, že mi Pán dal rozhřešení. Tak co po mně chcete? Ošklivě jste mi ublížil, to dobře víte, a já vás prosím, abyste mě rozvázal a pustil na svobodu. Myslím, že jste mi zlomil nejmíň dvě nebo tři žebra. Musím do nemocnice."

Cípal začal při farářových slovech pozvolna vrtět hlavou a jeho špičatá čepice se pravidelně kymácela ze strany na stranu jako metronom. Potom kněz zmlkl a Cípal prohlásil: „To ani náhodou, otče. Obávám se, že vás čeká poněkud jiný osud."

„Pak nechť se Bůh smiluje nad vaší duší," zachroptěl otec Quinlan.

Cípal nakreslil do vzduchu kříž. „I nad vaší, otče," odvětil.

S těmi slovy vytáhl velký zavírací nůž a se slyšitelným cvaknutím jej roztáhl. Otec Quinlan okamžitě přimhouřil oči a začal se modlit. Netušil, co se s ním stane, a úpěnlivě prosil o odpuštění veškerých prohřešků, na které zapomněl a z nichž se nekál, i škod, které snad neúmyslně napáchal. Především ale prosil o to, aby už nemusel dál trpět.

Z nějakého zvláštního důvodu mu na mysli vyvstala vzpomínka na to, jak jednoho letního odpoledne stál s matkou v kuchyni. Nemohlo mu být víc než čtyři nebo pět let. Matka zamíchala ve velké míse těsto na ovocný biskupský chlebíček, přidala do něj krupicový cukr a kandovanou kůru a potom přikryla mísu utěrkou, aby těsto nakynulo.

Nadzdvihl roh utěrky, ponořil do té bledě hnědé směsi prst, olízl ho a hned to zopakoval. Ještě teď cítil na jazyku sladkou chuť syrového chlebového těsta smíchaného s mlékem. Dosud viděl, jak skrz pelargonie v květináčích na okně dopadá do místnosti světlo. Náhle uslyšel, jak na dlaždicích zaklapaly podpatky, a došlo mu, že matka se vrátila do kuchyně. Utrhla se na něj: „Pro Kristovy rány!" a uštědřila mu tak silný pohlavek, že upadl a udeřil se o nohu stolu. Neslyšel nic než jakýsi hlasitý zpěvavý zvuk a matčin zastřený křik. Cítil pouze bolest.

Tehdy se rozplakal, a jak teď ležel na úzké posteli a nad ním postával Cípal, rozvzlykal se znovu. Spíš z lítosti nad svým mladším já než nad tím pohmožděným a zoufalým starým mužem, v nějž se dnes ráno proměnil.

„Ale, ale, pročpak pláčete, otče?" zeptal se Cípal ochraptěle. Sklonil se těsně k němu a otec Quinlan z jeho úst ucítil pach cibule. Cípal přeřízl prádelní šňůru, která kněze poutala k posteli, a povolil ji.

„Vida! A jste volný," řekl a otec Quinlan otevřel oči. Cípal si šňůru omotal kolem lokte, podobně jako když ženy navíjejí vlnu.

„Vy mě pustíte?" podivil se kněz, s obtížemi se posadil a špičkami prstů si osušil mokré oči.

„Takhle milosrdný k vám zase nebudu, otče, to si nemyslete." Vzal otce Quinlana za levý loket a pomohl mu vstát. Kněz udělal krok vpřed, ale ve zlomených žebrech ho ostře píchlo, jako by jej Cípal bodl velkým kuchyňským nožem. Zalapal po dechu a musel se na chvíli zastavit.

„Já nemůžu... Nejsem si jistý, že to zvládnu... Možná bych si měl radši lehnout."

„Jistě že to zvládnete, otče. Jdeme akorát do vedlejšího pokoje. To by bylo, aby tak umanutý člověk jako vy neušel pár metrů."

„Já vážně nemůžu... musím si..."

Cípal ho však hrubě odvlekl ke dveřím, natolik hrubě, že otec Quinlan zaúpěl bolestí a klesl v kolenou.

„Já nemůžu, já nemůžu, Ježíši, já nemůžu...!"

Cípal jím opět trhl a zvedl ho na nohy. Tentokrát knězem projela tak mučivá bolest, že se mu zatmělo před očima a zmocnil se jej pocit, jako by měl každou chvíli omdlít.

„Nikdy byste neměl říkat *nemůžu*, otče. Přesně tohle jste učil svoje žáky, ne? Nikdy neříkejte *nemůžu*, vždycky říkejte *můžu*. ‚Fňukal snad náš Pán Ježíš Kristus, že nemůže, když na Golgotu vláčel svůj kříž?' Netvrdil jste to žákům, otče? ‚Bolest nás přibližuje Bohu.'"

„Prosím," plakal otec Quinlan.

Cípal si jeho úpění nevšímal, nahrbil se a protáhl kněze dveřmi do sousední místnosti, vlhké páchnoucí koupelny se zeleně proužkovaným linoleem a oprýskanými zelenými zdmi. Po levé straně stála obří staromódní vana s nohama ve tvaru lvích tlap a s kohoutky, které vypadaly jako ukradené ze strojovny na Titaniku. Vnitřek vany pokrývala rez a našedlá špína a z kohoutků bez ustání kapalo. Vedle vany byl záchod s rozbitým mahagonovým prkýnkem a nad ním viselo umyvadlo se zrcadlem. Zrcadlo bylo zamlžené, přesto se v něm jasně odrážela modrá obloha a ubíhající mraky jako matný obrázek svobody a štěstí, o které kněz zanedlouho navždy přijde.

Na stropě byla mezi dvěma výsuvnými okny připevněna kladka, z níž se houpal dlouhý provaz.

„Vy mě chcete pověsit?" zvolal otec Quinlan zděšeně.

„To není úplně přesné, otče, ale svým způsobem ano. Slyšel jste někdy o estrapádě?"

„Ne, ne, to mi nemůžete udělat!"

„Ale ano, můžu. Jak jinak bych vás asi přiměl přemítat o příšerném kacířství, kterého jste se dopustil?"

„O žádné kacířství nešlo! To nikdy! Dobře víte, že jsme to dělali pro slávu Boží! Přáli jsme si otevřít brány nebeské, aby na nás dopadlo Boží světlo!"

Cípal si k němu stoupl tak blízko, že na něj otec Quinlan nemohl zaostřit. Ze silného pachu syrové cibule, který muži vanul z úst, se rozplakal podruhé.

„Pro žádnou Boží slávu to nebylo, otče. Oběma je nám dobře známo, pro čí slávu jste to dělali, a vy se k tomu teď musíte přiznat."

„Mám se přiznat k něčemu, co jsem nespáchal?"

„Přiznáte se, že jste to spáchal."

„To nejde. A je dočista jedno, co se mnou provedete."

Cípal o pár kroků ustoupil. Tvářil se velice vážně, skoro ohleduplně. „Tohle vás bude bolet, otče. Právě proto měla inkvizice tuhle metodu v takové oblibě."

Otci Quinlanovi zrudl nos. „Nemůžu lhát. Je nepřípustné, abych před soudem Boha všemohoucího křivě přísahal. Můžete se snažit, jak chcete."

„Dobrá tedy."

Cípal položil otci Quinlanovi dlaně na ramena a zatlačil na ně, aby si farář klekl. Za hrobového ticha uřízl kus prádelní šňůry, dal knězi ruce za záda a pevně mu svázal zápěstí, takže v nich takřka přerušil krevní oběh. Nato uchopil provaz, který visel od stropu, protáhl jej vzniklou smyčkou a zavázal.

Otec Quinlan o španělské inkvizici a estrapádě pochopitelně slyšel, a proto nedokázal potlačit zaúpění, které se mu dralo z hrdla. Cípal popadl konec provazu a trhl jím dolů, čímž kněze zvedl na nohy. Otci se nepodařilo spolknout výkřik bolesti. Cípal nepřestával škubat za provaz, až kněze nakonec za svázané, nepřirozeně vytočené ruce vytáhl vysoko do vzduchu. V tu chvíli se otec Quinlan poddal mukám a zoufale zaječel.

Vazy v jeho podpaží se s nepřeslechnutelným zapraskáním přetrhly a levé rameno, které si ve třinácti vykloubil při ragbyovém zápasu, vyletělo z jamky.

Cípal přitahoval, dokud se knězovy nohy nezmítaly nejméně čtyřicet centimetrů nad zemí, načež konec provazu omotal kolem vodovodních kohoutků a pevně jej zavázal.

„Nemám, z čeho bych se zpovídal!" zalapal otec Quinlan po dechu. „Nemám, z čeho bych se zpovídal!"

Cípal před ním postával, tvář zakrytou a hlavu ozdobenou vysokou kuželovou čepicí. Vypadal v té masce směšně, ale zároveň hrozivě, jako nějaký zlý klaun.

„Jaký je to pocit, otče? Bolí to víc než cokoli, co jste kdy zažil? Přesně tohle tvrdí lidi, kteří si estrapádou prošli."

„Nemám, z čeho bych se zpovídal! Bůh mi odpustil!"

Knězův obličej byl agonií popelavě šedý a oči mu vylézaly z důlků. Cípal měl pravdu — estrapáda nejenom že byla nejstrastiplnější věcí, jakou farář kdy zažil, ale také bolela mnohem víc, než pokládal za možné. Nepřestával se točit dokola, což výrazně zhoršovalo bodání v žebrech, a s každým pokusem se zvednout a ulevit si od bolesti se nervy a šlachy v jeho pažích dál trhaly.

Jak minuty ubíhaly a každá vteřina ho víc a víc přibližovala pekelnému ohni, začal postupně nabývat přesvědčení, že jeho hříchy jsou neodpustitelné a Bůh jej navzdory očekáváním nespasí.

„Zabijte mě!" vyjekl. „Drahý Bože, snesu všechno, jen tohle ne! Zabijte mě!"

11

Duby lemovanou příjezdovou cestu, která vedla k úřadu diecéze Cork a Ross, zalévalo slunce. Vrchní inspektor O'Driscoll si falešně pobrukoval, spokojený jako medvídek Pú.

„Už jsem vám někdy vykládal, že jsem kdysi taky měl být flanďák?" poznamenal, když Katie zahnula na parkoviště pro návštěvníky. „Máma si přála, abych jím byl, ale táta to nechtěl dopustit."

„Opravdu?"

„Nechápejte mě špatně. Táta byl hluboce věřící, jak to u vlakových průvodčích ostatně bývá, existovaly ale dvě věci, na které nevěřil: margarín a celibát."

„Nepovídejte," podivila se Katie.

„Opravdu. Tvrdil, že kdyby Bůh nechtěl, aby lidi jedli máslo, nestvořil by krávy, a kdyby nestál o to, aby muži smilnili, nestvořil by ženy."

Katie sklopila stínítko a načechrala si vlasy. Měla na sobě olivově zelený kostým tvořený těsným sakem a úzkou pouzdrovou sukní a krémově bílou halenku s vytaženým límcem. John tomu říkal „Katiina vojenská uniforma". Nosila ji, kdykoli měla domluvenou schůzku s mužem, na nějž hodlala zapůsobit svou přímostí a nesmlouvavým postojem ke zločinu.

Vystoupila z auta a společně s vrchním inspektorem O'Driscollem zamířila k nejbližšímu vchodu. Úřad diecéze se rozkládal na obrovském pozemku se spoustou stromů a polí, v prostorné kamenné budově, která vypadala jako něco mezi katedrálou a venkovským sídlem. Ze schůdků přede dveřmi sbíhali vážně vyhlížející mladí muži v kolárcích. Pět jeptišek, které v rozevlátých hábitech postávaly před úřadem, se shluklo do kroužku. Žvanily a pištěly jako rackové, když se perou o mrtvou tresku.

Do kanceláře generálního vikáře je doprovodil mladý kněz s tlustými brýlemi, vlasy zježenými v zátylku a předkusem. Pelášil po schodišti tak rychle, že mu málem nestačili.

Monsignore Kevin Kelly seděl za širokým dubovým stolem a bříška prstů opíral o sebe, jako by jeho netrpělivost rostla už od chvíle, kdy Katie a vrchnímu inspektoru O'Driscollovi zavolal.

Z vitrážového okna za jeho zády byl krásný výhled na svažité parkoviště před budovou i nedaleké střechy a věžičky Corku, které se v denním světle jasně třpytily.

Dvě zdi monsignorovy kanceláře byly lemované knihami vázanými v kůži. Třetí zdi, vykládané mahagonem, dominovala velká olejomalba zachycující předchozího biskupa Corku a Rossu Conora Kerrigana, jak oděný do hábitu a purpurové šerpy drží Bibli a ze všech sil se snaží působit svatě, ale pokud možno ne arogantně.

„Á, Dermote, mockrát děkuji, že jste mě navštívil," řekl monsignore Kelly, vstal ze židle a podal vrchnímu inspektorovi ruku.

Katie se generální vikář zdál na první pohled dost vysoký, ale když k němu přistoupila, uvědomila si, že se jeho stůl nachází velice blízko dveří a hodnostář ve skutečnosti měří maximálně metr pětašedesát. Byl pohledný po vzoru římských císařů — šedé vlasy měl sčesané dopředu a na nápadném nose se mu skvěl hrbol, měl ale přesně takové oči, jaké Katie odjakživa připadaly na mužích podezřelé: nadmíru lesklé a samolibé. *Vy ženské, mně je jasné, na co myslíte, přede mnou nic neschováte.*

Samozřejmě se někdy mýlila, přesto si o sobě ráda myslela, že dokáže poznat, který kněz porušil slib cudnosti, obzvlášť pokud ho porušoval často a na vlastní kůži se přesvědčil, jak silné umějí tělesné vášně být. Takoví kněží po ní obvykle kradmo pokukovali, lišácky a zároveň blahosklonně, jako by si ji bez potíží dovedli představit nahou, ale nehodlali se kompromitovat tím, že by to přiznali.

„S komisařkou Kathleen Maguirovou se bezpochyby znáte," prohodil vrchní inspektor O'Driscoll.

Monsignore Kelly vzal Katiinu ruku a stiskl ji, aniž by jí potřásl. Jeho dlaň byla hřejivá a zvláštně hrubá.

„Nikoli, zatím jsem neměl tu čest. Pokud je mi ale známo, komisařko, tak právě vaši detektivové loni rozbili ten rumunský gang, který vykrádal kostely, nemýlím se? Diecéze je vám za to nesmírně zavázaná."

„Prosím, monsignore, říkejte mi Katie. Lidé od médií mi už neřeknou jinak."

„Ach, ano, média! Kdopak by je nemiloval?"

„Proč ne, když slouží svému účelu?" podotkl Dermot O'Driscoll.

„Posaďte se, prosím," vybídl je monsignore Kelly. „Dalo by se říct, že jsem vás sem pozval částečně právě kvůli médiím. Biskupa silně zneklidňuje, jakou na sebe vražda otce Heaneyho strhla pozornost a jakou senzacechtivost vyvolala. Jistě, jedná se o mediálně vděčnou událost, ale on si nepřeje, aby se to zbytečně nafukovalo. Zdálo se nám, že jsme to pobouření ohledně zneužívání dětí přestáli víceméně bez úhony, a teď tohle."

Zvedl ze stolu včerejší vydání deníku *Examiner*, jehož titulní strana hlásala: „PEDOFILNÍ KNĚZ ZABIT Z POMSTY. POLICIE VYSLÝCHÁ OBĚTI ZNEUŽÍVÁNÍ."

Dermot O'Driscoll popotáhl a řekl: „Ano, ten článek jsem zaznamenal, ale nad tím, co si v novinách usmyslí publikovat, bohužel nemám žádnou kontrolu."

„Toho jsem si vědom," přitakal monsignore Kelly. „Naštěstí jsem přesvědčen, že vražda otce Heaneyho byla vyřešena. I když bych asi měl říct naneštěstí, protože se zdá, že se kvůli tomu nevinná duše odebrala ke svému Stvořiteli."

„Pokračujte," řekl Dermot O'Driscoll. Katie věděla, jak je vůči amatérským slídilům skeptický. Upřímně si myslel, že většina z nich by nezvládla složit ani pitomou skládanku o dvou dílcích, natož vyřešit trojnásobnou vraždu drogových dealerů v Grawn.

S úsměvem, na němž bylo cosi téměř vítězoslavného, přisunul monsignore Kelly vrchnímu inspektoru O'Driscollovi pomačkaný list nalinkovaného papíru vytržený z laciného kroužkového notesu. Dermot O'Driscoll si text zběžně pročetl a podal jej Katie.

„Odkud jste ho vzal?" zeptal se monsignora Kellyho.

„Včera pozdě v noci nebo dnes brzy ráno jej někdo hodil do schránky otce Lenihana v kostele svatého Patrika na Lower Glanmire Road. Otec Lenihan mi zavolal, jakmile ten lístek našel — přibližně v šest ráno. Nařídil jsem mu, aby o tom s nikým nemluvil a okamžitě mi jej přinesl."

„Vy jste mu neřekl, ať se obrátí přímo na nás?"

„No, ne," pokrčil monsignore Kelly rameny. „Co kdyby šlo o falešný poplach? Navíc jsem měl pocit, že bude moudřejší, když se na ten vzkaz nejprve podívám sám, abych neplýtval vaším drahocenným časem."

Vy jste mi ale slizoun, monsignore, pomyslela si Katie. Samé obezřetné úsměvy a vyjadřování.

„Počítat s tím, že lidi budou mrhat naším časem, patří k policejní práci," namítl O'Driscoll.

„Toho si cením," řekl monsignore Kelly. „Ale co by se změnilo, kdybych vás zavolal hned? Když otec Lenihan ten dopis našel, stejně už bylo pozdě. Pochopitelně mě vedlo přání vyvolat co nejmenší rozruch. Musím se ostatně ohlížet na reputaci diecéze a zájmy Brendanovy rodiny, na to nezapomínejte, Dermote."

Katie dočetla dopis. Byl napsaný zelenou propiskou, v níž patrně docházela náplň, a úzkými písmeny nakloněnými doleva.

„Mým příbuzným, přátelům a hlavně otci Lenihanovi.

Nijak se nestydím za to co jsem spáchal, ale vím že v očích Boha a zákona budu muset zaplatit a radši bych zaplatil způsobem, který si sám vyberu. Otec Heaney mně v Sirotčinci svatého Josefa mockrát zneužil a já i po všech těch letech musím dennodenně myslet na to co jsem ho nechal udělat a co jsem na oplátku dělal já jemu. Jak víte, nikdy jsem neměl přítelkyni ani manželku, dokonce jsem si nedokázal představit, že bych se někdy s nějakou ženou tělesně zblížil, poněvadž jsem byl toho názoru, že sotva bych se svlékl, poznala by na mě co se mi přihodilo. Cítil jsem se, jako by moje tělo bylo od hlavy až k patě potetované černými prsty otce Heaneyho, které ze sebe nadosmrti nesmyju. Každé ráno a každý večer se drhnu bělidlem, ale čistý si ani pak nepřipadám. Všechny ty řeči o zneužívání, které se několik posledních týdnů vedou ve mě vzbudily příliš mnoho vzpomínek a způsobily mi příliš silná muka. Šílená hanba mi brání spát. Usoudil jsem, že klidu a míru dojdu, jen když otce Heaneyho připravím o život, podobně jako on mně připravil o ten můj. Osobně s tím skoncuju a až si tenhle dopis přečtete, bude po mě. Vím, že to co se chystám provést se pokládá za smrtelný hřích, ale copak může být hřích zabít se, když vás beztak dávno zabili?

Sbohem a Bůh vám žehnej

Brendan Doody."

„Kdo je Brendan Doody?" zeptala se Katie.

„Chodí — chodil — vypomáhat do kostela svatého Patrika," odpověděl monsignore Kelly. „Pracoval po celém Saint Luke's Cross, pro každého, kdo mu zaplatil. Zahradničil, umýval okna, tu a tam dělal dekorace, takové věci. Setkal jsem se s ním jen několikrát, ale působil na mě jako podivný chlapík. Neustále si něco brblal pod vousy. Skoro jako by se s někým dohadoval."

„Řídil dodávku?" zeptala se Katie.

Monsignore Kelly pokrčil rameny. „Nemám tušení, Katie. S tímhle se musíte obrátit na otce Lenihana."

„Zdálo se vám, že je schopný vraždy?"

„Kdo ví, čeho je člověk schopný, když mu dojdou duševní síly? Tělesně zdatný byl, to ano, a rozhodně by zvládl otce Heaneyho přeprat, svázat a zohavit tak, jak byl zohaven — Bůh buď milostiv jeho duši."

Katie se podívala na zadní stranu papíru. „Nenašlo se nic, co by vypovídalo o tom, jakým způsobem si plánoval sáhnout na život? A jestli si na něj doopravdy sáhl?"

„Jakmile otec Lenihan ten lístek našel, šel rovnou k Brendanovi domů, ale on tam nebyl. Dveře byly odemčené a na stole stálo pět nebo šest prázdných lahví whisky spolu s vypitými plechovkami piva. Otec Lenihan zatelefonoval Brandonově matce do Limericku a jeho bratrovi do Middletonu, ale žádný z nich ho v posledních dnech neviděl."

71

„Chápu," řekl Dermot O'Driscoll. „Nesmíme ale dělat ukvapené závěry. Nejdřív musíme toho chlapce najít. Dokud nenajdeme jeho mrtvolu, nelze jednoduše předpokládat, že se oddělal. Zrovna tak si nemůžeme být jistí, co ten dopis skutečně znamená, dokud si s panem Doodym nepopovídáme — tedy za předpokladu, že se vážně neoddělal. Pokud je opravdu tak divný, jak tvrdíte, může to být celé jen v jeho hlavě."

„Myslíte?" zamračil se monsignore Kelly. „Osobně jsem toho názoru, že ten dopis je velice přesvědčivé doznání viny — a věřte mi, že jsem za svůj život vyslechl už něco doznání."

Katie se do toho vložila: „Veřejnost si bohužel neuvědomuje, že kdykoli dojde k vraždě, přizná se k ní nejmíň půltuctu lidí. Někdy na sebe touží strhnout pozornost, jindy mají o kolečko míň a opravdu věří, že jsou vinni. Občas z toho chtějí jen vytřískat slušnou večeři a teplou postel."

Monsignore Kelly povytáhl obočí. „Ach," řekl, dlouze se odmlčel a pokračoval: „Popravdě řečeno jsme s biskupem doufali, že se tím ta záležitost uzavře."

„Možná uzavře," řekla Katie. „Ze všeho nejdřív si ale musíme ověřit, jestli ten vzkaz vážně napsal Brendan Doody a jestli se opravdu zabil, nebo se prostě někam vytratil. Co myslíte, má otec Lenihan nějakou jeho fotku, kterou bychom mohli pustit do oběhu?"

„Nejsem si jistý, ale domnívám se, že ano." Monsignore Kelly na Katie působil zklamaně a rozčileně. „Přejete si, abych mu zavolal a zeptal se ho?"

„Neobtěžujte se, stejně se za ním vypravím," oznámila Katie. „Měl jste pro nás ještě něco? Čím dřív se do vyšetřování dáme, tím líp."

„Ne, neměl. Chtěl jsem vám jen ukázat ten lístek. Rád bych ovšem zdůraznil, že biskupovi dělá ten případ nesmírné starosti. Snažně vás prosím, abyste pátrání vedli co nejdiskrétněji."

„Žádné šokující tiskovky nechystáme, jestli máte na mysli tohle," ujistil ho Dermot O'Driscoll. „My se zabýváme důkazy, monsignore, ne za vlasy přitaženým spekulírováním."

Monsignore Kelly vstal a znovu jim potřásl rukou. Při loučení na Katie pohlédl tak upřeně, že si to nedovedla nijak vyložit. Byl duchovní, ale přesně takhle se na ni dívali corkští gangsteři jako Dave MacSweeney, když se domnívali, že jim je v patách a brzy odhalí, jakých nepravostí se v poslední době zase dopustili.

Když scházeli po širokém točitém schodišti, dva mladí kněží se přitiskli ke zdi, aby jim uvolnili cestu. Katie řekla: „Co o tom všem soudíte, pane?"

„Ať mě spere ďas, jestli jsem z toho chytrý," odvětil Dermot O'Driscoll, vytáhl z kapsy kapesník a vysmrkal se. „Určitě vám ale neušlo, jak byl nervózní, že? Jasně, Katie, někdo složil kněze, nejspíš starého prasáka, jenže proč to biskupa tolik trápí?"

„Netuším, pane, ale souhlasím s vámi. Náš dobrý monsignore Kelly se rozhodně mohl přerazit, aby nás popostrčil konkrétním směrem — pryč od něčeho, co je mu velmi nepříjemné." Zvedla Doodyho dopis naškrábaný zelenou propiskou. „A povím vám ještě něco," řekla. „Tohle přiznání ani náhodou nevypadá věrohodně."

„Tvrdí, že to udělal."

„Já vím, ale ten text působí, jako by ho napsal vzdělaný muž, co jenom předstírá, že je pitomý. Ano, je plný hrubek, jenže autor udělal chybu ve spojeních jako ‚tělesné sblížení', která by žádný člověk bez vzdělání nikdy nepoužil. Nebo třeba ‚silná muka'. Potkal jste někdy nějakého nádeníka, který by mluvil o ‚mukách'?"

Přešli přes parkoviště a nastoupili do auta. Katie řekla: „Já prostě nechápu, proč je církev tolik odhodlaná svalit vinu na tohohle Brendana Doodyho. A vůbec, je ten chlap skutečně mrtvý, nebo ho někam odlifrovali, abychom ho nevypátrali?"

Dermot O'Driscoll se zašklebil. „Radši si počkejme, jestli se neukáže. A pokud ho najdeme mrtvého, měli bychom se modlit, aby si fakt sáhl na život sám. Protože pokud mu k tomu někdo dopomohl, bude z tohohle případu jeden velký bordel."

12

Otec Quinlan zaslechl, jak hodiny kdesi na ulici odbíjejí pátou. Celé jeho tělo se zachvívalo pod návaly bolesti — každá šlacha, každičký nerv i sval —, visel tam však dlouho, a tak si nějakým zázrakem začínal na utrpení zvykat. Napadlo ho, zda to tak cítil i Kristus, když ho přibili na kříž.

Odpolední slunce na obloze pokročilo, takže do koupelny dopadal už jen tenký trojúhelníkovitý paprsek světla. Otec Quinlan byl v místnosti sám, přes dveře však stále slabě doléhaly vysoké hlasy sboristů ze Sirotčince svatého Josefa. Zpívaly hymnus „Bring Flowers of the Rarest", který se tradičně zpívá v květnu — tedy příští měsíc — coby doprovod obřadu ověšování sochy Panny Marie květinovými věnci. Otci Quinlanovi se při té písni zalily oči slzami ještě víc, než když ho odpoledne Cípal mučil.

Vzlykal a jeho zlomená žebra o sebe drhla, takže se rozplakal ještě usedavěji. „Kde jsi?" zakřičel nebo se o to alespoň pokusil, protože měl v krku sucho a nedokázal se málem ani nadechnout. „Kde jsi, ty ďáble? Proč mě nezabiješ a neskončuješ s tím?"

I přes pokračující zpěv se otci Quinlanovi zdálo, že znovu slyší, jak kdosi běží po schodech. Nikdo se však neobjevil. Svým způsobem bylo horší trpět o samotě než snášet Cípalovo popichování. Když mu Cípal dělal společnost, měl otec Quinlan aspoň pocit, že o jeho bolesti někdo ví, třebaže si ji vychutnává.

Náhle se dveře do koupelny otevřely, a než se opět zavřely, byl zpěv sboru na krátký okamžik slyšet hlasitěji.

Otec Quinlan zvedl hlavu a ucítil, jak mu při tom praskají šlachy v krku. Na protější straně místnosti stál vedle vany Cípal s rukama založenýma na hrudi. Šedou bundu si už svlékl a teď na sobě měl červenou gumovou zástěru, která mu sahala až ke kotníkům. Téměř každý centimetr jeho holých předloktí byl potetován obrázky, většinou ryb.

„Volal jste mě, otče?" zeptal se. Tentokrát mluvil zlehka a melodicky, jako když si matka všimne, že ji uprostřed noci volá dítě.

„Myslel jsem, že jsem tu zůstal sám," vzlykl otec Quinlan.

„Jak vás něco takového mohlo napadnout?" podivil se Cípal. Jeho hlas zněl najednou stejně jako předtím, drsně a chraplavě. „Copak nevíte, že Bůh je vždy s námi, a když od nás na vteřinku nebo na dvě odvrátí oči, zaujme jeho místo některý z andělů? Kdepak, my nikdy nezůstáváme sami."

„Proč mě nezabijete a nezbavíte mě té bolesti?" zeptal se otec Quinlan.

„Protože potřebuju, abyste se vyzpovídal ze svého hříchu a prozradil mi jména všech, kdo se na jeho spáchání podíleli. A ze všeho nejvíc potřebuju vědět, kdo vás k té šílenosti navedl."

„To nemůžu," zachroptěl otec Quinlan.

„Nemůžete, nebo nechcete?" naléhal Cípal. Přistoupil blíž a jeho gumová zástěra zavrzala. Páchl zatuchlým potem a cibulí. Ryby na jeho předloktích vypadaly jako mořské příšery z map středověkých námořníků, jako stvůry s vytřeštěnýma očima a tlustými pysky. Jedna z nich byla rozříznutá a z jejího břicha se valily proudy menších rybek.

Otec Quinlan řekl: „Složil jsem slib mlčení. My všichni jsme ho složili. Nikdo z nás nesmí mluvit o tom, co jsme udělali, s kým a proč."

Cípal bez varování prudce zatahal za provaz, na němž byl otec Quinlan zavěšen, a kněz vypískl bolestí jako malá holka.

„Přinejmenším byste se mohl vyzpovídat ze svého vlastního hříchu, nemyslíte, otče? Kdo ví, třeba by mě to přimělo spustit vás na zem."

„Jenže on to žádný hřích nebyl. My to za hřích nepokládali." Otec Quinlan se musel mezi jednotlivými větami odmlčet, popadnout dech a odkašlat si. Cípal trpělivě čekal, jako by měl času na rozdávání. Jemně provazem pohupoval dopředu a dozadu, aby si otec Quinlan připadal ještě bezbranněji.

„Aha, takže vy jste žádný hřích nespáchali! Co jste tedy spáchali, když ne hřích?"

„Nechte mě vysvětlit, proč jsme to udělali. Udělali jsme to... udělali jsme to..."

„Pokračujte, otče. Teď nepřestávejte."

Otec Quinlan zavřel oči. Bolest už pro něj byla příliš nesnesitelná. Za zavřenýma očima viděl pouze sytou červeň, barvu pekla, stále však slyšel sborový zpěv písně „O Sanctissima", troubení aut a dusot zákazníků na Patrick Street — jako by naslouchal davu nadšených pozorovatelů spěchajících v sandálech na Golgotu, aby se podívali na Kristovo ukřižování.

„Udělali jsme to pro slávu Boží. A pro slávu diecéze."

„Prosím? To, co jste vy a ostatní kněží provedli — jak přesně jste oslavili Boha? Nebo diecézi, když už jsme u toho? Nepleťte se: vy jste konali dílo ďáblovo."

„Vy tomu nerozumíte."

„Máte naprostou pravdu, otče, vážně nerozumím, a ani neporozumím, dokud mi to nevysvětlíte."

„Copak na tom sejde? Budete mě mučit bez ohledu na to, jestli vám povím pravdu, nebo ne. Radši dodržím přísahu, kterou jsem dal svým bratřím a Bohu."

Cípal pokrčil rameny. „Záleží na vás, otče. Podle mě si ovšem neuvědomujete, že existují dva druhy mučení. Vsadím se, že když tady takhle visíte, považujete to za mučení. Jistě, nepletete se. Jenže jak se mi tu tak houpete, pořád máte naději, že přežijete a budete vést normální život. Vaše ruce možná nebudou, co bývaly, ale přesto budete schopný chodit, mluvit, jíst ryby s brambůrky a utírat si zadek."

Cípal se k němu naklonil. Rouška, která mu zakrývala tvář, se s každým nádechem zvedala a zase klesala. „Zvažme ovšem, co by se stalo, kdybych vám uřízl nohy od kotníků dolů. Nebo ruce. Řekněme, že byste přišel o uši nebo o nos. Co kdybych vám vypíchl oči? Samozřejmě bez umrtvení. To by vás nebolelo jenom ve chvíli, kdy by se vám to dělo. Zatímco bych vám ubližoval, ani na okamžik byste nepřestal myslet na to, že už nikdy nebudete jako dřív."

Dvacet dlouhých vteřin bylo ticho, maska skrývající Cípalovu tvář se zvedala a klesala a jeho oči za průstřihy se leskly. Potom zašeptal: „Pak byste mě teprve prosil, abych vás zabil, otče, to vám přísahám."

S těmi slovy do otce Quinlana tvrdě strčil, takže se kněz zhoupl, začal se točit, dokola a dokola, divoce kopat a ječet bolestí.

„Vyzpovídám se!" vykřikl. „Vyzpovídám se! Prosím! Svatá panno, Matko Boží, vyzpovídám se!"

„Konečně jsme se hnuli z místa," řekl Cípal. „Nechám vás o tom ještě chvilku rozjímat, zhruba hodinku, abychom měli úplnou jistotu, a pak se vrátím a spustím vás na zem."

„Prosím," zaúpěl otec Quinlan. „Prosím, spusťte mě hned. Vyzpovídám se."

Cípal si ho však nevšímal, vyšel z koupelny, tiše za sebou zavřel dveře a nechal otce Quinlana, ať se mlčky točí na provaze.

Nyní měl kněz obě ramena zcela vykloubená a ze rtů mu visel provazec krvavých slin. Jeho sténání znělo spíš jako hučení.

Sbor zpíval:

„*Zachraň nás, Hospodine, náš Bože,*
a z národů nás posbírej!
Tvé svaté jméno ať oslavíme,
tvou chválou ať se chlubíme!

Ať je požehnán Hospodin, Bůh izraelský,
od věků až navěky!
Ať všechen lid odpoví: Amen!
Aleluja!"

13

Než se Cípal vrátil, úplně se setmělo a koupelnu osvětlovala pouze sodíková výbojka pouliční lampy. Otec Quinlan střídavě ztrácel vědomí a opět přicházel k sobě. Trápily ho halucinace — myslel si, že se prochází po mořském pobřeží, kam chodíval odpočívat během svého víkendového pobytu v duchovním centru Myross Wood poblíž vesnice Leap v západním Corku. Bylo teplé srpnové odpoledne a po azurové obloze se prohánělo jen několik roztrhaných obláčků, od moře však vanul chladný větřík a vzdouval mu sutanu jako lodní plachtu.

Zlézal skaliska a byl hluboce zabraný do vzpomínek na debatu, jíž se toho rána účastnil: o „pastýřství" a „oddaném učednictví", v jehož rámci by se noví katoličtí konvertité měli zcela odevzdat vyspělejším příslušníkům obce a na slovo je poslouchat jako pes, když se žene za klackem. „Pes netuší, proč za klackem uhání. Neuvědomuje si, že pohyb je pro něj prospěšný. Není ovšem nutné, aby si to uvědomoval. Důležitá je výhradně jeho poslušnost."

Zadýchanému otci Quinlanovi na břidlici podkluzovaly boty, přesto dál šplhal na žulový převis, odkud byl lepší výhled na zátoku. Když se přiblížil k vrcholu, všiml si, že ve větru vlají zrzavé dívčí vlasy. Udělal ještě dva nebo tři kroky a vtom spatřil dívku celou.

Klečela v trávě, bledá, hezká a úplně nahá. Upřeně na něj zírala, ale v nejmenším se nezdálo, že by se styděla. Měla malá prsa s růžovými bradavkami ztvrdlými zimou, výrazně zaoblené boky a mezi nohama houštinu rudých chlupů. V levé ruce svírala ztopořený penis hubeného mladého muže, který ležel na zemi. Hlavu měl skrytou za kamenem, takže ji otec Quinlan neviděl. I jeho ochlupení bylo zrzavé. Dívka mu zrovna stáhla předkožku a odhalila jeho levandulově zbarvený žalud. Ústa měla otevřená dokořán, jako by ji otec Quinlan přistihl právě v okamžiku, kdy se do nich chystala vzít mladíkův úd.

Dlouhých pět vteřin zůstali otec Quinlan i to děvče naprosto bez hnutí jako postavy na malbě. Knězova sutana se divoce třepotala ve větru, který rozfoukával dívčiny vlasy do dlouhých secesních pramenů. Dole pod nimi běsnil oceán a kolem poletovali ječící rackové, ale nikdo z nich se za celou dobu ani nepohnul.

Otec Quinlan náhle trhl pravou rukou, jako by dívce žehnal, omlouval se jí nebo mával na rozloučenou. Nato se otočil a odklopýtal po převisu pryč. Přeskakoval kameny a padal, dokud nenarazil na pěšinku vedoucí zpátky k silnici.

Cítil, že se mu do tváří žene krev, ale nikoli hanbou. Připadal si, jako by neúmyslně otevřel dvířka pece a spálil se o žhavé plameny pokušení. Poprvé v životě s naprostou jistotou věděl, kým je a po čem doopravdy prahne, přestože si to nikdy nepřipustil. Viděl svůj hřích tak jasně, jako by byl zobrazený na malbě od Pietera Bruegela, zpodobněný démony s hlavami brouků, kteří se otce Quinlana pokoušejí stáhnout do pekla, zatímco andělé se mu naopak snaží dodat sílu a odvahu svodům odolat.

Nevzrušila ho však rusovlasá dívka. Vnímal ji jako Sirénu, to ano, jako svůdnici, Evu nebo Lamii — překrásnou Poseidonovu vnučku pojídající děti. Tu silnou reakci v něm vzbudil onen neznámý mladý muž, který ležel na zádech, zatímco děvče laskalo jeho penis. Tak štíhlý, s úzkými boky, tolik chlapecký. Otec si představil sám sebe na dívčině místě, jak se chystá vzít mladíkův penis do úst.

Cípal prudce zhoupl provaz ze strany na stranu. „Netvrďte mi, že jste tu usnul?" obořil se na kněze.

„Ááááá! Prosím!" vykřikl otec Quinlan. „Prosím, prosím, nedělejte to, strašně to bolí."

„Jste připravený se vyzpovídat?"

Otec Quinlan se pokusil zvednout hlavu. Cípal na sobě stále měl masku a zástěru z červené gumy.

„Ano," zašeptal otec Quinlan. „Pokud si to přejete."

Cípal povolil uzly, jimiž byl provaz připevněn k vodovodním kohoutkům, a spustil otce Quinlana na podlahu.

Kněz poklesl v kolenou a pomalu se zhroutil na pravý bok. Vykloubeným ramenem se dotkl linolea a zakřičel tak hlasitě, že Cípal řekl: „Proboha živého, utište se! Kurva, vždyť vy zníte jako nějaké kuře!"

„Panno Marie, Matko Boží, Panno Marie, Matko Boží!"

Cípal knězi rozvázal zápěstí a stlačil mu ruce k bokům, jednu po druhé. Otec Quinlan se kousl do jazyka, aby potlačil další výkřik, a z koutku úst mu vytekl pramínek krve.

„A teď," řekl Cípal, uchopil kněze pod pažemi, násilím ho posadil, odvlekl po podlaze k vaně a opřel ho o zeď. „Teď si poslechneme vaši zpověď. A ať je vás hezky slyšet."

Otec Quinlan zavřel oči. Zmítala jím nepředstavitelná bolest, takže málem zapomněl, jak mluvit. Cípal čekal skoro půl minuty, a když kněz stále nezačal s doznáním, řekl: „Co kdybych vám malinko promazal hlasivky, hm? Beztoho jsem vám hodlal později trochu dát."

Přešel k malé skříňce z borovicového dřeva, která stála v rohu, a vytáhl z ní velkou zavařovací sklenici. Vrátil se, přidržel ji otci Quinlanovi před obličejem a řekl: „Otevřete oči, otče. Vidíte? Nejlepší med z Dunmanwaye, od Johna Martina. Nedal jste na něj dopustit. Tvrdil jste, že je to to pravé ořechové."

Sklenice s medem ve slunečním světle jasně planula, až vypadala jako oranžová lampa. Cípal odšrouboval víčko a vyndal z kapsy gumové zástěry velkou dezertní lžíci z nerezu. Naklonil nádobu na stranu, začal med lít na lžičku, dokud z ní v dlouhých provazcích neodkapával na podlahu, a pak ji knězi podržel u úst.

„Tumáte, otče. Zlatý med, abyste měl zlatý hlas."

Otec Quinlan pevně sevřel rty a pokusil se odvrátit hlavu.

„Ale, otče, víte přece, že vám to prospěje," prohlásil Cípal a přitiskl mu lžíci k ústům. Z té silné sladké vůně se knězi obrátil žaludek.

„Myslíte si, že mně snad z medu není zle?" podotkl Cípal. „Ani po všech těch letech ho nedokážu snést. Stačí, abych v obchodě uviděl sklenici medu, a div nevyzvracím snídani. Ale proč ne, pokud vás to donutí se vyzpovídat. Prostě se vůči té chuti musíte obrnit."

Otec Quinlan ústa ne a ne otevřít. Šlo o poslední projev vzdoru. Podařilo se ti mě přinutit, abych se vyzpovídal, ale já jsem žádný hřích nespáchal. Ani mí bratři ne. Všechno jsme dělali jen proto, abychom potěšili a velebili Boha, abychom diecézi přinesli záři a nedostižnost nebes, říkal si v duchu.

Cípal bez váhání zvedl levou ruku, vrazil ji knězi mezi stehna a přes tenké vlněné spodky ho popadl za varlata.

„Au, prosím vás, ne," hlesl otec Quinlan.

„Takže vy přece jen umíte mluvit? Aleluja! Tak ten med pěkně spolkněte, ať zjistíme, s jakými sladkými řečičkami na mě vyrukujete."

Otec Quinlan opět stiskl rty, ale Cípal ho prudce sevřel mezi nohama a on okamžitě otevřel ústa dokořán. Cípal mu do nich lžičku vrazil tak tvrdě, že knězi zacinkala o zuby, a řekl: „Oližte ji! No, otče, oližte ji! Ať je úplně čistá."

Otec Quinlan slízal ze lžičky veškerý med a spolkl ho. Byl pronikavě sladký, ale zároveň měl nahořklou příchuť, za což nejspíš mohla krev z knězova rozkousaného jazyka.

„No vidíte, jak umíte být poslušný, když chcete," pochválil ho Cípal, vstal a sklenici zase zavřel. „A teď si poslechneme, jak umíte zpívat."

Otec Quinlan si zoufale toužil otřít rty, ale obě ruce mu visely u boků, vykloubené a nepoužitelné. „Ve jménu Otce..." spustil.

„Pokračujte," dotíral na něj Cípal drsným hlasem. „A Syna a Ducha svatého, amen."

Otec Quinlan řekl, jak nejhlasitěji dovedl: „Doznávám se."

„Výborně. K čemu přesně?"

„Doznávám se, že jsem v létě roku 1983... využil svého vlivu duchovního pastýře... abych přesvědčil několik mladých chlapců, kteří mi byli svěřeni do péče..."

„Pokračujte! Přes třicet let jste unikal trestu a konečně nastal čas, abyste prosil o odpuštění."

„...abych přesvědčil několik mladých chlapců, kteří mi byli svěřeni do péče..."

„Vyžvejkněte se, otče!"

Otec Quinlan se na něj podíval a vykřikl: „Slíbil jsem jim, že uvidí Boha!"

14

Katie zavezla vrchního inspektora O'Driscolla zpátky na Anglesea Street. Když vystoupili z auta, vzhlédla a uviděla, že nad střechami domů poletuje špinavá bílá košile a rukávy na ni mává. Oděv se vznášel a kroužil vysoko ve vzduchu, pak sebou však prudce trhl a zmizel z dohledu jako muž, kterého kamarádi volají do hospody.

Detektiv O'Donovan seděl za svým stolem a čekal na Katie.

„Dáte si sendvič?" zeptal se a nabídl jí tlustý, křivě ukrojený krajíc chleba obložený jasně oranžovým sýrem.

„Ne, díky, Patricku. Radši vyrazíme."

Detektiv O'Donovan pokývl hlavou k průhlednému umělohmotnému sáčku na důkazy, který ležel na stole vedle rozbalených sendvičů.

„Deníky otce Heaneyho nebo co to vlastně je. Říkal jsem si, že se na ně budete chtít podívat, než z nich necháme sejmout otisky prstů."

Katie je vzala do ruky. Šlo o celkem tři knížky velikosti kapesní Bible, vázané v kropenaté hnědé kůži. Vytáhla z kapsy srolovaný pár latexových rukavic a navlékla si je. Otevřela pytlík na důkazy, jednu knížku vyndala a začala ji převracet ze strany na stranu. Dokonce ji i očichala.

„Voní jako kostel," podotkla.

„Celý ten brloh smrděl jako kostel. Řekl bych, že otec Heaney kouřil víc kadidlo než cigára."

Katie knihu otevřela. Na předsádce bylo drobounkým, stěsnaným písmem napsáno „Quam Condeco Deus" a pod tím „Sirotčinec svatého Josefa, Cork, 1983".

„Quam Condeco Deus'?" prohodila Katie. „Ono se to nějak týká Boha?"

„Ve všech třech stojí to samé, komisařko. Vyhledal jsem si tu frázi na internetu. Podle všeho to znamená ‚jak se setkat s Bohem'."

Katie knížku prolistovala od začátku do konce. Ježíši, pomyslela si, i nejlepším překladatelům by trvalo týdny, než by to rozluštili a přeložili. Každou stránku pokrývaly očíslované odstavce. Katie mnoha slovům nerozuměla, ale získala povšechný dojem, že jde o souhrn způsobů, jakými se pravý věřící může přiblížit Bohu. *Statua angelus usequaque commodo Deus —* Boha těší sochy andělů, přeložila si v duchu Katie, ačkoli neměla nejmenší tušení, co znamená *usequaque*.

„Fajn, Patricku," řekla, strčila knihu do sáčku na důkazy a položila ho zpátky na stůl. „Požádejte lidi z laborky, aby všechny ty sešity okopírovali, než se pustí do forenzního ohledání. Chci je mít přeložené, jak nejrychleji to půjde. Musíme se dozvědět, jestli si otec Heaney myslel, že se brzy setká se svým Stvořitelem, a jestli to setkání plánoval, nebo ne."

Po mostě přejeli přes šedou lesklou hladinu řeky Lee až na Lower Glanmire Road a zaparkovali před impozantní sloupovou předsíní kostela svatého Patrika, na jehož schodech stál otec Lenihan a hovořil se dvěma farnicemi. Prameny jeho bílých vlasů povlávaly ve větru jako kapesník.

Když k němu Katie a detektiv O'Donovan vystoupali, otočil se, aby je uvítal, spráskl ruce a naklonil hlavu na stranu, jako by chtěl působit co nejvtíravěji. Byl to vyhublý muž s protáhlýma rukama a nohama, který se silně podobal dlouhonohému mužíkovi z pohádky o Střapatém Petrovi. Měl modré oči, sinalý obličej a na tvářích dvě velké šarlatově rudé skvrny, takže to vypadalo, že si právě přihnul nebo se rozhodl vyrazit si ven nalíčený jako transvestita.

„Omluvte mě, dámy," řekl farnicím, dvěma korpulentním ženám v hnědých propínacích svetrech a kloboucích připomínajících kravince. „Musím si popovídat s těmito dobrými lidmi. Strážci zákona. Přišli kvůli nebohému Brendanovi."

Ženy se neochotně odvlekly pryč, ale daly si velký pozor, aby zůstaly v doslechu. Katie však řekla: „Pojďme dovnitř, otče. Ráda bych se podívala, kde Brendan bydlel."

„Jistě, samozřejmě. Pořád se o něm nic neví, nebo snad ano? Je to ve všech ohledech ohavná záležitost, ale když o tom zpětně uvažuji, příliš mě to nepřekvapuje. Odjakživa jsem měl dojem, že Brendan hluboko uvnitř potlačuje prudké emoce a chová vztek na celý svět. V životě by mě ovšem nenapadlo, že jsou ty nesmiřitelné city namířeny na otce Heaneyho."

Otec Lenihan provedl Katie a detektiva O'Donovana kostelem a jeden po druhém poklekli před oltářem. Nato prošli zadními dveřmi přes dlážděný dvůr až k jednopatrové kamenné boudě, v níž si Brendan Doody zařídil pelech. Vypadá to spíš jako obydlí obřího křečka než lidské bytosti, pomyslela si Katie.

Hlavní místnost měla vysoký strop s trámy ověšenými dlouhými zaprášenými pavučinami a byla beze zbytku zastavěna neuvěřitelným harampádím. Pod oknem se rozkládal rozbitý gauč zakrytý pestrou háčkovanou dekou — Brendan Doody ho očividně používal jako postel. Vedle pohovky trůnilo zchátralé proutěné křeslo a zbytek pokoje byl přecpaný stolky a ponky schovanými pod nánosem hasáků, kladiv, štětců, plechovek se šrouby a vymačkaných tub lepidla. Vzduch čpěl pachem lakového benzinu a politury.

Na protějším konci boudy byla stlučená dřevotřísková přepážka s vyříznutou dírou a za těmito provizorními dveřmi měl Brendan Doody kuchyň a umyvadlo. Na okenním rámu stály dvě poloprázdné lahve šamponu proti lupům. Jediné kuchyňské vybavení tvořily dvouploténkový elektrický vařič, hnědá rychlovarná konvice a řádka laciných vařeček a stěrek. Katie otevřela dvířka kredence, kde až na krabičku s pytlíky čaje, balíček čokoládových sušenek a zhruba třicet plechovek tuňáka vůbec nic nebylo. Jediný osobní předmět v celém domku představovala zkroucená fotografie na ledničce, na níž byla zachycena šedovlasá žena v tyrkysovém svetru. Katie usoudila, že se jedná o Doodyho matku.

Vrátili se do hlavní místnosti. Otec Lenihan položil ruku na opěradlo pohovky a řekl: „Občas jsem mladého Brendana zastihl, když na ní ležel. Nespal, pouze civěl na strop a cosi si mumlal."

„Slyšel jste někdy, co říkal?" zeptala se Katie.

„Pár slov jsem pochytil, ale nerad bych je opakoval. Byla to ubohá zmučená duše a dle mého nikomu nepřísluší, aby ji soudil."

„Přesto, pokud jste slyšel něco, co by vysvětlovalo jeho činy..."

Otec Lenihan pokrčil rameny. „O mrtvých jen dobře, ale když naléháte... Šeptal si: ‚Kosťoune, ty ďáble, jednou tě to bude hořce mrzet.'"

„Kosťoune?"

„Nevěděl jsem, co to znamená — až do včerejška, kdy mi zavolal otec Tiernan od Svatého Josefa. ‚Kosťoun' byla přezdívka, kterou otci Heaneymu dali žáci, nejspíš proto, že byl tak hubený."

„Takže jste při několika příležitostech slyšel Brendana Doodyho brblat něco, co znělo jako výhružky otci Heaneymu?"

Otec Lenihan se zatvářil znepokojeně. „Dalo by se to tak říct. Samozřejmě jsem se mohl přeslechnout."

„Právě jste mi řekl, že jste ho zřetelně slyšel šeptat: ‚Kosťoune, ty ďáble, jednou tě to bude hořce mrzet.'"

„Svým způsobem to tak bylo."

„Prosím vás, otče, řekl to, nebo ne?"

Katie se na kněze upřeně zadívala. Očima neustále uhýbal k rozbitému gauči, jako by se ze všech sil snažil představit si něco, co se ve skutečnosti neodehrálo. Nakonec si promnul ruce a prohlásil: „Ano, takhle se to stalo. Přesně tohle řekl."

„Výborně. Kdy jste ho viděl naposledy?"

„Já... ehm... myslím, že bylo mezi pátou a šestou, těsně před mší. Tvrdil, že má domluvenou schůzku s přáteli."

„Zdál se vám neklidný nebo jiný než obvykle?"

Otec Lenihan potřásl hlavou. „Možná neklidný byl, jenže u něj jste nikdy nevěděla. Občas křičel, jako by byl vzteky bez sebe, ale jen si z vás střílel. Lidé jako Brendan... nemívají stejný smysl pro humor jako my ostatní. Například míval strašnou legraci z vozíčkářů. Běžně si na ně ukazoval a mohl se u toho potrhat smíchy. Procházelo mu to pouze proto, že si na něj obyvatelé Corku zvykli, jinak by z něj někdo dřív nebo později vymlátil duši."

Katie přecházela po domku a brala do ruky šroubováky, kleště a různě dlouhé kusy kabelů. Jedny kleště a svitek drátu podala detektivu O'Donovanovi, který je vložil do sáčku na důkazy.

Otec Lenihan řekl: „V médiích se otázce zneužívání dětí poslední dobou věnuje velká pozornost, a tudíž asi bylo jen otázkou času, kdy si Brendan vezme do hlavy, že má právo na pomstu."

„Co myslíte, zasloužil si otec Heaney, co se mu přihodilo?" zajímala se Katie.

„Ovšem že ne. V Bibli stojí: ‚Nezabiješ!' Na tom, co k tomu člověka vede, za mák nezáleží. Navíc jsem si stoprocentně jistý, že ať otec Heaney spáchal cokoli, upřímně se ze svého prohřešku kál."

„Přesto věříte, že Brendan měl k jeho potrestání dobrý důvod?"

„Přijde na to, jak moc jste ochotná odpouštět, komisařko."

„Hm," řekla Katie. Přejela špičkou prstu po malé pilce se začervenněnou čepelí. Nástroj však nebyl zbarven krví, ale rzí, a tak jej opět položila. „Vlastnil Brendan dodávku?"

„Ne, ale jezdil s ní. Kdykoli nějakou kvůli práci potřeboval, vypůjčil si ji ze zahradnictví v Ballyvolane."

„Jak vypadala?"

Otec Lenihan se zamračil. „Nebyla vždycky stejná. Jednou modrá, jindy černá — na dodávky bohužel nejsem zrovna odborník."

„Ta černá — zpozoroval jste na ní něco zvláštního? Byla třeba nějak označená?"

„Všiml jsem si, že je na ní nějaký nápis, byl ale přemalovaný a nešel pořádně přečíst."

Detektiv O'Donovan zvedl kroužkový notes a zelenou propisku. „Tohle jsem našel na stole, komisařko. Pravděpodobně jde o ten blok, do kterého napsal dopis na rozloučenou."

Katie zápisník vzala a prolistovala ho. Stránky byly nepopsané, když však sešit přidržela proti světlu, rozpoznala na nich otlaky po tužce. Podala notes detektivu O'Donovanovi a řekla: „Přidejte ho do sáčku k náčiní. A propisku taky, prosím."

Naposledy se rozhlédla po pokoji, zvedla sedák z proutěného křesla a háčkovanou deku z pohovky. Koženka na gauči byla prodřená a dírami vylézala péra. Brendan Doody nastrkal pod potah tucty zmuchlaných obalů od sladkostí, většinou od tyčinek Snickers a Aero.

„Hlady očividně netrpěl," poznamenala Katie. Opět přikrývku pustila a řekla: „Sdělil vám monsignore Kelly, že potřebujeme Brendanovu fotku?"

Otec Lenihan je zavedl zpět do kostela a zamířil s nimi do farní kanceláře vykládané tmavým dřevem. Na zdi za stolem visela madona s nesmírně zakaboněným výrazem — jako by truchlila nad tím, co se ze světa stalo i přesto, že mu obětovala svého jediného syna. Katie napadlo, že zkroušenější Panenku Marii ještě neviděla.

Kněz vytáhl z konopné obálky dvě fotografie a podal jí je. „Ta menší — tahle — je nejnovější. Pořídili ji před třemi týdny. Na té větší není Brendan vidět tak zřetelně. Tady stojí v pozadí, je to ten muž s čapkou."

Katie si oba snímky pozorně prohlédla. Brendan Doody měřil okolo sto sedmdesáti centimetrů, měl odstávající uši a špinavě blonďaté vlasy, které si podle všeho stříhal sám. Tvářil se zároveň vstřícně a zmateně, jako by byl nadšený z toho, čeho se účastní, ale současně si nebyl jistý, jak se do dění zapojit.

„Mockrát děkuju, otče," řekla Katie. „Tyhle fotky bohatě postačí. Minimálně jednu z nich pošleme do večerních zpráv. Kdybyste si vzpomněl ještě na něco, co by nám ho pomohlo najít, neváhejte a ozvěte se nám."

„Vynasnažím se," slíbil otec Lenihan. „Předpokládám ale, že jste četla ten dopis. Určitě vám neuniklo, že se jednalo o velice zvláštního chlapíka. Býval přítomný tělem, ale nikoli..." prohlásil a poklepal si na čelo. „Alespoň ne úplně."

Potřásli otci Lenihanovi rukou, vyšli z kostela svatého Patrika a sestoupili po schodech. Katie se podívala na hladinu řeky a zpozorovala, že bílá košile, která předtím povlávala nad střechami, se nyní válí ve špinavé vodě a její rukávy se v jakési nápodobě složitého tance vzdouvají a zase klesají.

Nasedli do auta a zabouchli za sebou dveře.

„Co si o tom všem myslíte, komisařko?" zeptal se detektiv O'Donovan.

„Z čeho jste usoudil, že si něco myslím?"

„Protože to by ušlo akorát učiněnému volovi. Máte v očích takový ten pohled, kterému O'Driscoll říká ‚žvástometr'."

Vycouvali z parkoviště před kostelem. Otec Lenihan dosud přešlapoval na schodech přede dveřmi kostela a se sepnutýma rukama auto pozoroval.

„Lhal, jako když tiskne," řekla Katie.

„Otec Lenihan? Proboha, vždyť je to flanďák!"

„No a? Podle vás snad flanďáci nelžou? Všechny ty pitomosti o tom, jak si Brendan Doody šeptal, že je otec Heaney démon a že ho to jednou bude mrzet. Ale prosím vás."

„Vám se to nezdá?"

Katie zavrtěla hlavou. „Nebaštila jsem mu to ani vteřinu. Bylo na něm jasně vidět, jak nepříjemně si při těch slovech připadá. Jenže někdo na vrcholu potravního řetězce mu nařídil, aby se s tím vytasil, s tímhle nebo s něčím podobným. Uvažujte — s tím, že Brendan před vraždou otci Heaneymu údajně vyhrožoval, mohl přispěchat jedině otec Lenihan."

„Na druhou stranu — Brendan o něm nemluvil jako o ‚otci Heaneym', vzpomínáte? Říkal mu ‚Kosťoun'."

„Chytrý detail. Díky tomu působila ta výhružka autentičtěji, protože kdyby ho otec Heaney na škole skutečně učil, nazýval by ho Brendan právě takhle. Kterýkoli chlapec od Svatého

Josefa ví, kdo ,Kosťoun' je. Vsadím se, že i vy si dodneška pamatujete, jak jste přezdívali svým učitelům."

Stáli na semaforu a čekali, až budou moct přejet přes řeku. Detektiv O'Donovan přemýšlel. „Máte pravdu," prohlásil nakonec. „Otec Prdlá kachna. Jeho pravé jméno si už nevybavuju, ale nadosmrti nezapomenu, jaké vydával zvuky, když chodil po chodbách. Někteří odvážnější kluci po něm dokonce házeli kusy rohlíků."

15

Katie zaskočila do kanceláře tiskového oddělení, odevzdala tamním pracovníkům Doodyho fotografie a nařídila, ať je zašlou do deníků *Examiner*, *Corkman* a do *Southern Star* sídlícího v městečku Skibbereen, ale především do televizního studia RTÉ, aby je novináři stihli zařadit do večerních zpráv o šesté. Zrovna se chystala opět vyrazit do terénu, když vtom ze služebny vyhlédl strážmistr O'Rourke a zavolal: „Máte telefon, komisařko!"

„Ať je to, kdo chce, řekněte mu, že jsem někde jinde. Ono totiž moc neschází a bude to pravda."

„Zjevně jde o něco osobního. Prý o Luciferova otce."

Luciferova otce? Lucifer byl samozřejmě Johnův labrador. Katie se zarazila, nechala ruku na klice a na chvilku zavřela oči. Pak se otočila a vrátila se zpátky.

Strážmistr O'Rourke jí podal sluchátko a ze všech sil potlačoval úsměv.

„Johne," vzdychla Katie.

„Konečně jsem tě chytil. Od rána se ti pokouším dovolat. Mobil nezvedáš."

„Tobě ho nezvedám. Nevím, kam dřív skočit. Řešíme tu vraždu otce Heaneyho a jsme v tom až po uši. Právě jsem chtěla odjet do Ballyhooly."

„Katie... mohli bychom si promluvit?"

„O čem? Co se k tomu všemu dá dodat? Je jedno, co k sobě cítíme, protože ty odjedeš a já tu zůstanu. Tím to hasne."

„Prosím! Něco mě napadlo. Třeba to půjde nějak zařídit."

„Co tím myslíš, zařídit? Něco jako střídavý pobyt? Jeden víkend v Kalifornii a další v Corku?"

„Katie, aspoň mě vyslechni. Měla bys na mě čas?"

Instinkt jí napovídal: Ne, nevzejde z toho nic než další hádka a bolest. Přesto se podívala na hodinky a řekla: „Na sedmou jdu k tátovi na večeři. Nechceš se k nám přidat?"

„Nerad bych se vnucoval."

„Vůbec by ses nevnucoval. Je bez sebe radostí, když má společnost, a paní Walshová toho vždycky navaří jak pro celou armádu. Nemůžu ti zaručit, co nám dneska naservíruje, ale pokud jsi ochotný to risknout..."

„Jasně. Sním skoro cokoli, však mě znáš. Ale prosím, prosím, prosím — ať už nedělá ty dršťky a hlavně ať je nevaří v mlíce!"

Katie zaváhala. Uvědomovala si, že je to příšerný nápad, jenže se jí po Johnovi strašně stýskalo. Stačilo by znovu ho uvidět a dotknout se ho, aby se zbavila pocitu, že je zas na všechno sama. A kdo ví, třeba vážně existuje šance, že něco vymyslí a přijdou na způsob, jak spolu zůstat. Mohla by využít svých konexí a najít mu práci v Corku, věděla však, že většina významnějších společností denně propouští stále víc zaměstnanců. Minulý týden ukončily činnost dvě továrny: Z-Line Electronics a Pargeter's Foods. Na druhou stranu se třeba ukáže, že John může provozovat internetový obchod, aniž by se musel stěhovat.

Detektiv O'Donovan vyšel z pánských toalet a oklepal si ruce. „Ten zatracený sušák zase kiksnul. Jedeme?"

Katie přikývla.

„Ten případ vám pomalu, ale jistě leze krkem, co?" zeptal se, když přecházeli přes parkoviště.

„Ono neuškodí, když svědkové pokud možno mluví pravdu."

„Můj táta říkával, že kněžím by nevěřil ani nos mezi očima."

„Začínám si myslet, že na tom něco je."

Po modré obloze se proháněla bílá oblaka. Cestou do Ballyhooly projeli kolem příjezdové cesty, která se vinula až nahoru ke statku Meagherových v Knocknadeenly, a Katie si všimla, že u ní stojí cedule s nápisem: „Na prodej, Christy Buckley, dražitel." Detektiv O'Donovan ceduli rovněž uviděl, ale nijak to nekomentoval. Patrick O'Donovan měl podobně jako ostatní z Anglesea Street dobré povědomí o tom, co se v Katiině životě děje, obvykle ale její soukromí respektoval a své názory si nechával pro sebe. Když už nic jiného, byl John lepší než její zesnulý manžel Paul, nechvalně známý místní prospěchář. Katie by ani nespočítala, kolikrát její kolegové bez námitek přivřeli oči nad Paulovým obchodováním se stavebním materiálem pochybného původu nebo s lahvemi whisky Johnnie Walker, které prodával za poloviční cenu za barem Flying Bottle ve čtvrti Hollyhill.

Margaret Rooneyová bydlela v Ballyhooly na Main Street v malém krémově bílém domě s červenými vstupními dveřmi, které ústily ven do ulice. Detektiv O'Donovan zaklepal a zevnitř se ozval psí štěkot. Když se nic nedělo, zabouchal znovu a tentokrát se dveře otevřely.

Objevila se v nich podrážděná žena s očima posazenýma blízko u sebe a se rty, které vypadaly jako pevně sešité dohromady, jako ústa sušené lidské hlavy.

„Co chcete?" utrhla se na ně a zvedla ruce zaprášené moukou.

Detektiv O'Donovan se k ní naklonil, usmál se a ukázal jí odznak. „Včera jsme spolu mluvili, vzpomínáte si, Margaret? Detektiv O'Donovan. Já a šéfová jsme přijeli, abychom si s vámi promluvili o tom tlusťochovi, co jste ho viděla v řece."

Katie také vytáhla odznak a řekla: „Dobrý den, paní Rooneyová. Komisařka Katie Maguirová."

Žena se na ně rozčileně zamračila. „Myslela jsem, že jsem vám řekla všechno, co jste potřebovali vědět."

„Ano, řekla," souhlasila Katie. „Získali jsme ale pár fotografií a doufali jsme, že budete tak ochotná a projdete si je s námi."

„Tak fotografií, jo?"

Katie je vytáhla. „Domníváme se, že by na nich mohl být ten člověk, kterého jste viděla u řeky, ale musíme si být jistí."

Paní Rooneyová mlčky poodstoupila a máchla zamoučenýma rukama na znamení, že za ní mají jít do obývacího pokoje. Její pes byl žíhaný bostonský teriér s vypoulenýma očima, který na příchozí zuřivě štěkal, skákal, a dokonce poškrábal Katiiny nové naleštěné kozačky. Koukám, že jsi stejně pohostinný jako tvoje panička, ty jeden uštěkanče, pomyslela si Katie.

„Posaďte se," řekla paní Rooneyová a odskočila si do kuchyně umýt ruce. „Čaj si nedáte, co?"

„Ne, děkujeme," prohlásila Katie a vmáčkla se vedle detektiva O'Donovana na dvoumístný gauč s vysokým opěradlem. Jejich hostitelka se vrátila a usadila se do křesla mezi klubka plavé vlny a vzory na pletení.

Obývací pokoj byl tak malý, že se trojice téměř dotýkala koleny, a stísňující dojem ještě posilovaly všechny ty ozdobné porcelánové talíře a náboženské obrázky, které pokrývaly zdi po celé délce. Pes paní Rooneyové kolem Katie a detektiva O'Donovana neustále kroužil, očichával je, šťouchal do nich čumákem a šlapal jim na nohy. Ve vzduchu čpělo spálené mléko a Katie si vzpomněla na dům své babičky.

„Kdy přibližně jste toho muže zpozorovala?" zeptala se Katie.

„Nevím přesně, neměla jsem hodinky. Ale tipovala bych, že tak pět minut po sedmé. Když jsem šla kolem domu Michaela Sullivana, co je na rohu, viděla jsem ho roztahovat závěsy v ložnici. On vždycky vstává v sedm."

„Takže jste toho muže spatřila, když jste přecházela přes most?"

„Vůbec bych ho nezahlídla, kdyby Micky nezastavil a nezaštěkal na něj. Byla šílená mlha a nebylo vidět dál než ke statku Grindellových, kde silnice zahýbá k řece. Tam parkovala ta dodávka. Byla černá, možná tmavě modrá, a měla otevřené dveře. Křikla jsem na Mickyho, ať sebou hodí, a pak jsem uviděla toho chlapa. Byl v předklonu, zády ke mně, a táhl něco, co vypadalo jako pytel uhlí."

„Zavolala jste na něj?"

„Proč bych to dělala? Copak jsem tušila, že vláčí mrtvého kněze?" Znechuceně se otřásla a pokřižovala se. „Kdyby na hlavě neměl tu čapku, ani bych se nezastavila a nejspíš bych na všechno brzy zapomněla. Jenže když jsem si všimla, jak je vymóděný, prostě jsem se zarazila a musela jsem si ho pořádně prohlídnout."

„Myslíte tu špičatou čapku, o které jste vyprávěla detektivu O'Donovanovi?"

Paní Rooneyová odvětila: „Správně. Při pohledu na ni jsem si vzpomněla na oslovské čepice, které nás nutili nosit ve škole, kdykoli jsme udělali chybu při počítání."

„Detektiv O'Donovan tvrdí, že jste tomu muži prý na chvíli viděla do tváře."

Paní Rooneyová stiskla rty a přikývla. „Jak už jsem řekla tady tomu vašemu: byl to velký chlap, tlustý, ale takovým tím roztomilým způsobem, jestli mi rozumíte. U Svatého Patrika ve Fermoy mají obraz zástupu andělů a cherubínů, a právě to mi připomněl. Cherubína."

Katie vylovila snímek, na němž byl Brendan Doody při křtu, a podala jí ho. „Poznáváte tohoto muže, toho zakroužkovaného?"

Paní Rooneyová si nasadila brýle bez obrouček a upřeně se na fotografii zadívala, jako by do ní chtěla pohledem vypálit díru. „Ne, tenhle to podle mě určitě není."

„Jste si jistá?"

„Nikdy jsem ho neviděla. Nikdy."

„Takže to není ten muž ve špičaté čepici, kterého jste zahlédla v řece?"

„Ne. Tamten byl mnohem větší."

Katie jí dala druhý snímek. „A co tenhle?"

Paní Rooneyová na ni netrpělivě pohlédla. „Tohle je ten samý chlap, kterého už jste mi ukazovala. Ani tohohle, ani tamtoho jsem v řece neviděla."

„Dobrá," řekla Katie. „Pošlu za vámi kreslíře a vy mu toho vašeho cherubína popíšete, budete tak laskavá? Vaše svědectví je pro nás neskutečně důležité, Margaret. Jste zatím náš jediný svědek, jediný člověk, který ví, jak vrah vypadá."

„A co je s tímhle chlapíkem?" zeptala se paní Rooneyová a vrátila Katie snímky Brendana Doodyho. „Co má s tím vším společného?"

„On?" prohodila Katie. „Kéž bych věděla."

Paní Rooneyová vzala do náruče svého psa a soustředěně na Katie hleděla, jako by měla komisařka každou chvíli říct něco nesmírně hlubokého. Nakonec se paní Rooneyová natáhla a dotkla se Katiiných vlasů.

„Na to, abyste se honila za vrahy, jste moc hezká. Radši byste měla uhánět manžela, děvče."

Poprvé za velice dlouhou dobu Katie zahořely tváře.

„Děkuju," řekla. „Určitě se na to vrhnu, až budu mít čas."

16

Cípal se sehnul, vzal otce Quinlana do náruče a zvedl ho. Kněžovy ruce a nohy se houpaly ve vzduchu, jako když Krista spustili z kříže. Cípal kněze poodnesl a nahého jej položil do hluboké prázdné vany. Otec Quinlan si uvědomoval, že ho obklopují chladné smaltované stěny, ale ať mrkal sebevíc, neviděl nic než mléčně bílou mlhu. Připadalo mu, jako by měl v uších chomáče vaty.

Netušil, kde se nachází ani co tam dělá. Klepal se zimou, a když pohnul rozbolavělýma rukama a objal se, aby se zahřál, nahmatal husí kůži svého povoleného břicha. Pochopil, že na sobě nemá oblečení.

Opravdu se to děje? Je vzhůru, nebo se mu to celé jenom zdá? Slyšel, jak sbor zpívá „Credo in unum Deum" z Mozartovy *Mše v C moll*, a bylo tudíž docela dobře možné, že usnul v kostele. To by pak ale nebyl nahý, ne? Takže musí snít. Nebo je mrtvý. To je ono. Jeho tělo pravděpodobně leží ve studené zadní místnosti pohřebního ústavu Jerha O'Connora, připravené k balzamování, a ten zpěv je obyčejná náladová hudba linoucí se z obřadní síně, aby měli truchlící příbuzní alespoň nějakou útěchu. To znamená, že pravda je obojí: je mrtvý, a ještě k tomu sní. Mají mrtví sny? Je to vůbec možné?

Ale — „Jak se cítíte, otče?" zeptal se Cípal jemnějším, smířlivějším tónem. „Už pro vaše dobro doufám, že jste pořád omámený."

„Kde to jsem?" zašeptal otec Quinlan. „Jsem mrtvý?"

„Zatím ne, otče, ale opravdu jste dorazil na konec cesty. Jste na místě, kde časem skončí všichni hříšníci. Přiznal jste se ke svým prohřeškům a teď za ně zaplatíte odpovídající cenu."

„Cenu? Jakou cenu?"

„Ale no tak, otče, snad jste si nenamlouval, že za svoje hříchy nebudete muset zaplatit? Přece jste si nemyslel, že se vyzpovídáte, řeknete, jak strašně vás to mrzí, odříkáte devětačtyřicet zdrávasů a bude po všem, amen?"

Otec Quinlan s námahou zaostřil a rozeznal v mlze Cípalovu nezřetelnou siluetu, špičatou čepici a temné kruhové díry pro oči.

„Kdo jste?" zeptal se. „Udělejte mi, co se vám zlíbí, ale aspoň mi povězte, jak se jmenujete."

„Už jsem vám řekl, jak se jmenuju, otče. Cípal."

„Tak vás rodiče nepokřtili."

„To sice ne, ale z mého nového jména poznáte, co jsem zač — daleko líp než z toho, které jsem dostal při narození, ať mi ho dal kdokoli."

„Vůbec vám nerozumím."

„Uvažujte, otče. Čím se cípalové živí?"

„Cože? O čem to mluvíte? Cípalové jsou ryby."

„Ovšem že jsou to ryby. A živí se splašky, otče — přesně na tom přežívají."

„Cože?"

„Copak jste nikdy nestál na mostě svatého Patrika a nepozoroval, jak se pod vodou kolem odpadních trubek tlačí hejna cípalů? Nefalšované splašky, a oni to svinstvo beze všeho hltají. Nemluvě o zbytcích jídla, vyjetém motorovém oleji, mycích prostředcích a jiném toxickém kalu, který potají lijeme do řek a oceánu v naději, že si toho nikdo nevšimne. Já jsem úplně jako cípal, pouze v lidské podobě. Krmím se nejrůznější špínou a zbytky, jen s tou výjimkou, že moje potrava plave v kostelích, školách a seminářích — všude tam, kde svatouškovská prasata jako vy znečišťují vody dětské nevinnosti."

„Co se mi snažíte říct? Že mi nedokážete odpustit?" Hlas otce Quinlana zněl tak odevzdaně, pochmurně a byl natolik plný beznaděje, že se skoro zdálo, jako by kněz vtipkoval.

Cípal zavrtěl hlavou a jeho čepice se zakymácela.

„Ne, otče. Abych k vám byl upřímný, tak nedokážu. Koukněte, nemůžu tvrdit, že vám neodpustil Bůh. Co já vím, třeba vám odpustil i Ježíš. Možná naše Paní usoudila, že se ze svého hříchu hluboce kajete. Já si to ale nemyslím. A totéž platí i pro ostatní kluky, které jste využil, abyste uspokojil své potřeby a velebil sebe samého. Popravdě se neumím rozhodnout, co bylo horší: jestli to uspokojení, nebo velebení."

Cípal se odmlčel, aby popadl dech. Když znovu promluvil, stál u otce Quinlana tak blízko, že kněz ucítil, jak se mu látka Cípalovy masky tře o tvář.

„Ještě nikdo nevymyslel slovo dost strašné na to, aby vás vystihovalo, a i kdyby jej vymysleli, silně pochybuju, že by se ho nějaký člověk odvážil vyslovit. Jeho jazyk by totiž navěky zčernal a zpuchýřovatěl a on by si ho musel vyříznout."

Otci Quinlanovi začínalo docházet, že mu Cípal podal drogy nebo nějaká anestetika. Teď už s jistotou věděl, že nesní ani není mrtvý. S podivnou nezaujatostí došel k závěru, že je připraven na smrt. Nebylo to bolestí, jíž trpěl kvůli vykloubeným ramenům, prasklým žebrům a zlomeným palcům u nohou. Nemohlo za to ani ponížení plynoucí z vědomí, že leží nahý ve vaně a musí snášet nenávistné urážky a tvrzení o neomluvitelnosti svých hříchů.

Cítil se připravený na smrt, protože si byl nade vši pochybnost jistý, že ačkoli ve svém úsilí selhal, ze všech sil se za svého kněžského působení vynasnažil potěšit Boha, svého Pána. Věřil, že Bůh chápe, o co se pokoušel, byť jeho snaha vyšla nadarmo, a po smrti ho sevře v náručí, podobně jako otec s láskou obejme syna, který udělal vše možné pro jeho potěchu, a je mu úplně jedno, jestli jeho potomek uspěl, či ne.

„Tak tedy dobrá," řekl. „V tom případě učiňte, na co se zmůžete."

Druhé pobídnutí Cípal nepotřeboval. Bez váhání se sehnul k vaně a hrubě otce Quinlana převrátil na břicho. Kněz se neovládl a bolestí zalapal po dechu. Obličejem se namočil v trošce rezavé vody, která zůstala na dně vany, a na rtech ucítil její pachuť — byla hořká jako krev. Cípal mu dal ruce za záda, jednu po druhé, jako když strážník zatýká zločince, a spoutal je drátem tak pevně, že knězi téměř přerušil krevní oběh v zápěstích. Přeštípl drát kleštěmi a znovu svou oběť přetočil na záda. Otce Quinlana neuvěřitelně zabolela ramena, a proto ze sebe dostal pouze: „Ááá!"

Několik vteřin nehybně ležel, klepal se a sténal, potom však uslyšel, že po koupelně přechází kromě Cípala ještě někdo. Ozval se nový neznámý hlas. Byl pisklavější než Cípalův, jako by měl jeho majitel zánět průdušek nebo teprve nedávno dospěl do puberty. Otec Quinlan se snažil zaostřit a v mlze matně rozpoznal, že u vany stojí další člověk a shlíží na něj. Zdálo se, že i on na sobě má masku a vysokou špičatou čepici, která však na rozdíl od té Cípalovy neměla jeden roh, ale dva — připomínala spíš biskupskou mitru než Cípalovu *capirote*.

„No jen se na toho grázla podívej," prohlásil druhý hlas. „Napadlo by tě někdy, že to takhle dopadne? Pamatuješ si, jak se producíroval po chodbách jako nějakej zakrslej kohout? Kvok, kvok, kvok. V životě bych si nepomyslel, že ho jednou uvidím v tomhle stavu."

Otec Quinlan nepochyboval, že ví, kdo ten muž je. Na jeho zpěvavé, přidušené intonaci bylo cosi, co v knězově paměti vyvolalo zrnitý obraz bledého chlapce s krátkými hnědými vlasy a odstávajícíma ušima. Hoch stál kdesi ve ztemnělé šatně a plakal. Jeho tvář byla zmáčená slzami, ale otec Quinlan si nevzpomínal, proč brečel.

Pokud si vybaví, jak se ten kluk jmenoval a co ho tolik rozrušilo, možná mu i s Cípalem odpustí, přestanou ho mučit a nechají jej žít. Než se nad tím však stačil pořádně zamyslet, zaslechl bouchnutí dveří a další kroky, tentokrát těžší. Nad vanou se objevila nová rozmazaná postava a ozval se třetí hlas: „Ale, ale! To se kurva podívejme, koho sem osud zavál! Starýho přiteplence Quinnyho!"

Příchozí mluvil výsměšným tónem a s hollyhillským přízvukem, ale hlas měl jasný a pronikavý. Hovořil melodicky a vyslovoval přesně, jako by kdysi brával lekce přednesu.

Otec Quinlan přimhouřil oči a zahleděl se na něj. I on měl na hlavě kuželovou čepici. Jeho obličej byl rovněž zahalený, jednalo se však spíš o pierotskou masku než o kus bílé látky s dírami pro oči jako u Cípala — mužův převlek byl divadelní, nikoli náboženský, ale o nic méně děsivý.

„Zdravíčko, přiteplenče! Jak se vede, stará vojno? Dlouho jsme se neviděli. Nějak nám plešatíš. Co takhle dojít si na nástřel? Na prdeli máš chlupů dost, můžou ti je vzít odtamtud, to se ani nepozná."

Otec Quinlan místo odpovědi zasupěl. Jeho hruď se namáhavě dmula, nahoru a dolů, jako k smrti vyčerpaná štvaná liška. Stejně ho nenapadalo nic, co by jim řekl nebo na co by se jich zeptal. Ať šlo o kohokoli, bylo nad slunce jasné, že ho hodlají potrestat za cosi příšerného, čeho se na nich dopustil. Zdálo se zbytečné lámat si hlavu, proč mu odmítají odpustit.

„Chcete se naposled pomodlit, než se do toho pustíme, otče?" zeptal se Cípal.

Kněz zavrtěl hlavou. „Děkuju, už jsem se s Bohem smířil."

„Tak to gratuluju," podotkl Cípal. S těmi slovy se natáhl, vzal otce Quinlana za levou nohu, zvedl ji, přehodil přes okraj vany a plnou vahou na ni nalehl. Muž v bílé pierotské masce udělal totéž s knězovou pravou nohou, takže farář ležel na zádech s nohama doširoka roztaženýma. V této poloze se hýžděmi nedotýkal dna vany, a celá jeho váha tudíž spočívala na zhmožděných, vykloubených ramenou.

„Bože na nebesích, co to se mnou provádíte?" vykřikl. „Copak jste mi dostatečně neublížili? Prosím, zabijte mě, teď a tady!"

„Však se dočkáš, Quinny!" odsekl muž v pierotské masce. „Můžeš to pokládat za štěstí, to mi věř. S tím, co jsi udělal ty nám, jsme my chudáci museli žít přes dvacet let!"

Muž v biskupské mitře si stoupl těsně vedle Cípala. Anestetika, kterými byl otec Quinlan omámen, rychle přestávala působit a on nyní viděl i slyšel mnohem zřetelněji. Stále však nedokázal zaostřit a hlasy jeho mučitelů pořád zněly, jako by se ozývaly z kovového kýblu.

Muž v mitře okázale zvedl obě ruce, podobně jako kněz, který u oltáře pozvedá během přijímání kalich, aby ho požehnal. Když si otec Quinlan uvědomil, co ten člověk ve skutečnosti drží, nekontrolovatelně se roztřásl. Bože na nebi, ne! Dobrý Bože na nebi, uchraň mě toho. Ať se mi zastaví srdce, dřív než mi to provedou, prosil kněz v duchu.

„Tohle určitě poznáváte, že, otče?" popíchl ho Cípal. „Na světě jich moc není. Velmi speciální nástroj, jen co je pravda."

„Prosím," řekl otec Quinlan. „Tohle vám neprojde. Policie vás dřív nebo později najde."

„Vás policajti nenašli, nebo snad jo?" vysmál se mu muž v biskupské mitře, uchopil nástroj pevněji a pětkrát nebo šestkrát jím zastřihal.

Otec Quinlan tu věc přirozeně poznal. Tvořily ji dvě srpkovité, zhruba patnácticentimetrové čepele opatřené dřevěnými rukojeťmi a na vršku spojené pantem, takže připomínaly spíš louskáček než nůžky. Byl to starý nástroj, nahrubo odlitý ze zčernalé oceli, ale ostří čepelí bylo podle všeho nedávno nabroušeno a lesklo se.

Bože na nebesích, tohle ne! Když jsme to používali my, sledovali jsme tím konkrétní účel. Nedělali jsme to z krutosti nebo pomsty. My jsme usilovali o větší slávu Boha a diecéze, běželo otci Quinlanovi hlavou.

Sbor nyní zpíval „Gloria in excelsis Deo". Za okny se nad městem valila temná hradba mraků, jako když prodejce navečer zakrývá svůj stánek celtou. Koupelnu znenadání zaplavilo šero.

„Ne," vydechl otec Quinlan.

Cípal však sáhl dolů, mezi ukazováček a palec uchopil knězův scvrklý penis a natáhl jej, jak nejvíc to šlo. Úd vypadal jako slávka vytažená ze škeble.

„Ne," zopakoval farář a začal tiše drmolit, jako by zkoušel překonat světový rekord v rychlostním modlení. „Ó Pane, Ježíši Kriste, Vykupiteli a Spasiteli, odpusť mi mé hříchy, jako jsi odpustil Petrovi zapření i těm, kdož tě ukřižovali."

Muž v biskupské mitře se sklonil nad vanou, sevřel kovové nůžky v levé ruce a vložil knězova vrásčitá varlata mezi srpkovité čepele. Nato nástroj uchopil i za pravou rukojeť.

„Počítej nikoli mé prohřešky, nýbrž mé kajícné slzy," mumlal otec Quinlan. „Nepamatuj si mou hanebnost, ale můj smutek nad zločiny, kterých jsem se na tobě dopustil."

„Můžeme?" zeptal se Cípal.

Muž v biskupské mitře přikývl.

„Slituj se nade mnou a zbav mě těchto strašných muk, povolej mě k sobě do ráje a sevři mě ve sladkém objetí."

Otec Quinlan uslyšel zavrzání a pochopil, co se stalo, ale z nějakého důvodu nic necítil. Pak mu muž v biskupské mitře přidržel před obličejem zakrvácenou ruku a řekl: „A je to, otče. Vítejte v nebeském chóru."

Otec Quinlan se podíval, co muž vlastně drží, a poté se zahleděl na jeho bezvýraznou masku. Teprve v tu chvíli mu došlo, jakou obludnost provedl a jak strašlivou věc provedli oni jemu. Až v tom okamžiku jím naplno otřásla bolest a šok, jako by skočil pod rychlík řítící se přímo na něj.

17

Když Katie zabočila k otcovu domu, Johnova stříbrná toyota už tam parkovala.

Katiin otec bydlel ve vesnici Monkstown na západní straně corkského přístavu ve vysokém zeleném viktoriánském domě, odkud byl výhled na téměř kilometrový pás vody oddělující Monkstown od Cobhu, kde žila Katie. Za jasných dní odsud šlo zahlédnout fasádu jejího domu skrytého za tmavou řádkou jilmů, které lemovaly protější břeh, dnes večer se však opět prudce rozpršelo a Katie stěží rozeznala trajekt, který se pozvolna sunul z jednoho konce zátoky na druhý. Pomyslela si, že v závoji vodní tříště vypadá jako duch všech lodí, které z Cobhu odpluly za jiných deštivých večerů, lodí naložených emigranty odhodlanými nikdy se do Irska nevrátit. Netušila, proč ji to napadlo. Možná byla jen unavená, přecitlivělá a rozrušená Johnovým rozhodnutím.

Obešla jeho auto a vystoupala po schůdcích k hlavním dveřím. Pro naléhavé případy měla vlastní klíč, ale otec jí raději otevíral osobně. Čekala a poslouchala, jak kapky z děravého okapu pleskají o stříšku nad vchodem. Zazvonila podruhé a tentokrát se ve dveřích objevil její otec. Těsně za ním stál John.

„Á, Katie! John tvrdil, že slyšel zvonek."

„Tati, neříkala jsem ti minulý týden, ať si vyměníš naslouchátko?"

„S tím starým není nic, co by nespravila nová baterka."

„Sakra, tak si kup novou baterku. Jsou skoro zadarmo."

„Možná, jenže jak často u mě někdo zvoní? To je devět eur za tři zazvonění měsíčně."

John se usmíval. „Nazdárek, Katie," pozdravil a podal jí ruku.

„Ahoj, Johne. Jak se vede?"

Vstoupila do předsíně. Pokusil se vzít Katie kolem ramen, ale ona uhnula a místo toho objala otce, který poslední dobou vypadal, jako by se o několik velikostí zmenšil. Dřív byl podsaditý a silný jako býk, ale teď Katie připomínal prádelní pytel plný starých ramínek na šaty. Rozčepýřené bílé vlasy mu řídly a na spáncích se mu kroutily tlusté žíly.

„John mi vyprávěl o svých plánech," prohlásil a prošel s Katie z předsíně do obývacího pokoje. John se držel kousek za nimi. V chodbě to jako vždy páchlo zatuchlinou a vlhkem. U zdí stály naproti sobě dvě lenošky, na kterých celá desetiletí nikdo neseděl. O kus dál byly kyvadlové hodiny, které tikaly tak unaveně, až se Katie divila, že se samým vyčerpáním dávno nezastavily.

V obývacím pokoji praskal oheň v krbu a na odkládacím stolku leželo pár oranžových růží. Z kuchyně se linula příjemná vůně. Když Katiinu otci před třemi lety zemřela manželka, byl k neutišení. A pochopitelně se mu po ní dosud strašlivě stýskalo. Katie však před nedávnem najala hospodyni, Ailish Walshovou, aby k němu chodila prát, uklízet, vařit a dělat mu společnost, což po letech samoty upřímně oceňoval. Katie měla dojem, že si otec díky Ailish opět začíná užívat života. Dokonce vstoupil do golfového klubu na ostrově Fota, ačkoli o sobě tvrdil, že hraje jako ponocný.

„Dáš si sherry?" zeptal se.

„Radši whisky, pokud ti to nevadí. To byl zase den."

„No jo, vlastně. Četl jsem v novinách o té vraždě, kterou vyšetřujete — o tom případu s knězem. Mě akorát udivuje, že to někdo z těch holomků neodnesl už dřív." Nalil dceři sklenku whisky a podal jí ji. „Ti farizejští sviňáci si zaslouží všechno, s čím se na ně kdo vytasí. Osobně bych je vykastroval, to ti povídám, a jejich koule bych napíchl na špejle od jednohubek."

„Zvláštní že to říkáš," podotkla Katie. „Médiím jsme to ještě neprozradili, ale přesně tohle tomu knězi provedli. Teda až na ty jednohubky."

„Cože? On mu někdo...?" užasl její otec a zastřihal prsty ve vzduchu.

„Ježíšmarjá," zalapal po dechu John. „Úplně se mi z toho chce brečet. Máte ponětí, kdo to udělal?"

Katie zavrtěla hlavou. „Pořád na tom pracujeme. Monsignore Kelly, generální vikář, nám poskytl vodítko, ale já si nejsem stoprocentně jistá, že nám k něčemu bude."

„Monsignore Kelly?" řekl její otec a dolil si sherry. „To jako monsignore Kevin Kelly?"

„Přesně ten. Předal nám ručně psané doznání jednoho údržbáře, který pracoval u Svatého Patrika na Lower Glanmire Road. Nějaký chlapík jménem Brendan Doody. Zjevně jde o dopis na rozloučenou, ale zatím jsme nenašli tělo ani žádný důkaz, že se Doody skutečně zabil. Právě proto mám jisté pochybnosti."

Katiin otec zvolna přikývl. „Monsignora Kellyho znám. Seznámili jsme se před lety, když to byl obyčejný reverend Kelly, farář u Svatého Josefa v Mayfieldu. Pohledný chlapík, uznávám, ale trochu malý. A já chlapům, kteří měří míň než metr šedesát, prostě nevěřím."

„To je malinko zaujaté, nemyslíte?" podotkl John.

„Však víte, jací tihle prťousové jsou. Za všech okolností si musejí něco dokazovat, vynahrazovat si chybějící centimetry.

Co si pamatuju, byl náš malinký reverend Kelly pořádně ctižádostivý a prolhaný. I když slovo ‚prolhaný' ho na druhou stranu zas tak přesně nevystihuje. Nikdy jsem z něj neměl dojem, že by člověku dokázal přímo lhát, ale zároveň se mi zdálo, že celou pravdu a nic než pravdu mi taky nevykládá.

Dám vám příklad. Seznámil jsem se s ním dobře před dvaceti lety. Pár kluků z farního plaveckého kroužku si tehdy stěžovalo rodičům, že s nimi jeden z mladších kněží blbnul v šatnách, a to způsobem, který by se dal označit za příliš kamarádský. Otci Kellymu se ale podařilo všechny přesvědčit, že šlo o naprosto neškodnou zábavu. Vylomeniny, takhle to nazval, nic, kvůli čemu by se musel tropit povyk."

„A cos o tom soudil ty?"

Katiin otec se zašklebil. „Podle mě rodičům namluvil, co si přáli slyšet, a odmítal připustit velice reálnou možnost, že ten kněz kluky zneužil. Nesmíte ovšem zapomenout, že tenkrát se lidi farářů báli daleko víc než dneska. Takže jsme nic nepodnikli. Koneckonců jsme se mohli opřít jen o výpověď těch děcek. Přesto jsem si pomyslel, že reverendu Kellymu tak docela nevěřím. Ten je záludnější než Rubikova kostka."

„Moje řeč," přitakala Katie. „I Dermot si to myslí. Nevím ale, co s tím naděláme."

„Měla by sis s ním znova promluvit, o samotě," navrhl jí otec. „Projděte spolu všechno, co ti řekl, dopodrobna, klidně i dvakrát nebo třikrát, pokud máš podezření, že něco nesedí. To by ho mohlo dopálit. On je takový ten arogantní machr, který si rád připadá, jako že má všechno pod kontrolou. Kdo ví, co z něj vyleze, až mu rupnou nervy."

Kyvadlové hodiny na chodbě truchlivě odbily půlhodinu a právě v tu chvíli se ve dveřích objevila Ailish Walshová, žena s kulatým obličejem a šedými vlasy spletenými do pevné korunky. Na sobě měla červenou pruhovanou zástěru, byla uzardělá a očividně navýsost spokojená.

„Večeře je hotová," oznámila. „Dobrý den, Katie, jak se máte?" „Skvěle, Ailish, děkuju. To ale krásně voní."

Následovali Ailish do rozměrné staromódní kuchyně, která byla od podlahy až ke stropu obložená nablýskanými krémově bílými kachličkami s ozdobným zeleným lemováním. Uprostřed místnosti trůnil velký stůl z borového dřeva pokrytý zelenobílým kostkovaným ubrusem. Na jednom konci stál pletený košík s krajíci čerstvě upečeného chleba a na druhém kameninová salátová mísa přetékající roketou, polníčkem a fenyklem, jejichž listy vypadaly, že je někdo natrhal z živého plotu před domem.

Katie s Johnem se usadili naproti sobě. Katiin otec mezitím vyndal z lednice čtyři lahve ležáku Murphy's a všem nalil.

„Tak na nás, na kluky z hurlingového týmu a na ten všeobecný zmatek kolem našich milých kněží," prohlásil a pozvedl sklenici.

„Na budoucnost," připil John a upřeně se zadíval na Katie.

„Nepokoušejte štěstěnu, hochu," prohodil Katiin otec. Přelétl pohledem z Johna na dceru a zase zpátky. „Moje babička se vždycky dušovala, že umí předvídat budoucnost. Sestře předpověděla, že se provdá za nejstálejšího chlapa v Corku, a co se stalo? Ségra skončila s provazochodcem z cirkusu. Na laně stát uměl, to jo, jinak ale proháněl každou sukni, která se kolem něj mihla."

Ailish otevřela dvířka plynové trouby, s ohlušující ránou je pustila na zem a vytáhla plech s čímsi, co vypadalo jako osm dozlatova upečených vepřových nožiček. Vzala kleštičky, naložila na čtyři talíře po dvou kusech a podala je dál, načež si sundala zástěru a rovněž se usadila ke stolu.

„Nožky, moje oblíbené jídlo!" zvolal Katiin otec a promnul si ruce.

John do jedné z nich šťouchl vidličkou. „Páni. Už je to hodně let, co jsem měl naposledy vepřové nožičky. Ale nevypadají jako ty, co dělávala moje máma."

„Těmhle má tetička říkávala ‚nožky pro slušnou společnost‘," vysvětlila Ailish. „Jinými slovy: dají se jíst příborem."

„Já že jsem slušná společnost?" zazubil se John a snažil se zachytit Katiin pohled. „To jsem tedy poctěn. Musíte mi povědět, jak je děláte."

„Je to piplačka, ale nic na tom není. Přirozeně musíte nejdřív otrhat chloupky, očištěné nožičky zabalíte do obvazů jako obvykle a nakonec je dvě až tři hodiny vaříte s cibulí, mrkví, vavřínem a kuličkami pepře."

„A petrželí," připomněl Katiin otec. „Nezapomeňte na petržel."

„Správně, s petrželí. Jakmile máte hotovo, vybalíte je, stáhnete z kůže a oberete z kostí všechno maso."

„Jak se to dělá u stolu, když se připravují normálně," dodal Katiin otec.

Ailish pokračovala: „Kousek kůže položíte na dno misky a tu pak naplníte masem. Zabalíte ji do potravinové fólie a strčíte na několik hodin do lednice, aby si maso sedlo. Potom je vyklopíte, namočíte do rozšlehaného vajíčka a strouhanky, půl hodiny pečete v tuku ze slaniny a tradá: máte vepřové nožičky, které můžete jíst, aniž byste se zaneřádil."

„Doufám, že si to všechno znamenáte, Johne," řekl Katiin otec. „Až se vrátíte do Kalifornie, můžete je podávat na grilovačkách. Jen by se po nich zaprášilo, to vám garantuju."

Katie přeřízla první nožičku napůl, ale nepozřela jediné sousto. „Víš už, kdy odjíždíš?" zeptala se Johna.

„Napevno ne," odpověděl a zpříma se na ni podíval. „Kamarádi ale chtějí, abych dorazil co nejdřív. Dražitel tvrdil, že může statek prodat, i když tu nebudu. Odhaduju, že odjedu nejpozději koncem dubna."

„Tak brzo? A co bude s mámou?"

„Je ve vynikajícím domově, tam se o ni postarají líp než já."

„Ten internetový obchod s pilulkami podle mě zní jako skvělý podnikatelský nápad," vložil se do hovoru Katiin otec a otřel si ústa ubrouskem. „Je to mnohem lepší než cokoli, co byste provozoval u nás v Corku, obzvlášť teď."

„Co tím naznačuješ?" obrátila se na něj Katie.

„Nic nenaznačuju, zlato. Jenže život máme akorát jeden. Někdy se vyplatí zariskovat a pustit se do něčeho fungl nového. Sean O'Riordan mi kdysi nabídl, ať se stanu jeho partnerem v Globetrotter, tom nakladatelství turistických průvodců na Grand Parade. Sama dobře víš, jaký s tím má dneska úspěch. Představ si všechna ta úžasná místa po celém světě, kam jsme se s tvou mámou mohli podívat. Takhle jsme se dostali nejdál do Dingle, a k tomu čtyři dny v kuse lilo."

„Ale prosím tě. Od policie bys přece neodešel, ne?"

„Uvažoval jsem o tom, Katie, dlouho a vážně, to mi věř. Uvědom si, že jsem byl obyčejný strážmistr, ne komisař jako ty. Do nebes mě nevynášeli a královsky mě taky neplatili, jenže se mi na druhou stranu zrovna nechtělo riskovat důchod, který jsem měl u policie zajištěný. Zamysli se ale. Život toho nabízí víc než nekonečné honičky za drobnými překupníky drog, pasáky, prostitutkami a knězi, kteří si měli nechat zapnutou sutanu. Tam venku je širý svět plný slunce, peněz a zábavy, propánakrále."

„Ale, ale. John na tobě hezky zapracoval, co?"

John zasáhl: „Prostě jsem řekl, jak to vidím. V Americe bychom spolu mohli vést báječný život, Katie."

„Už jsem ti to vysvětlovala, Johne. Copak to jde, zničehonic se vším praštit a jednoduše se zdejchnout? Mám za sebou léta výcviku, léta zkušeností. Moji kolegové o tohle všechno přijdou, pokud od policie odejdu. Mám tolik kontaktů, tolik informátorů. Kdybych to tu pověsila na hřebík, kdo by si chodil popovídat s grázlíky jako Eamon Collins? Anebo s cvoky typu Eugena Ó Béary?"

Katiin otec odložil nůž a dal jí ruku na zápěstí. „Oni už si najdou někoho, kdo tě nahradí, zlato, o tom nepochybuj. Chránilas Cork před zločinem dost dlouho, nezdá se ti? Třeba je načase, aby tě někdo vystřídal."

„Když jsem ti volal, zmínil jsem se, že mám pár nápadů," řekl John. „Mimo jiné jsem si říkal, že by ses mohla stát vedoucí konzultantkou u Pinkertonů."

„Pinkertonů? To myslíš vážně? V Pinkertonově detektivní agentuře?"

„Správně. V nejstarší a nejuznávanější bezpečnostní agentuře na světě. Věřila bys, že za občanské války si jejich detektivy najímal samotný Abraham Lincoln? Mají v San Franciscu pobočku na Howard Street. Ukázalo se, že můj dobrý kamarád Jed Walters se blízce přátelí s ředitelem tamního konzultantského oddělení. Chodí s ním hrát squash."

„Vidíš?" řekl Katiin otec. „Byla bys v Americe stejně užitečná jako doma. A víc by tě to bavilo."

Z jeho tónu bylo jasně cítit, že by nejraději dodal: A žila bys s mužem, kterého miluješ. John na Katie prosebně a úpěnlivě pohlédl. Dokonce i Ailish se na Katie s povytaženým obočím usmívala a oči se jí leskly dojetím, jako ženám na svatbách.

„Ale jak by ses s tím srovnal ty?" zeptala se Katie otce. „Za vlhkého počasí tě trápí artróza a za suchého ekzém. A to nemluvím o tvojí angíně."

„Bez starosti, děvče," mávl rukou. „Já nejsem úplně bezmocný, víš? Navíc se o mě stará Ailish. A kdyby nastala nějaká nepředvídatelná událost, můžu vždycky brnknout Siobhan."

Katie žasla. Siobhan? Kdyby měly nepředvídatelné události jméno, znělo by Siobhan, pomyslela si. Nechtěla však dělat u večeře dusno, a proto přikývla a řekla: „Fajn, tati. Potřebuju akorát trochu času, abych si to rozmyslela."

„Ale budeš o tom uvažovat, viď?" naléhal John. K čertu, za těch pár dní málem zapomněla, jak je pohledný, jak krásné čokoládově hnědé oči má a jak se mu občas pozvedává koutek úst v pobaveném úsměvu.

„Koukni, stydnou ti nožičky," pokáral ji otec.

„No jo, vidíš. Promiň," řekla, ačkoli ji zcela přešla chuť, obzvlášť na vepřové nožičky, z nichž se jí beztoho odmalička zvedal žaludek. Pokaždé si je představila, jak se brodí zaneřáděným prasečím chlívkem. Copak její otec zapomněl, že když jí bylo šest, nechal ji jednou sedět nad talířem netknutých vepřových nožiček až do čtyř odpoledne, protože je odmítala sníst? Mohla si jít hrát ven, teprve až je všechny spořádala jako hodná holka.

18

Ailish sklidila nádobí a s hlasitým cinkáním je umyla. Katie mezitím našla utěrku dovezenou z Lourdes jako suvenýr a pomohla s úklidem. Při práci si povídaly o tradičních corkských receptech na vepřové nožičky, ovčí jelita a pivní koláč, načež se rozhovor stočil ke hrám, jimiž se jako malé bavily ve škole a které dnešní děti očividně vůbec neznají, jako je skákání přes provaz, hry na babu nebo na kovboje a indiány. O možnosti, že se Katie odstěhuje s Johnem do Kalifornie, se Ailish ani slovem nezmínila, jakmile však pověsila zástěru na háček, pevně sevřela Katiiny ruce do dlaní, usmála se a potřásla hlavou, jako by říkala: Být vámi, děvče, tak jedu. Skočila bych do toho rovnýma nohama.

„Dobrou noc, moje milá Ailish!" zavolal Katiin otec za hospodyní, která mezitím přešla k hlavním dveřím a rozevřela deštník. Venku sice stále pršelo, ale déšť byl nyní o poznání jemnější a kapky ve světle pouličních lamp jiskřily jako chmýří.

„Nemám vás hodit domů?" nabídla se Katie.

„Nemusíte se obtěžovat. Na Fairy Hill je to pět minut chůze."

„V tom případě dobrou noc. A pozor na víly. Ty potvůrky umějí být pěkně nezbedné, jen co je pravda."

John, Katie a její otec strávili příští hodinu v obývacím pokoji u krbu plném ohořelých polen, která se pozvolna měnila v popel, a Katie s Johnem vypili téměř celou lahev whisky Paddy's. Katiin otec vyprávěl barvité historky o Corku šedesátých let a o soupeřících ganzích, které vládly tehdejšímu světu zločinu.

„Tenkrát tu žil jistý chlapík, nějaký Jimmy Dunne, to vám byl ale magor. Měl slabost pro svou skládací břitvu — rád jí konkurentům uřezával nosy. Říkávalo se mu Jimmy Frňák. Nakonec ale dostal, co si zasloužil. Jednou v noci k němu domů vtrhli bratři Murphyovi, všichni tři, a unesli ho i s manželkou Eileen rovnou z postele, aniž by probudili jejich pět dětí. Zavezli ty dva do sklepa nedaleko Oliver Plunkett Street a tam jim prováděli věci, z nichž člověku vstávají vlasy hrůzou. Když jsme Jimmyho a jeho ženu našli, byla z nich jen beztvará hmota, takže ani nešlo pořádně určit, kdo je kdo."

Dopil sherry a potřásl hlavou. „Tenkrát bylo všechno jinak. Nikdo neměl peníze, mobily ani kreditky, takže pouliční přepadení bývala něčím neslýchaným. Potíže navíc dělali výhradně místní kluci, což nebývali žádní Einsteini — vždycky jsme věděli, který vůl spáchá který zločin přibližně pět minut před tím, než na nějakou lumpárnu vůbec pomyslel. Ale než jsem odešel do důchodu, začali se ke kormidlu drát Rumuni a Nigerijci. Však Katie vám poví, jak umějí být vychytralí. A bezcitní."

„Řekněme to takhle," prohodila Katie. „Když jim někdo zkříží cestu, neváhají a useknou mu uši, prsty nebo nohy."

„Přesně tak," přitakal otec. „Problém byl v tom, že jsem nikdy nechápal, co mi ti parchanti vykládají, a to ani když údajně mluvili anglicky. Copak se dá zapsat svědectví někoho, kdo říká ‚e don red', když má ve skutečnosti na mysli ‚šlo do tuhého'? Dost na tom, že jsem svého času musel luštit hantýrku těch raubířů z Crosshavenu."

„Já ti povím, jaká je dnešní doba, taťko," řekla Katie. „Minulý čtvrtek nám přišla každoroční statistika zločinnosti. Hádej, jaký druh kriminální činnosti byl loni nejziskovější — s výjimkou překupnictví drog."

„Tipuju pašování lidí. A pasáctví."

„Věř nebo ne, ale není to tak. Obchod s oblečením z druhé ruky. Však víš, co mám na mysli, ty pytle šatů, které lidi dávají na charitu."

„To si snad děláš srandu," prohlásil John.

„Vůbec ne. Gangy imigrantů z východní Evropy projíždějí ve tři ráno městem a kradou vaky přímo ze zápraží. Odjedou s nimi za hranice do Litvy, Estonska nebo kam, tam ty hadry vyperou a vypucují, takže jsou jako nové, a pak je prodávají. Na jednom dvanáctimetrovém náklaďáku snadno vydělají i sto padesát tisíc eur — nebo dokonce víc, pokud se jim poštěstí štípnout i kabelky a boty."

„To jako vážně?" řekl John. „Jistě, je to nezákonné, ale na druhou stranu musím obdivovat jejich podnikavost. Mě bys rozhodně nenačapala, jak se uprostřed noci proháním po předměstí a sbírám stovky plastových pytlů s nasmrádlými starými svetry."

„Věř mi, Johne, že si žádný obdiv nezaslouží. Ty šaty jim nepatří. Jde o zločin, ať na to pohlížíš z jakéhokoli úhlu. Slučují se do konkurenčních gangů, které jsou kolikrát agresivnější než místní drogoví dealeři. Minulý týden jsme museli poslat patnáct strážníků na South Ring Road, aby zarazili pouliční rvačku, jíž se účastnilo třicet až čtyřicet sběračů šatstva, všichni do jednoho vyzbrojeni noži, střepy z rozbitých lahví a hokejkami. Kdyby to byla výjimka, tak budiž, jenže oni si navzájem ustavičně házejí zápalné lahve do dodávek."

Katiin otec vstal. „Já na to řeknu jediné: Vrať se, Jimmy Frňáku, všechno je odpuštěno, hochu."

„Jdeš do postele?" zeptala se Katie.

Přikývl, sklonil se k ní a políbil ji na tvář. „Vy dva si popovídejte. Třeba něco vymyslíte."

„Mohl by ses živit jako dohazovač," poznamenala Katie.

„Já, zlato? Nikdy. Jenom na život koukám z opačného konce dalekohledu a všechno, co se mi kdysi zdálo velkolepé a působivé, mi zničehonic připadá o hodně menší. Teď vidím, co mohlo být, ale není, a nerad bych, aby ses v mém věku cítila stejně."

„Dobrou, taťko. Hezké sny."

John vstal a vzal jeho ruku do dlaní. „Dobrou noc, pane. A díky za všechno."

Katiin otec pokrčil rameny, jako by říkal: Ještě se ukáže.

Když se po schodech došoural až do patra, John si opět sedl, tentokrát mnohem blíž ke Katie než předtím. „Dáš si ještě drink?" nabídl. „Nevidím důvod, proč bychom tu lahev nemohli dopít."

Nalil každému z nich poslední sklenku whisky a Katie prohlásila: „Budu zlitá, takže ať ti povím cokoli, ve skutečnosti to nemyslím vážně."

„Jako třeba že jsi změnila názor a přece jenom se mnou do San Francisca pojedeš?"

„Ne, Johne. Dobře víš, že není fér, abys po mně něco takového chtěl."

„Ale pracovat pro Pinkertonovu detektivní agenturu, to by bylo fantastické, ne? Prestižní. A dozlatova by ses opálila, na to nezapomínej."

„Oni přijímají irské občany?"

„Do vládních oddělení ne, ale v těch soukromých pozvou na pohovor každého bez ohledu na víru, barvu pleti, národnost, postižení nebo sexuální orientaci. Nejsem si ovšem jistý, jaký mají názor na pěkné rusovlasé opilce. Nebo pěkné opilé rusovlásky."

Katie zakroužila whisky ve sklenici. „Já ti nevím. Působí to na mě hrozně neloajálně, už jen že se tou myšlenkou zabývám. Když vstupuješ do Garda Síochána, musíš složit přísahu."

Pozvedla sklenku a pronesla: „Tímto před Bohem slavnostně a upřímně přísahám, že budu povinnosti příslušníka Garda Síochána vykonávat poctivě, zásadově, s respektem k lidským právům, svědomitostí a nezaujatostí a že budu prosazovat dodržování ústavy a zákonů a projevovat úctu všem lidem bez rozdílu."

John na ni zíral. „Ksakru, v životě by mě nenapadlo, že ten slib znáš zpaměti."

„Mám policajtství v krvi, Johne, proto si ho pamatuju. Podědila jsem to po otci a dědečkovi."

„Miluju tě, Katie, proto se snažím na něco přijít."

Katie na něj chvíli hleděla a potom řekla: „Předminulý týden jsme podnikli zátah na bordel nedaleko Patrick Street. Zachránili jsme odtamtud holku, kterou sem spolu s pěti dalšími propašovali z Albánie. Bylo jí patnáct, a než ji odvedli z domova, byla panna. Obyčejná školačka. Čtyřiadvacet hodin denně ji drželi zavřenou v malém pokoji, měla na sobě jen podprsenku a nutili ji spát minimálně s tuctem mužů za den, sedmkrát do týdne. Musela kunčaftům splnit každé přání, jinak ji pasáci ztloukli do krve. Řekla mi, že si celou dobu připadala, jako by byla mrtvá."

„Fajn," řekl John vážně. „To je skvělé. Přímo úžasné! Dalas té holce šanci na normální život. Jenže nemůžeš zachraňovat každého, koho unesou."

„Já vím. Jak bych to mohla nevědět? Měl jsi ji ale vidět, Johne. Kéž by sis s ní mohl promluvit. Copak se můžu přestat snažit pomáhat, když o tomhle všem vím?"

John nakrátko zmlkl. Poté dodal: „Proč jsi mi neřekla, že k tomu došlo? Jak o tom teď uvažuju, dochází mi, že se mnou o práci vlastně vůbec nemluvíš."

„Nenapadlo mě, že by tě to zajímalo."

„To myslíš vážně? Jasně že by mě to zajímalo! Proboha, zlato, vždyť tvoje práce tě definuje! Právě ona z tebe dělá Katie Maguirovou. Mám pocit, jako by ses přede mnou od samého začátku uzavírala, jako bys nechtěla, abych zjistil, kdo doopravdy jsi."

„Johne, tak to není, přísahám. Jenže když jsme spolu, nechce se mi tahat mezi nás práci, všechna ta pobodání, rvačky, opilství a sprosťárny. A navíc je to nudné — zločin i zločinci. Slovní zásobu mají složenou ze dvou slov, a když narazí na problém, obvykle ho řeší pořádnou nakládačkou, tedy pokud nemáš smůlu a nedopadne to ještě hůř. Kéž by jim jednou došlo, jaké neužitečné svině jsou. Koho by bavilo vykládat si o takových lidech celý večer?"

John ji vzal za ruku. Měla na ní smaragdový prsten, který jí koupil na oslavu svého rozhodnutí zůstat v Irsku.

„Já tě chápu, Katie," řekl. „Naprosto rozumím, co se mi pokoušíš sdělit, a hluboce obdivuju, co děláš. Ale tvůj otec má pravdu. Dokázalas toho tolik a udělalas tolik dobrých věcí... ale přece nehodláš skončit jako šedivá stará bába obklopená kočkami, která lituje, že svůj život nezasvětila něčemu jinému než nahánění pasáků, drogových dealerů a zlodějů obnošených hadrů v jednom z nejmokřejších měst na světě. Uvědomuju si, jak důležité se ti to dneska večer zdá — jak to ale budeš vnímat za dvacet let?"

Hodiny na chodbě odbily jedenáctou, jako by Johnovu úvahu nad tokem času potvrzovaly. Katie znala spoustu policistů, kteří si přesně tímhle prošli, když začali stárnout — policejní školu absolvovali plni nepřekonatelné touhy sloužit veřejnosti, po několika letech se však spokojili s jakousi rutinní poctivostí. Všichni ti šmejdi a grázlové je prostě udolali. Člověk ráno vstane, vyrazí do ulic a musí se vypořádávat s tetovanými mladíky, kteří na něj pořvávají nejrůznější oplzlosti a nadávají mu do zasraných kretténů, se zpocenými účetními, kteří ukradli obchodníkům se stavebním materiálem izolaci za patnáct tisíc eur, nebo s pologramotnými pasáky ze Sierry Leone, co se po městě producírují ověšení diamantovými náušnicemi, navlečení v lesklých sportovních soupravách a v botách Nike za tři sta eur. Po nějaké době už ani nevnímáte, co vám ti lidé říkají — jejich slova se proměňují v nevýrazný šum. Večer se vrátíte domů, pustíte si televizi, lehnete si do postele, civíte na strop a posloucháte, jak vedle vás oddechuje vaše lepší polovička, pokud tedy pořád nějakou máte.

Třeba se Katie přihodilo totéž, třeba taky otupěla. Možná si z mučednictví skutečně udělala zvyk.

19

John natáhl ruku, vzal Katiin obličej do dlaní a podíval se jí zpříma do očí. „Zelené jako vždycky, dočista jako moře."

„Ale prosím tě, nech toho. Překvapuje mě, že po vší té whisky nejsou jasně rudé."

Dlouze ji políbil. Ticho v místnosti narušovalo pouze praskání zbylých polen v ohništi, která se pomalu hroutila sama do sebe. Špička Johnova jazyka pronikla Katiinými rty, přejela jí po zubech a vklouzla hlouběji do úst. Jejich jazyky spolu zápasily, ale Katie se nijak zvlášť nesnažila polibku odolat. Tolik se jí po Johnovi stýskalo, po něm i právě po tomhle — po jeho blízkosti, vůni i dechu na její tváři.

Dotkl se světlehnědého propínacího svetru, který měla na sobě, a spustil jí ho z ramen. Jednu po druhé jí vytáhl ruce z rukávů a pustil svetřík na podlahu.

„Co si myslíš, že děláš, mladej?" vzdechla. Zbožňovala, jak ji strništěm škrábal na obličeji, a schválně se tváří otřela o jeho.

„Měl jsem dojem, že je ti vedro," odpověděl. Začal rozepínat knoflíky její zelené hedvábné blůzy, nejdřív první, pak druhý a třetí. Vsunul ruku pod látku, uchopil Katie za levé ňadro a lehce je přes podprsenku stiskl.

„A co si myslíš, že děláš teď, mladej?" namítla zastřeným hlasem, stejně zadýchaným jako předtím.

„Připomínám si, co všechno tu nechám, až odjedu."

Když mluvil, bylo to, jako by jí na ucho foukal něžný vánek. John jí uvolnil manžety, svlékl z ní blůzu a hodil ji na propínací svetr. Znovu Katie políbil, na rty, víčka a hrdlo.

Sáhl jí na záda a rozepnul podprsenku. Jemně prádlo odložil a vzal do rukou Katiina obnažená ňadra, jako by to bylo nějaké zázračné ovoce. Palci pomalu zakroužil kolem bradavek, dokud neztvrdly. Na svou postavu měla velká prsa a John jí vždycky říkával, jak se mu líbí, když se k němu otočí zády, a on přesto po obou stranách vidí srpky jejích ňader.

„Co to má být?" zeptala se a kousla ho do ucha. „O co se pokoušíš? Víš přece, že s tebou nemůžu jet. Prostě nemůžu."

„Au!" vyjekl. „To bolí!"

„Bábovko!" zavtipkovala a kousla ho ještě tvrději.

„Přestaň. Tohle nemá s mým návratem do Států nic společného."

„Že by?"

„Ne, vážně. Nesnažím se změnit tvůj názor. Jde jen o nás, teď a tady, dneska večer, u krbu. Tímto oficiálně zastavuju čas. Zítřek se nekoná."

Povolil Katie pásek i zip těsných černých džínů. Předstírala, že se brání, ale nadzvedla boky, aby jí mohl snáz sundat kalhoty a přetáhnout je přes kotníky. Byli milenci víc než rok a spali spolu dvakrát až třikrát týdně, ale i přesto se nyní styděla a zároveň byla silně vzrušená, jako by se milovali poprvé.

Divoce se líbali, jako dva rozvášnění psi, kteří chtějí jeden druhého zakousnout. John ze sebe strhl modrou džínovou košili, aniž by se od Katie vzdálil, a odepjal si splétaný kožený pásek. Vstal a svlékl si bílé tričko i džíny. Ztratil při tom rovnováhu a málem na Katie spadl. Oba se rozesmáli.

„Kolik že jsi toho vypil?" poškádlila ho.

„Zas tolik ne. To by tě mělo potěšit." Johnovu pravdomluvnost dokazovaly jeho trenýrky, které se vepředu vzpínaly. Katie se natáhla a přes tenkou modře proužkovanou bavlnu stiskla jeho penis.

„Tohle by v Garda Síochána měli přidělovat místo obušků," zazubila se, sevřela úd pevněji a v očích jí nezbedně zajiskřilo. „Je rozhodně tvrdší než ty naše předpisové."

John ji políbil a zlehka do ní strčil, aby si lehla na tlusté gobelínové polštáře, ona však stále nepouštěla jeho penis.

„Víš, jak moc tě miluju, Katie Maguirová?" řekl. „Miluju tě víc než všechny vepřové nožičky v celém Corku."

„To je určitě ta nejmíň romantická poklona, jakou mi kdo složil."

„Copak existuje něco romantičtějšího?"

„Prosím tebe. Jak by to vypadalo, kdyby takový Shakespeare napsal: ‚S láskou tebe přirovnal bych k talíři nožek vepřových'?"

„Ty máš co mluvit, vždyť jsi právě srovnala moje péro s pendrekem."

„Srovnala, jenže to byl opravdový kompliment. Však se na něj podívej."

S těmi slovy mu shrnula trenýrky a obnažila jeho erekci. Johnův žalud byl naběhlý a šarlatově rudý a z jeho ústí na ni pomrkávala průzračná kapka očekávání. Katie uchopila do levé dlaně Johnova svrasklá varlata a na pravý ukazováček si namotala jeho ochlupení. Johnovy chloupky se jí od samého začátku líbily, protože si při pohledu na ně vždycky vzpomněla na Michelangelova Davida nebo jiný klasický mužský akt.

Sklonil se nad ní a zašeptal: „Zdá se mi o tobě každou noc, Katie, a myslím na tebe každý den."

„Ale zlobíš se, že jsem si s tebou nepovídala o práci a o tom, jak moc pro mě znamená, viď? Jsi naštvaný, protože se jí nemíním vzdát a odstěhovat se s tebou do San Francisca."

„Nezlobím."

„Jo, zlobíš. Já to poznám."

„Katie, ty si myslíš, že v lidech dokážeš číst jako v otevřené knize, a u těch kriminálníků, kterými se musíš dennodenně zabývat, to možná platí. Jenže já jsem já a miluju tě. Podle mě bys měla alespoň připustit možnost, že jsem ve srovnání s nimi o něco komplikovanější."

„Pokud nejsi rozzlobený, tak co teda?"

Místo odpovědi ji znovu políbil — na vlasy, čelo, víčka, špičku nosu a rty, skoro jako by ji svými polibky křižoval. Poté se posadil, uchopil její růžová krajková tanga, stáhl jí je přes kolena a chodidla a hodil je na podlahu.

„A teď v tobě budu jako v otevřené knize číst já," oznámil. Ve tváři měl vepsaný výraz, z kterého nebyla moudrá — chtivý, to ano, ale taky prohnaný, jako by přesně věděl, co se v příštích minutách stane a jaký to na ni bude mít dopad.

Oběma rukama jí rozevřel stehna. Nedalo se říct, že by se úplně bránila, přesto ho přinutila vynaložit na to trochu síly. Byla hladce oholená a její pysky se s téměř neslyšitelným mlasknutím oddělily.

John sklonil hlavu a špičkou jazyka jí olízl klitoris, jenom jednou. Přestal a zadíval se jí přímo do očí, jako by si tu chuť hodlal pořádně užít. Pak poštěváček olízl znovu, podruhé a potřetí, velice lehce, Katie z toho však i přesto zamravenčilo u páteře a mezi nohama.

Vzhlédl a řekl: „Vidíš, takhle se ta kniha otvírá." Palci oddělil její pysky ještě víc, takže před ním byla zcela odhalená. „Levé stránce se říká *verso*," prohlásil.

„Ježíš, přestaň blbnout," zaprotestovala Katie a pokusila se ho chytit za vlasy, ale on trhl hlavou a uhnul.

„Neblbnu. Odsud se dozvím všechno o tvé minulosti. Tys byla pěkná divoška, když jsi vyrůstala, co? Nenamáhej se to zapírat — tvůj táta mi o tobě vyprávěl. Byla jsi nespoutaná a tvrdohlavá a klukům ses snažila neustále dokazovat, že je zvládneš porazit na jejich vlastním hřišti. Což se ti povedlo, když se z tebe stala nejdřív policistka a potom policejní komisařka."

Katie se nemohla rozhodnout, jestli je pobavená, zahanbená, vzrušená nebo všechno dohromady. „Ty jsi magor, Johne, to myslím naprosto upřímně."

Opět na ni pohlédl a usmál se, ale pak pokračoval: „Pravá stránka se jmenuje *recto*. Na ní si přečteš svou budoucnost. A já tu vidím... jo, jasně, vidím tu, že za svou minulostí uděláš čáru, tlustou černou čáru. Najdeš štěstí, naplnění a někoho, kdo tě miluje ne navzdory tomu, že jsi tak divoká a tvrdohlavá, ale právě proto."

„A předpovídat ženské osud tím, že jí koukneš do rozkroku, tě naučil kdo?"

John se zasmál od ucha k uchu. „Ženský rozkrok je klíčem ke všemu, to bys měla vědět."

„Sexisto."

„To není žádný sexismus, ale lichotka."

Klekl si mezi její stehna, vzal svůj penis do pravé ruky a vsunul švestkově fialový žalud mezi její pysky, *verso* a *recto*, minulost a budoucnost. Jeho tělo jí připadalo neodolatelné: pevné svaly, úzký pas i ramena vyrýsovaná osmnácti měsíci naplněnými tvrdou prací, oráním, kopáním a sekáním dřeva. Zbožňovala krucifix černých chlupů, který se mu rozpínal na hrudi. Nejvíc ji však nepřitahovalo Johnovo tělo, ale tichý respekt, který jí projevoval, jeho neskrývaný obdiv k tomu, čím je, a skutečnost, že ji i po roce a půl považuje za fascinující záhadu, kterou je nutné rozluštit.

Otázka zněla: Měla by mu vyhovět?

Zavládlo dlouhé ticho a jich obou se zmocnilo vědomí ubíhajícího času. John zůstal bez hnutí — nezdálo se, že by se chystal přirazit a proniknout do ní. Katie přesně věděla, co John dělá. Pokud mu dovolí, aby do ní vnikl, bude tím mlčky souhlasit, že se v Corku všeho vzdá — své rodiny, přátel i kariéry u policie — a odjede s ním do Států. Hodiny na chodbě začaly odbíjet. Katie mu položila ruce na kyčle a pomalu ho do sebe vsunula. Vklouzl do ní tak hluboce, že se dotkl hrdla její dělohy, a Katie nadskočila.

20

Domů dorazila krátce po druhé ráno. Tou dobou už přestalo pršet a vanul mírný jihozápadní vítr. Vystoupila z auta, vzhlédla a na pár vteřin se zadívala na úplněk, který vyhlížel zpoza mraků jako všetečná sousedka. Kdepak ses toulala, Katie Maguirová, a co za lumpárny jsi tropila?

Odemkla dveře, sundala si kabát a boty a přešla do obývacího pokoje. Uvědomovala si, že je to naprosto absurdní, přesto se jí svým způsobem stýskalo po časech, kdy doma v tuhle noční hodinu nacházela Paula. Sedával u poblikávající televize s vypnutým zvukem a chrápal na gauči u konferenčního stolku s půltuctem lahví od piva Satzenbrau. Nikdy netušila, co její manžel během dne zase provedl a z čeho ho ráno bude muset vysekat.

Zamířila ke stolku a nalila si sklenku whisky Power's. Popravdě na ni neměla kdovíjak velkou chuť, ale nechtělo se jí jít rovnou do postele — věděla, že by stejně neusnula — a zrovna tak neměla chuť dívat se na teleshopping nebo na *Chirurgy*.

Se sklopenou hlavou si sedla do křesla a pokusila se pochopit, co se večer vlastně odehrálo. Opravdu se rozhodla dát v práci výpověď a odjet s Johnem do Států? Anebo jednoduše podlehla sexuální frustraci a touze, aby ji její milenec držel v náručí? Je to od ní sobecké a slabošské, takhle se vykašlat na své povinnosti, nebo naopak neuvěřitelně odvážné? A především, dokáže skutečně odejít?

Seděla v křesle, netknutý nápoj v ruce, když vtom se v kuchyni rozsvítilo a ona zaslechla, jak se otvírají dveře ledničky.

„Siobhan?" zavolala.

Ozvalo se zacinkání lahve a zvuk zavírající se ledničky, ale Siobhan neodpověděla.

„Siobhan?"

Opět žádná odpověď. Katie chvilku počkala, pak vstala a přesunula se do kuchyně.

„A do háje," zaklela. U linky stál Siobhanin plešatící bývalý přítel Michael a na sobě neměl nic než vytahané šedé spodky. Držel umělohmotnou krabičku s masem na kari a ústa měl pootevřená, jak se do nich chystal strčit velké sousto kuřecího tikka masala.

„Michaeli," řekla Katie. „Co tady propánajána vyvádíš?"

Rozhlédl se, jako by si myslel, že Katie mluví s někým jiným. „No, já jsem akorát dostal hlad. Siobhan je prý jedno, když si dám ještě trochu kari, pokud ovšem budu spát čelem ke zdi a nebudu na ni dýchat."

„Já se neptám, proč jíš to kari. Myslela jsem, co děláš v tomhle domě?"

Michael odložil vidličku i krabici. „Siobhan tvrdila, že tu dneska nebudeš a že by ti to beztak nevadilo."

„No, Michaeli, možná tě překvapím, ale mně to vadí. Tohle je můj dům a já jsem fakt nečekala, že ve vlastní kuchyni najdu uprostřed noci cizího chlapa ve spoďárech, jak se cpe indickým jídlem."

„Jako mě? Já přece nejsem cizí, Katie. Vždyť se známe už od školy."

V tu chvíli se ve dveřích objevila Siobhan. Zrzavé vlasy měla rozcuchanější než obvykle, takže připomínala Medusu. Měla opuchlé oči, jako kdyby kouřila trávu, a oblečená byla pouze do trička s červeně vytištěným jménem irské pop rockové kapely The Script.

„Katie? Co se děje? Předpokládala jsem, že přespíš u Johna."

„Jo? A to tě napadlo proč?"

„Protože vím, co k němu cítíš. Nejsem slepá, ségra. Viděla jsem, jak se ti po něm stýská."

„To ale není důvod zvát si sem Michaela."

Siobhan ho vzala kolem ramen a stiskla. Navzdory jeho výšce, pivnímu břichu a leské pleši se nedalo říct, že by byl úplně ošklivý — pokud si tedy člověk potrpěl na široké tváře, pršáčky a rozzářené oči. Navíc míval za všech okolností dobrou náladu a bohatou zásobu vtipů, jimiž nijak nešetřil. Katie si odjakživa říkala, že by její sestře byl dokonalým manželem, problém však spočíval v tom, že dokonalým manželem její sestře nemohl být žádný muž, protože nikdy nedokázala zůstat věrná. Už na škole jí kluci nadávali, že je děvka, protože byla ochotna udělat dobře každému, kdo se jí zamlouval. Ve velmi raném věku zjistila, že cesta k mužskému srdci nevede přes žaludek, ale přes trochu níže položený orgán.

Michael řekl: „No tak, Katie, nevyšiluj. Po snídani zmizím."

„Kde si vůbec Nola myslí, že jsi?"

„Vyrazil jsem do Limericku na firemní raut. Znáš to, jedna z těch blbostí, co mají upevňovat morálku. Paintball, team building a podobné hovadiny."

„Kdyby se dozvěděla, že jsi se Siobhan, zabila by tě."

„To asi jo," zasáhla Siobhan. „Prostě jsme si zavzpomínali na staré dobré časy. Ty mě pořád kritizuješ! Neustále se tváříš, jak jsi spořádaná a lepší než já, protože se na rozdíl od tebe ráda bavím! Copak tím někomu ubližujeme?"

„Ne, vůbec nikomu, pokud vynecháme Nolu, které jste právě nasadili parohy."

„Jenže Nola se nic nedozví."

„Už kvůli tobě doufám, že je to pravda."

„A já zase kvůli tobě doufám, že to nezjistí od tebe."

„Vyhrožuješ mi snad?"

„To bych se fakt neodvážila. Co kdybys mě zatkla? Pro Kristovy rány, to je strašný, mít za sestru profesionálního strážce morálky!"

„Jdi zpátky do postele, prosím tebe," vybídla sestru Katie.

Michael dal Siobhan ruku kolem pasu a řekl: „Pojď, zlato. Podle mě bude nejlepší, když to pro dnešek zabalíme, co říkáš?"

„Ještě jsi nesnědl to kari," namítla Siobhan a vzpurně se na Katie podívala.

„To je dobrý," odvětil Michael. „Beztoho bych nespolkl ani sousto. Mám nějak knedlík v krku."

Siobhan upřela na Katie dlouhý pohled a ona v jejích očích spatřila něco, co u své sestry ještě nikdy neviděla. Nenávist to nebyla, ale zášť možná ano. Třeba si Siobhan odjakživa přála být jako ona, ale nikdy nepřišla na způsob, jak toho dosáhnout. Katie si pomyslela: Kéž bych to věděla já!

Celou noc se neklidně převalovala. Zdálo se jí o tom, jak se v hustém dešti prochází po pozemcích Blarneyského hradu. Byla si jistá, že slyší plakat malého Seamuse, ale když se zastavila a zaposlouchala, nemohla určit, odkud pláč přichází. Slyšela pouze pleskot deště o trávník.

Nevěděla, jestli by na syna měla zavolat, nebo ne. Pokud zavolá, čarodějnice schované v jeskyních u hradu si uvědomí, že je poblíž dítě, s chechtotem se v šustivých hábitech vyřítí do tmy a půjdou ho chytit. Na světě neexistovalo nic, co by měly raději než dítě upečené nad otevřeným ohněm. Po okolí se šířily zvěsti, že správci hradu každé ráno nacházejí v jeskyni zvané Čarodějná kuchyně dohořívající uhlíky. Katie vystoupala na vrchol kopce, z nějž byl výhled na zahradu okolo Blarneyského hradu, a rozhodla se to risknout. Zhluboka se nadechla, přiložila si ruce k ústům a vykřikla: „Seamusi! Jsi tam, Seamusi? Seamusi, zlatíčko!" Poslouchala a poslouchala a stále měla dojem, že ho slyší plakat, odpovědi se však nedočkala. Třeba to byl jen racek. Křik racků koneckonců připomíná pláč ztracených dětí. Katie netušila, co dál. Přece nemůže jednoduše odejít a Seamuse opustit! Je sice mrtvý a pohřbený na kostelním hřbitově, ale kdyby jeho matka žila tisíce kilometrů daleko, bylo by mu strašně smutno. Jak by asi pokládala květiny na jeho hrob?

Zazvonil telefon. Katie otevřela oči a pochopila, že spala a žádný déšť ji nezalévá. Skrz žluté květinové závěsy dopadal do ložnice sluneční svit a plnil místnost zlatavým světlem.

Katie se v posteli posadila a potřásla hlavou, aby se probrala. Nato zvedla sluchátko a řekla: „Ano?"

„Tady Jimmy, komisařko. Strážmistr O'Rourke. Promiňte, že vás budím."

„Kolik je?"

„Deset minut po sedmé."

„Jejda, tak to se omlouvám. Asi jsem si zapomněla nastavit budík. Co se děje?"

„Našel se další, komisařko. Další kněz s uříznutým nádobíčkem. No, tím nádobíčkem si nejsme úplně jistí, ale podle vší té krve to na kastraci vypadá."

„Panebože, kde je?"

„Toho by nepřehlídl ani slepec. Visí za chodidla ze stožáru před Svatým Josefem, skoro deset metrů nad zemí. Je svázaný drátem, zrovna jako ten předtím. Ruce má za zády a kolena a kotníky spoutané, přesně jako otec Heaney. Někdo mu podle všeho slušně nabančil."

„Kdy ho objevili?"

„Přibližně před hodinou, hned po rozbřesku. Nějaký kluk zrovna roznášel noviny, zvedl hlavu a všiml si ho. Chudák se lekl, že je to upír, a div se nepodělal strachy."

„Doufám, že jste to tělo neodřízli."

„Ne. Poslal jsem jednoho mladého strážníka, ať splaší žebřík a zakryje tu mrtvolu plachtou. Taky jsem dal odklonit dopravu přes Middle Glanmire Road. Nebylo by dobré, kdyby to tělo zahlídla děcka cestou do školy."

„Zavolal jste hasiče?"

„Zavolal, jenže mají plné ruce práce s požárem skladiště v Ringaskiddy a pohotovostní hasičák s jeřábem nemůžou postrádat ještě nejmíň dvě hodiny. Takže jsme improvizovali a O'Donovan zařídil, aby nám městská rada poslala aspoň pracovní plošinu."

„Máte ponětí, co je ten kněz zač?"

„Zatím ne. Má neuvěřitelně domlácený ksicht."

„Fajn," řekla Katie. „Za čtvrt hodiny jsem na místě. Na nic nesahejte, vůbec na nic. Chci si ho prohlédnout tak, jak je."

„Jak myslíte, komisařko. Tak za momentík."

Katie vylezla z postele. Za sprchu byla ochotna upsat duši ďáblu, jenže neměla čas, a tak si pouze opláchla obličej v umyvadle a namydlila se mezi nohama. Ucítila na sobě Johnovu vůni a na chvilku zavřela oči. Nemohla se však vzpomínkám oddávat věčně — byl zavražděn a zmrzačen druhý kněz a ona má práci. Osušila se a rychle na sebe hodila světle šedý svetr s rolákem a uhlově šedý kalhotový kostýmek. Chtěla vypadat jako pravá profesionálka.

V kuchyni seděl Michael, na sobě jasně modrý svetr s děravým loktem, a jedl toust. „Heleď, Katie," ozval se, „chtěl bych se ti omluvit. Siobhan tvrdila, že nebudeš nic namítat."

„Zapomeň na to, Michaeli," odvětila. „Čeká mě vyšetřování vraždy a ve srovnání s tím je ženáč, který skáče do cizího pelechu, poměrně nedůležitý."

Michael se na ni usmál a potřásl hlavou. „Ty jsi hrozně zvláštní ženská. Snad nevadí, že to říkám."

„Ale!" prohodila Katie a připnula si náramkové hodinky. „A ty máš zase pořádnou kuráž."

„Z Noly mám strašný strach, to mi věř. A Siobhan je taky číslo. Zato tobě nějak neumím přijít na kloub."

Katie se na něj usmála a poplácala ho po tváři. „V tom případě je asi dobře, že spolu aférku nemáme my dva, co?"

U hlavních dveří se zastavila a zavolala: „Siobhan! Nezapomeň vzít Barneyho na procházku!"

Místo odpovědi zaznělo z ložnice její sestry vleklé zaúpění, jako když si duše po probuzení uvědomí, že se oproti všem očekáváním přece jenom ocitla v pekle.

21

Dojela k Sirotčinci svatého Josefa, před kterým parkovala dvě
hlídková vozidla, jasně žluté auto záchranné služby, nejméně
patnáct dalších vozů a zelenobílá dodávka televizní stanice
RTÉ s velkým satelitním talířem. Katie vystoupila z auta a po-
hlédla na vlajkový stožár tyčící se v protějším rohu parkoviště.
Horní část zakrývala těžká khaki plachta, jako by si tam zřídila
doupě nějaká čarodějnice ze strašidelné pohádky. Zpod látky
vykukovala zhmožděná ruka pokrytá zaschlou krví.

Strážníci vztyčili kolem sirotčince provizorní plenty, stožár
však měřil skoro deset metrů, takže bylo zhola nemožné ho
skrýt před pohledy zvědavých přihlížejících. Detektiv O'Dono-
van přistoupil ke Katie a pohodil hlavou. „Zdravíčko, šéfová.
Zdá se, že mu provedli totéž co otci Heaneymu. Bůh ví, jak ho
dostali nahoru. Museli být aspoň dva nebo tři."

„Prý jste zavolal na městskou radu, aby nám poslali pracov-
ní plošinu."

„Před pár minutami jsem jim brnknul znovu a řekl jsem, ať
hejbnou kostrou. Prý by to nemělo trvat víc jak patnáct minut,
ale vezou ji sem až z depa na South Side a oni nejezdí zrovna
závoďákem."

Katie se zahleděla na opačnou stranu ulice, kde za policejní
páskou postávalo šest nebo sedm reportérů s cigaretami v ruce.
Poznala mezi nimi Dana Keaneho z deníku *Examiner*, Johna
McCarthyho ze *Southern Star* a Fionnualu Sweenyovou z RTÉ.

„Kde je ta holka z *Catholic Recorderu*? Jak jen se jmenova-
la? Ciara, myslím…"

„Nevšiml jsem si, že by tu byla. Třeba její šéfredaktor usoudil, že pokoušet se ututlat podobnou bombu je ztráta času."

„Vůbec by mě to nepřekvapilo," řekla Katie. „Jeden vykastrovaný kněz se dá uhrát na jednorázovou pomstu. Ale dva vykastrovaní kněží? To začíná vypadat na vendetu."

Přešli přes parkoviště ke stožáru. Sirotčinec svatého Josefa na Katie odjakživa působil nekonečně pochmurným dojmem. Uměla si živě představit, jaké zoufalství se osiřelých dětí bezpochyby zmocňovalo, když ho poprvé uviděly. *Zanechte vší naděje, kdo vstupujete.*

Ústav sídlil v budově stojící na rohu mezi Mayfield Gardens a Old Youghal Road, stavba byla z šedého křemene a měla osmiboké průčelí. Sirotčinec postavili v devadesátých letech devatenáctého století jako průmyslovou školu pro „zanedbávané, opuštěné a osiřelé děti". Nad vchodem stála socha svatého Josefa v životní velikosti, která sice měla úlisný úsměv na rtech a ruce roztažené v přátelském gestu, ale maličká vitrážová okna jako by sloužila jedinému účelu — utrápit obyvatele nedostatkem světla. Kdykoli se Katie zadívala na převislé okapy sirotčince, vzpomněla si na břidlicově šedou plachetku sestry Coleen, jedné z nejpomstychtivějších jeptišek ze základní školy.

Strážmistr O'Rourke si dosud povídal se školníkem, ale nyní se k nim připojil. Byl neoholený a pod limetkově zelenou teplákovou soupravou měl oranžově proužkovanou košili od pyžama.

„Dobré ránko, Jimmy. Co to máte na sobě? Vypadáte jak strašák do zelí."

„Promiňte, komisařko, ale říkal jsem si, že bych měl dorazit dřív, než se ho nějaký dobroděj pokusí odříznout a podělá nám důkazy. Ani jsem se nenamáhal navlíkat si slipy. Teď už jste ale tady, a tak si skočím na minutku domů a obleču se jako normální člověk, jestli vám to nevadí."

„Klidně si mezitím dejte i pořádnou snídani. Podle všeho tu strávíme zbytek dne."

Strážmistr O'Rourke si zaclonil oči a zamžoural na ruku, která se houpala pod plachtou. „Osobně jsem vylezl nahoru a na toho chudáka jsem se mrknul. Někdo mu dal solidně přes tlamu — za tuhle analýzu mi připlácet nemusíte, nebojte. Nejsem si na sto procent jistý, že ho vykastrovali, ale sutanu má nasáklou krví."

„Tušíte, co je zač?"

Strážmistr O'Rourke zavrtěl hlavou. „Žádný kněz se nepohřešuje, aspoň nikdo nic nenahlásil. I když — kdo ví, třeba se něco změnilo. Prozatím mu říkáme otec X. Já se s vámi ale vsadím, že ve volném čase pigloval dětičky."

„Pozor, pozor," varovala ho Katie. „Žádné unáhlené závěry."

„Nechcete tam vylézt a prohlídnout si ho na vlastní oči, komisařko?" prohodil detektiv O'Donovan. „Přidržím vám žebřík. Slibuju, že s ním nebudu třást — čestné skautské."

Katie znovu vzhlédla. Mrtvola otce X byla bezezbytku skrytá v temných stínech pod plentou. Detektiv O'Donovan měl pravdu: než nařídí, aby kněze spustili, měla by ho pozorně ohledat, přímo na místě činu. Ze všeho nejdřív bude potřeba zjistit, jak ho vrah vytáhl na stožár. Nezdálo se pravděpodobné, že by to zvládl bez pomoci — leda by použil kladkostroj nebo vymyslel nějakou velmi neotřelou metodu. Kromě toho bylo důležité, aby se Katie podívala, jak je kněz spoutaný. Ze zkušenosti věděla, že způsob, jakým lidé dělají uzly, je téměř stejně osobitý jako jejich podpisy. Taky jí bylo jasné, že se toho může hodně dozvědět i ze zranění oběti. Každá modřina, popálenina, stopa po provazu nebo bodná rána je jako okénko do vrahovy mysli a umožňuje vyšetřovatelům poznat, v jakém rozpoložení se nacházel: zda zuřil, prahl po pomstě, žárlil či prostě toužil ubližovat.

Zaváhala a poté řekla: „Fajn, skočte pro ten žebřík. Ale varuju vás, Patricku — na výšky si nepotrpím, a jestli ucítím sebeslabší zachvění, ani se nenadějete a já zařídím, abyste zase jen řídil dopravu."

Detektiv O'Donovan vyrazil s mladým zavalitým strážníkem hledat žebřík a strážmistr O'Rourke popotáhl. „Co myslíte, proč toho chlapa pověsili na stožár?" zauvažoval. „Chápu, že se tím snažili něco sdělit, ale taková dřina za to přece nestojí. Zvlášť pokud jejich sdělení nikdo nepochopí."

„Třeba jde o varování jiným kněžím."

„Možná. Anebo se pokouší světu ukázat, že náš otec X nebyl o nic lepší než nějaká škodná — statkáři v Kerry si takhle věší zastřelené vrány na plot."

Detektiv O'Donovan a onen mladý strážník vzali dlouhý hliníkový žebřík a zamířili s ním přes parkoviště zpět. S pronikavým rachocením ho přistavili ke stožáru a důrazně jím zatřásli, aby Katie předvedli, že se nesmekne. Detektiv O'Donovan řekl: „Půjdu první a sundám z něj tu plachtu. Pak je váš."

Katie čekala a dívala se, jak se detektiv sune nahoru. Uchopil celtu a strhl ji do strany. Zachytila se otci X o patu a O'Donovan jí musel dvakrát nebo třikrát škubnout, jako by stlal postel. Konečně plachta povolila a s tichým zašuměním se ladně snesla k zemi.

Detektiv O'Donovan slezl dolů a řekl: „Koukněte mu na krk, komisařko. Uškrtili ho nějakou šňůrou. Ne drátem jako otce Heaneyho."

Vzal ji za loket a pomohl jí vystoupit na první příčku. „A hezky vzhůru, komisařko. Ale opatrně, ano? Nemůžeme si dovolit o vás přijít."

„Nebojte," odpověděla a neubránila se přitom myšlence: A to nevíte všechno.

Lezla pomalu, až dospěla k předposlední příčli. Shlédla a uviděla, že ji všichni pozorují — strážníci, technici, reportéři i davy přihlížejících, které se shromáždily za policejním kordonem o tři ulice dál. Oslepil ji záblesk odraženého světla a ona si všimla, že na ni kameraman z RTÉ News míří kamerou. Náhle si uvědomila, v jaké výšce se nachází.

Strážmistr O'Rourke nepřeháněl — otec X skutečně připomínal hnijící vránu uvázanou k plotu. Byl i podobně urousaný a černá sutana kolem něj povlávala jako zlomená křídla. Zápěstí měl svázaná za zády a kolena spoutaná kusy drátu, jejichž konce pachatel zkroutil do dvou úhledných smyček ve tvaru motýlích křídel, přesně jak jí popsal strážmistr O'Rourke — otec Heaney byl svázán totožně.

Katie si stoupla na úplně poslední příčku a snažila se otci X podívat do klína. Sutana měla obvyklých třiatřicet knoflíků — každý představoval jeden rok Kristova života na zemi. Většina jich byla rozepnutá, takže byly vidět knězovy ošklivě zhmožděné holeně a kolena. Zakrvácená stehna však měl svázána tak těsně, že si Katie nemohla být zcela jistá, jestli je skutečně vykastrovaný. Sutana se nicméně zřetelně leskla a bylo jasné, že je úplně mokrá. Katie stiskla lem hábitu a její latexová rukavice se zbarvila doruda.

„Všechno v pořádku?" zavolal detektiv O'Donovan.

Katie se otočila a řekla: „Úplně, díky!", vtom však dostala příšernou závrať. Musela se pevně chytit žebříku a zavřít oči.

Panno Marie, Matko Boží, nenech mě spadnout. Dolů je to šílená štreka, řekla si v duchu.

Zůstala naprosto bez hnutí a po chvíli opět získala rovnováhu. Otevřela oči a zhluboka se nadechla, aby se uklidnila. „Dobrá. A teď se na toho chlapa podíváme zblízka."

Naklonila se doprava, jak nejdál si troufla. Otec X měl naněkolikrát zlomený nos a oči oteklé jako dvě přezrálé slívy. Jeho čelist byla vykloubená a ústa doširoka otevřená v mlčenlivém výkřiku. Podle řídnoucího chomáče bílých vlasů a tenoučké kůže na rukou Katie usoudila, že je mu přinejmenším sedmdesát, možná i mnohem víc. Na farářově krku zpozorovala šňůru, o níž se zmínil detektiv O'Donovan. Byla velice tenká, tak tenká, že se zařízla hluboko do masa. Šly z ní vidět pouze dva svěšené, přibližně patnáct centimetrů dlouhé konce, za které ji vrah patrně držel, když kněze škrtil. Šňůru tvořila spletená fialová a modrá vlákna. Byla zjevně ozdobná, Katie však nenapadalo, jaký mohl být její původní účel.

„Lezu dolů!" zavolala a pomaličku ze žebříku sestoupila, jednu příčku po druhé. Když se dotkla nohou země, zvedla hlavu a zadívala se na vršek stožáru. Nepřipadal jí nijak zvlášť vysoko, ačkoli nahoře měla dojem, jako by se vznášela desítky metrů nad zemí.

„Co vy na to?" zeptal se detektiv O'Donovan.

Katie pokrčila rameny. „Pořád netuším, jak ho tam dostali, ale nejspíš máte pravdu — museli na něj být dva nebo tři. A jsem si víceméně jistá, že minimálně jeden z nich zabil i otce Heaneyho. O těch smyčkách na konci drátů jsme médiím neříkali, že?"

„Takže teorii monsignora Kellyho o sebevražedném nádeníkovi můžeme hodit do koše," prohodil strážmistr O'Rourke a utřel si nos zmuchlaným papírovým kapesníkem. Ani trochu se nepokoušel skrýt, jak moc ho omyl generálního vikáře těší.

„Správně," souhlasil detektiv O'Donovan. „Tohle ten sebevražedný nádeník spáchat nemohl, protože je mrtvý."

„Pokud se tedy opravdu zabil," připomněl strážmistr O'Rourke. „Kdo ví, možná si to rozmyslel. S výjimkou toho dopisu na rozloučenou nesvědčí pro jeho smrt absolutně žádné důkazy. Vždyť jsme zatím nenašli ani jeho tělo."

„No, ano, to je pravda. Živého a zdravého jsme ho ovšem taky neviděli."

„Třeba měl z vraždy otce Heaneyho takovou radost, že se rozhodl oddělat dalšího kněze — tady ten nebohý starý exponát, ať už je to kdokoli. Na druhou stranu, možná otce Heaneyho nezabil, jeho ani tohohle chlapíka, a pachatelem je někdo dočista jiný. Monsignore Kelly ovšem chce, abychom si mysleli, že vrahem je Brendan Doody. Jaký důvod pro to má, ví leda on sám."

„Kruci," řekla Katie. „Myslela jsem, že jsem z toho případu už dostatečně zmatená, ale teprve teď se mi točí hlava. Musím s vámi ovšem souhlasit."

„Vážně? Já ani nevím, jestli souhlasím sám se sebou."

„Vážně, Jimmy — já ani vrchní inspektor O'Driscoll nevěříme, že otce Heaneyho zabil Brendan Doody, a podle mě nezavraždil ani tady otce X. Doody prostě není ten typ. Tomu, kdo otce Heaneyho zabil, šlo o rituální pomstu — velmi komplexní a pečlivě promyšlenou — a to platí i pro tuhle vraždu. Pachatel je důmyslný i krutý a rozhodně si s tím dal na čas.

Ale Doody? Stačí vzít v úvahu jeho životní styl a každému musí být jasné, že by něčeho takového nebyl schopen. Ať toho kněze zabil kdokoli, silně pochybuju, že strká obaly od sladkostí do gauče. Doodyho sice nejde beze zbytku prohlásit za duševně zaostalého, ale z výpovědi otce Lenihana vyplývá, že byl mírně opožděný. Nevěřím, že by dovedl ublížit někomu, kdo ho nevyprovokoval. A určitě by se neobtěžoval svazovat své oběti drátem a mučit je. Podle mě by jim jednoduše rozmlátil hlavu kladivem a nejspíš by toho bezprostředně poté litoval."

„Ale proč se nás starý dobrák Kelly tolik snažil přesvědčit, že vrahem je právě Doody?" podivil se detektiv O'Donovan.

„To je otázka za milion babek," opáčila Katie. „Jsem strašně zvědavá, co nám monsignore poví, až mu sdělíme, že došlo k druhé vraždě. Jak jste řekl: pokud Brendan Doody skutečně spáchal sebevraždu, tak ho z téhle vraždy vinit nemůžeme." Opět pohlédla na tělo otce X, které se na vrcholku stožáru zvolna točilo. „Později se za monsignorem Kellym zastavím a promluvím si s ním. Řekla bych, že ví víc, než nám prozradil."

Uplynula skoro hodina, než dorazila pracovní plošina. Tou dobou už se na nebi pomalu rozprostřel pás mraků a zakryl slunce, načež se zvedl vlezlý vítr a zavál parkoviště prachem a spadaným listím. Katie začínala litovat, že si nevzala kabát.

Zatímco čekali, šla si popovídat s lidmi od médií. Řekla jim pouze, že nalezené tělo patří postaršímu, dosud neidentifikovanému muži oblečenému v kněžské sutaně. „Je vysoce pravděpodobné, že jde o kněze, ale stoprocentní jistotu nemáme. Útočník mu svázal ruce i nohy drátem a ošklivě ho zbil, zatím však nelze stanovit plný rozsah zranění."

„Vykleštili ho jako otce Heaneyho?" zajímal se Dan Keane, připravený si vše okamžitě naškrábat do poznámkového bloku.

„Jak jsem řekla, Dane, zatím si nemůžeme být jistí. Nejdřív ho musíme sundat z toho stožáru."

„Předpokládám ale, že by vás to nepřekvapilo."

„Mě už nepřekvapí vůbec nic."

Když přecházela zpátky přes silnici, objevil se na rohu ulice bílý valník s pracovní plošinou a zahnul na parkoviště. Z kabiny vyskočili dva dělníci v oranžových výstražných vestách, jeden tlustší než druhý. Upřeně se zadívali na knězovo pověšené tělo a nevěřícně zavrtěli hlavami.

„No do prdele, jak se tam dostal?"

„Nemáme ponětí," odvětil strážmistr O'Rourke. „Byli bychom ovšem rádi, kdybyste ho odtamtud sundali."

Tlusťoch dlouho mlčel. „On je mrtvej, že jo?"

„Vás rohlíkem neopijou, co?"

„No když on je problém v tom, že pokud je mrtvej, tak se ho nesmíme dotknout, ne manuálně, to jako rukama. Kvůli zdraví a bezpečnosti, jsou na to směrnice Evropský unie."

„To je v pořádku. O mrtvolu se postarají naši technici. Vy je akorát vyvezete nahoru a zase dáte dolů."

„Má nějakou infekci?"

„S největší pravděpodobností ne. Modřiny a zlomený nos se nepřenášejí, pokud se ovšem něco nezměnilo."

Tlustší se na něj zahleděl prasečíma očima. „Vy si z nás děláte prču?"

„Co myslíte?"

Tlustší zavrčel a cosi si zamumlal pod vousy, pak se vyškrábal za volant a hlučně s valníkem zacouval ke stožáru. Jakmile zastavil, pomohl Tlusťoch dvěma policejním technikům vylézt na pracovní plošinu. Tlustší nastartoval motor a plošina se začala natahovat jako akordeon, až nakonec dosáhla až k mrtvole otce X.

Uběhlo přes čtyřicet minut, než technici vyfotografovali tělo z každého myslitelného úhlu a odebrali ze stožáru vzorky nátěru. Konečně odřízli drát, za nějž kněz visel, a opatrně mrtvolu spustili na plošinu. Tlusťoch pískl na Tlustšího, aby mu naznačil, že technici chtějí na zem, a plošina pomalu klesla. Záchranář přisunul příslušníkům technického oddělení pojízdné lůžko zahalené lesklým potahem ze zeleného vinylu a pomohl jim na ně otce X položit. Katie stála poblíž a pozorovala, jak mladší technik rozepíná poslední dva knoflíky na sutaně, zatímco ten starší přepečlivě přestřihává mosazný drát na otcových zápěstích, nohou a kotnících.

„Nemám tušení, co za řemeslníky uvazuje dráty do smyček," podotkl starší muž. „Nevypadá to na dílo žádného elektrikáře ani telefonního technika, alespoň žádného z těch, co jsem kdy potkal."

„Co takhle rámař obrazů?" navrhl strážmistr O'Rourke.

„Jimmy, měla jsem dojem, že jste hodlal jít domů, převléct se a dát si snídani," procedila Katie.

„To jo, komisařko. Jenom by mě zajímalo, jestli ho — však víte — zneúplnili."

Sutana otce X se rozevřela a obnažila jeho kostnaté šedobílé tělo. Kněz byl pokrytý modřinami — brunátnými, fialovými i žloutnoucími — a jeho podivně zkroucené paže byly zjevně vykloubené. Nepoškozený penis ležel na levém stehně jako holé ptáče, které vypadlo z hnízda, ale tam, kde měl být šourek, zela pouze mokrá rozšklebená díra ztmavlá sraženou krví.

Starší technik se sklonil, aby si tělo prohlédl zblízka. „Tady — vidíte ten véčkový zářez těsně nad řitním otvorem? Vykastrovali ho stejným nástrojem jako otce Heaneyho, na to jsem ochotný přísahat. Čepele se musely překrývat jako u nůžek na stříhání ovcí."

„A to jsem si ke snídani chtěl dát párky," podotkl strážmistr O'Rourke. „Nějak mě přešla chuť, radši se budu držet cereálií."

„Byl naživu, když ho kastrovali?" zeptala se Katie.

„Ano, o tom není pochyb," odpověděl starší technik. „Stačí si potěžkat jeho hábit. Váží div ne tunu, protože je nacucaný krví. Jeho srdce rozhodně bilo, když mu varlata řezali."

„Takže nejspíš zemřel na ztrátu krve?"

„A na šok, aspoň to předpokládám. Nezbývá než si počkat, co o tom usoudí věhlasná doktorka Collinsová. Jeden nikdy neví. Ona se pokaždé vytasí s nějakou vlastní teorií."

„Mám s ní na odpoledne domluvenou schůzku," prohlásila Katie. „Tvrdila, že okolo třetí dokončí pitvu otce Heaneyho."

V tom okamžiku se přes parkoviště přehnal vytáhlý mladý strážník a řekl: „Promiňte, komisařko, ale je tu nějaká žena, která údajně ví, co je ten muž zač."

„Výborně, jdu si s ní promluvit. Franku, mohl byste to tělo zakrýt prostěradlem nebo něčím podobným, a to až ke krku? Prostě ať je trochu upravené. Je možné, že tu ženu požádám, aby se na něj šla podívat. Čím dřív se dozvíme, kdo ten chlap je, tím dřív budeme vědět, kdo měl motiv uříznout mu koule."

Vydala se s vysokým mladíkem k policejním zábranám na Old Youghal Road, kde za žlutou páskou přešlapovala baculatá žena v černém kabátě a čepci připomínajícím havraní křídlo. V rukou pevně svírala velkou černou kabelku, až se zdálo, že na ní závisí její život. Koutky úst měla zasmušile svěšené, jako by se účastnila soutěže o nejméně přirozený škleb na světě.

„Madam?" pokynula jí Katie. „Mohla byste se přesunout ke mně?"

Žena se sehnula, nešikovně se protáhla pod páskou a mírně zadýchaná se postavila ke Katie. Nepouštěla kabelku z ruky, jako by se bála, že se odněkud vynoří zloděj a vytrhne jí ji.

„Jsem komisařka Kathleen Maguirová. Jak se jmenujete vy?"

„Mary O'Malleyová. Paní Mary O'Malleyová, vdova. Letos o svatodušní neděli to bude sedm let, co můj manžel odešel k Pánu. Rakovina krku, a to byl prosím pěkně nekuřák."

„To je mi líto. Tady strážník tvrdí, že znáte totožnost zesnulého."

„Moje kamarádka Eileen mi řekla, že ze stožáru před kostelem visí mrtvý kněz, a tak jsem sem hned vyrazila."

„Kdo si tedy myslíte, že to je?"

„Co je mi známo, zmizel jen jeden kněz, a proto si myslím, že to musí být on."

„Dobrá. Jak se jmenuje?"

„Víte, já chodím aranžovat kytky do kostela svatého Lukáše. V úterý poslali z květinářství málo lilií — pět kytic místo obvyklých šesti —, a proto jsem ve středu ráno musela dorazit ještě před zádušní mší, abych tu výzdobu v kapli Naší Paní dodělala."

„A?"

Paní O'Malleyová na Katie civěla, jako by ji považovala za mentálně opožděnou. „No kdybych v kostele neměla práci, přece bych tam ten den nechodila, ne? A kdybych tam nepřišla, neuvědomila bych si, že je pryč."

„Chápu."

„Otec Lynott věděl, že se neukázal, protože se té zádušní mše musel ujmout místo něj. Řekl mi ale, ať se nestrachuju, protože si prý často bere volno, aniž by to předem oznámil, a že mu to v jeho věku musíme tolerovat."

„Jak se jmenuje, Mary?" zeptala se Katie podruhé.

„Kdo?"

„Ten zmizelý kněz. Ten, o kterém se domníváte, že se dneska našel."

„Otec Quinlan, samozřejmě. Vždyť jsem vám to už říkala."

„Jistě," přitakala Katie a zamračila se na vytáhlého mladého policistu, který za zády paní O'Malleyové obracel ve zveličovaném zoufalství oči v sloup. „Mohla byste jít se mnou a identifikovat tělo? Přirozeně jen pokud se neobáváte, že by vás to nějak rozrušilo."

„Ale vůbec ne. Víte, on i zaživa působil, jako by byl jednou nohou v hrobě."

22

Když Katie přijela za monsignorem Kellym, stál zrovna na pomezní čáře fotbalového hřiště, které spravovala chlapecká základní škola Sunday's Well, a sledoval utkání s týmem při kostelu Svatého kříže. Postával v malém hloučku s ředitelem školy, ředitelovou ženou, několika členy školní rady a třemi kněžími. Foukal ostrý vítr a oni si vší silou přidržovali klobouky, aby jim neulétly a nepoletovaly ve vzduchu jako všechno ostatní: vlajky, kabáty, šaty i sutany.

Katie a strážmistr O'Rourke k monsignoru Kellymu přistoupili zezadu a postavili se tak blízko, že by mu Katie mohla poklepat na rameno. Neotočil se k nim, ale poklesla mu ramena, čímž na sebe prozradil, že si je jejich přítomnosti vědom.

„Do toho, Sunday's Well!" zakřičel, aniž by se rozhlédl. „Ztrácíte na ně tři góly a už je skoro poločas!" Nato udělal čelem vzad. „Katie!" zvolal hlasitěji, než bylo nutné. „To je mi ale překvapení!"

„Dobré odpoledne, monsignore."

„Hádám, že mi nesete nějaké zprávy."

„Myslím, že bychom si měli promluvit někde v soukromí," podotkla Katie. Otočila se k řediteli, kučeravému muži jménem Martin Shaughnessy, a s úsměvem řekla: „Nebude vadit, když si monsignora na chviličku vypůjčím, že ne, pane Shaughnessy?"

„Jistě že ne, ale musíte nám ho co nejrychleji vrátit. Družstvo momentálně potřebuje veškerou duchovní pomoc, jaká se nabízí."

Zadními dveřmi vešli do školní budovy, kde panovalo nezvyklé ticho. Páchlo to tam barvou, lepidlem a dětmi, které se koupají nanejvýš jednou měsíčně, pokud vůbec. Katie vstoupila do jedné ze tříd a posadila se na okraj lavice. Na zdi visela malba žáků: les pokroucených stromů, vlci a temná stvoření se žlutýma očima, která vypadala jako permoníci nebo skřeti.

„Abychom přešli k věci: co se stalo?" zeptal se monsignore Kelly a promnul si ruce. „Našli jste Brendana Doodyho? O to jde?"

„Ne, Brendana Doodyho jsme nenašli."

„Nijak by mě nepřekvapilo, kdyby se vrhl z mostu svatého Patrika a řeka ho odplavila do moře. Touhle dobou už je nejspíš v půli cesty do Francie."

„K tomu skoro nikdy nedochází, monsignore. Popravdě řečeno k tomu nedochází vůbec nikdy. Příliv utopence pokaždé vyplaví."

Monsignore se na Katie úkosem zadíval, jako by říkal: „Jsi ženská, ty mě nemáš co poučovat, i když se třeba náhodou pletu."

„Mrtvola většinou uvízne v Horgan's Quay," vložil se do hovoru strážmistr O'Rourke a s veselým úsměvem na rtech zavrtěl prstem. „Točí se dokola a dokola, dokud si jí někdo nevšimne a nezavolá nás, abychom si ji přišli vylovit."

Monsignore Kelly na to nic neřekl a Katie vycítila, že se mu ani trochu nechce se zeptat, kvůli čemu ho tedy vyhledali. Jestliže se Brendan Doody dosud neobjevil, ať už živý, nebo mrtvý, znamenalo to jediné, a sice že Katie přišla s další várkou nepříjemných otázek. Monsignore Kelly sevřel rty a jí došlo, že na nepříjemné otázky nemá dnes odpoledne ani trochu náladu. Usoudila nicméně, že na všetečné dotazy má náladu málokdy, a to i když mu je klade samotný Bůh.

„Znáte otce Vincenta Quinlana z kostela svatého Lukáše v Montenotte?" zeptala se.

Monsignore Kelly zatěkal očima, které působily jako dvě střevle uvězněné ve sklenici od marmelády. Vypadalo to, že si mezi všemi možnými odpověďmi nedokáže vybrat tu správnou. „Nevím jistě. Měl bych ho znát?"

„Slouží u Svatého Lukáše posledních osmnáct let, takže by mě opravdu udivovalo, kdybyste na něj minimálně jednou nebo dvakrát nenarazil. Přeložili ho tam poté, co ho několik chlapců z Mládežnického klubu svatého Antonína obvinilo ze zneužívání. Oficiální obvinění proti němu kvůli nedostatku důkazů vzneseno nebylo, ale čekala bych, že když nic jiného, bude si o něm diecéze udržovat přehled."

„To by znamenalo, že mu nedůvěřujeme."

„Nikoli nezbytně. Jistota je jistota, ne?"

Monsignore Kelly zrudl. „My nejsme španělská inkvizice, Katie. Věříme na odpuštění a odpuštění s sebou nese mimo jiné i nutnost zapomenout. Jestliže se kněz upřímně kaje, nedomníváme se, že na něj musíme po zbytek jeho života nahlížet s podezřením."

„No, monsignore, s tímhle si u otce Quinlana naštěstí nemusíte dělat starosti."

„Ano? Z jakého důvodu?"

„Dnes ráno ho našli, jak visí za nohy ze stožáru před Sirotčincem svatého Josefa. Svázali ho mosazným drátem do kozelce, uškrtili kusem šňůry a krutě jej zbili. Zlomili mu téměř každou kost v těle, a navíc ho vykastrovali."

Z tváří monsignora Kellyho se okamžitě vytratila červeň, jako by Katie vytáhla zátku a barvu vypustila. „Kriste Ježíši!" vydechl a pokřižoval se. Ztěžka dosedl na dětskou židličku. „Oni ho zavraždili? Můj Bože! A pak vykastrovali?"

„Zdá se, že v tomhle pořadí se to zřejmě neodehrálo."

„Proboha!"

Chvíli nad monsignorem Kellym postávala a nic neříkala. Duchovní nepřestával vrtět hlavou, křižovat se a kradmo na Katie pohlížet, protože si očividně uvědomoval, co mu za okamžik poví.

„Monsignore, když zvážíme, jak ho svázali a zmrzačili... nezvratné důkazy zatím nemáme, ale já jsem pevně přesvědčena, že ho zavraždila ta samá osoba jako otce Heaneyho."

„Co chcete, abych vám na tohle řekl? ‚Bože všemohoucí, spletl jsem se a Brendan Doody je v rozporu se všemi očekáváními naživu!'?"

Katie se ke knězi sklonila. „Nemám ponětí, jestli Brendan Doody žije, nebo ne. Možná otce Heaneyho vážně zavraždil, jenže to by znamenalo, že pravděpodobně zabil i otce Quinlana. Osobně se domnívám, že nezavraždil ani jednoho z nich, a nevěřím, že ten dopis na rozloučenou napsal on."

„A tím naznačujete co? Z čeho mě vlastně obviňujete, komisařko Maguirová? Z hlouposti, padělatelství, spiknutí, nebo ze všeho najednou?"

„Vyšetřování je v rané fázi a já teď nehodlám nikoho z ničeho obviňovat. Pořád čekáme, až bude dokončena pitva otce Heaneyho. Ráda bych vás však informovala, že nehodlám podlehnout jakémukoli tlaku, který na mě vy nebo kdokoli spojený s tímto případem vyvine, a že pátrání neuzavřu, dokud nebudu skálopevně přesvědčená, že jsme důkladně prověřili veškeré důkazy."

Monsignore Kelly byl zjevně vzteky bez sebe a Katie viděla, že přemáhá pokušení vyskočit jako čertík z krabičky. I kdyby to však udělal, nijak by si nepomohl, protože byl o několik centimetrů menší než ona. Radši se tedy dál hrbil v malé dětské židli, přestože s ním lomcovala zlost. Ztišil hlas, aby se k němu Katie musela ještě víc sklonit a strážmistr O'Rourke ho neslyšel.

„Něco vám povím," zašeptal. „Za celé své působení v církvi jsem kromě vás potkal jedinou osobu, která se opovážila naznačit, že jednám jinak než jako výjimečně korektní člověk. Ona osoba té pomluvy až do konce života hořce litovala. A tím myslím opravdu hořce."

Katie přimhouřila oči. „Vyhrožujete mi, monsignore?"

„Pouze vám radím, komisařko. *Cineri gloria sera venit.* Třeba tenhle případ skutečně vyřešíte a třeba za jeho uzavření sklidíte nadšený potlesk, jenže potlesk není k ničemu, když ho neslyšíte."

„Takže mi vyhrožujete."

„Pouze se vám snažím vysvětlit, že na tomhle pátrání závisí pověst celé diecéze a že diecéze Cork a Ross má mocné přátele na vysokých místech — lidi, kterým byste se v zájmu vlastní bezpečnosti neměla plést do cesty."

„Mohla bych vás zatknout už jen za to, že mi tohle všechno vykládáte."

„Nic vám nevykládám, Katie. Jenom se snažím pomoct."

„Tak mi tedy pomozte," odsekla a napřímila se. „Na koho bych se podle vás měla zaměřit, přirozeně s výjimkou Brendana Doodyho? Koho jiného můžu zatknout, aniž bych tím někomu na diecézi načechrala pírka?"

Strážmistr O'Rourke zaslechl v jejím hlase nezaměnitelný sarkasmus a pochopil, že mezi ní a monsignorem došlo ke střetu. Přistoupil ke Katie, postavil se napravo od ní a založil si ruce na hrudi na výraz podpory.

„To vážně nevím," odvětil monsignor Kelly a odvrátil pohled. „Pořád se domnívám, že nejpravděpodobnějším podezřelým je Brendan Doody, ale já na rozdíl od vás nejsem detektiv. Jsem obyčejný generální vikář. Nevyznám se v ničem kromě zvyklostí Božích."

Katie řekla: „Ještě se za vámi zastavím, monsignore. Jakmile se sejdu s doktorkou Collinsovou. Podívejte, přestávka je u konce. Chlapci ze Sunday's Well budou potřebovat, abyste je podpořil. Je načase, abyste se vrátil na pomezní čáru, padl na kolena a pustil se do modlení."

Monsignore Kelly vstal, židlička, na níž seděl, se naklonila a se zarachocením spadla na podlahu. Kněz měl v očích pohled, který Katie dobře znala. U drogových dealerů, podvodníků, vrahů a domácích násilníků ho vídala běžně, ale u duchovního jej dosud nikdy nespatřila. Byl to pohled, který jasně říkal: „Svině."

23

„Tenhle případ je fascinující," prohlásila doktorka Collinsová a zdvihla zelenou látku, která zakrývala tělo otce Heaneyho. „No, vlastně oba dva. Prostě fascinující."

Bronzově červené vlasy měla stále spletené do neupraveného francouzského copu a naškrobenou kombinézu zapnutou nakřivo, působila však o poznání klidněji a přívětivěji, než když ji Katie přijela vyzvednout na letiště. Očividně vítala, že je zase obklopena mrtvými. Mrtvoly s ní hovořily jednoznačným jazykem modřin, pohmožděnin a oteklých modrých jazyků. Nikdy se nehádaly a nikdy nebyly pokrytecké.

Katie, doktorka Collinsová a strážmistr O'Rourke se shlukli kolem pitevního stolu, na němž spočívalo tělo otce Heaneyho. Nacházeli se na konci dlouhé, studené patologické laboratoře Fakultní nemocnice v Corku. Opaleskující světlo, které dovnitř dopadalo střešními okny, propůjčovalo laboratoři téměř spirituální rozměr, jako by to byla nebeská čekárna, do níž každým okamžikem vstoupí dvoukřídlými dveřmi andělé, a jakmile doktorka skončí s prohlídkou mrtvého a znovu ho zašije, chopí se jeho duše a se šuměním křídel ji odnesou.

Na opačné straně místnosti ležela v úhledné řadě čtyři těla, zakrytá až k hrudníku. Přestože byla neuvěřitelně sinalá, zračil se v jejich obličejích nebeský klid a mír, jako by ti lidé pouze spali. Jednalo se o příslušníky čtyřčlenné rodiny — otce, matku a dvojčata, devítileté chlapce —, kteří zemřeli při čelní strážce na silnici N25 u města Carrigtwohill.

Na pojízdném lůžku u dveří bylo položeno tělo otce Quinlana, zahalené od hlavy až k patě prostěradlem. Záchranáři ho na pitevnu dovezli teprve před dvaceti minutami a doktorka Collinsová ho stačila ohledat jen velmi zběžně.

Ačkoli Katie viděla otce Quinlana na vlastní oči, jak visí za nohy z vlajkového stožáru, nade vši pochybnost mrtvý, nemohla si pomoct a čas od času pohlédla k lůžku, aby se ujistila, že se prostěradlo nehýbe. Když márnici navštívila poprvé ještě coby mladá policejní praktikantka, celé týdny ji trápily noční můry o mrtvolách, které si zničehonic sedají na pitevních stolech.

Doktorce Collinsové neuniklo, že Katie neustále otáčí hlavu. „Nebojte, komisařko. Ten je tuhý jako poleno, to vám garantuju."

„Cože? Ach, ano, já vím. Moje představivost se malinko utrhla ze řetězu."

„To nic," uklidňovala ji doktorka Collinsová. „Taky jsem z nich mívala bobky, když jsem byla mladší."

„Za to může můj manžel, Paul," objasnila Katie. „Miloval filmy o zombících. Však to znáte — *Noc oživlých mrtvol* a podobné ptákoviny. Ti zombíci se ani náhodou nedají srovnávat s opilci, na které narazíte v sobotu večer před barem Maltings, to mi můžete věřit. Stejně mě ale pokaždé vyděsili k smrti."

Doktorka Collinsová se usmála. „Já jsem zase nejhůř snášela pitevnu večer, během noční směny, když jsem se všemi těmi nedávno zemřelými musela zůstat sama. Všude samé mrtvoly, a ať člověk napínal uši sebevíc, nezaslechl ani náznak, že by aspoň jedna z nich dýchala — protože samozřejmě nedýchaly."

„Nechte toho, běhá mi z vás mráz po zádech," zasáhl strážmistr O'Rourke.

Doktorka Collinsová stáhla z nahého těla otce Heaneyho prostěradlo a složila je. Knězova tvář se pozvolna začínala propadat jako gumová halloweenská maska a jeho ruce připomínaly splasklé rukavice na úklid. Hrudník byl při pitvě rozříznut do tvaru písmene ypsilon a opět zašit. Každičký centimetr zašedlé pokožky pokrývaly jasné, šarlatově rudé modřiny a Katie si při pohledu na ně vzpomněla na závěsy se vzorem růží, které kdysi visely v domácí šicí dílně její matky.

Doktorka Collinsová ukazováčkem šťouchla do knězova nafouklého břicha. „Z barvy zhmožděnin je jasné, že vznikly krátce před smrtí," spustila. „Objevila jsem i pár mimořádně hlubokých vnitřních modřin, které se na kůži teprve začínají projevovat, a je vysoce pravděpodobné, že velké množství dalších na povrch vůbec nevystoupí." Vzala kněze za levé rameno a otočila jej na bok, aby si mohli prohlédnout jeho záda. „Nicméně většina podlitin je povrchová. Z toho lze usoudit, že pachatel či pachatelé zasazovali oběti silné údery a pohazovali si s ní, takže narážela do dveří, zdí a nábytku. Všimněte si těchhle rovnoběžných modřin. Vyplývá z nich, že do něj mlátili holí, obyčejnou nebo vycházkovou, jako když se řeže neposlušný osel nebo velmi zlobivý školák."

Doktorka Collinsová zvedla knězi ruku. „Zápěstí mu pevně spoutali drátem — nejspíš těsně před tím, než ho vykastrovali, aby se nemohl bránit. A nešlo o jen tak ledajaký drát — určitě vás zaujme, že to byla struna z harfy, pro sedmou oktávu."

„Cože?" podivila se Katie. „Struna z harfy?"

Doktorka Collinsová přikývla. „Musím přiznat, že sama od sebe bych na to nepřišla. Jeden z našich mladých laborantů je naštěstí zapálený harfista amatér. Moment, mrknu se do poznámek, co mi o té struně řekl. Ano, tady — tahle konkrétní struna se prý upevňuje do clàrsachu, irské malé harfy. Vyrábí se ze splétaného fosfor-bronzu obaleného nylonem, ovšem ten laborant tvrdí, že pravý nadšenec by použil výhradně stříbrné nebo zlaté monofily."

„Můj strýček Stephen taky hrával na clàrsach," ozval se strážmistr O'Rourke. Popotáhl, vyndal z kapsy kapesník a otřel si nos. „Jednou když takhle vystupoval, bez přehánění rozbrečel salónek plný lidí. Uměl akorát jednu písničku, ‚Brian Boru's March', což je nejdepresivnější hudba, jakou jste kdy slyšely."

Doktorka Collinsová ohnula knězovu pravou nohu v koleni. „Jakmile ho vykastrovali, svázali mu kolena a kotníky tím samým typem struny, jímž ho potom i uškrtili — namotali ji na polévkovou lžíci a utáhli jako zaškrcovadlo. Na té lžíci je vyrytý monogram HM, takže nejspíš pochází z hotelu Hayfield Manor. Otisky prstů na ní bohužel nejsou."

„Čím ho vykastrovali?" zajímala se Katie. „Naši technici se domnívají, že nůžkami na stříhání ovcí."

„Ach, internet je úžasná věc," prohodila doktorka Collinsová, natáhla se ke stolu, kde měla rozložené nástroje, a vzala svůj laptop Apple. Otevřela ho a podala Katie, aby se podívala na monitor.

Katie spatřila fotografii šedovlasého muže s brýlemi, který vypadal jako univerzitní profesor. V rukou navlečených do latexových rukavic svíral nahrubo vyrobené kovové nůžky, jejichž srpkovité čepele na vrcholku spojoval pant.

„Jmenují se *castratori*," vysvětlila doktorka Collinsová. „Vyráběly se speciálně pro kastraci mladých chlapců, jíž se v pubertě zabraňovalo mutaci."

„Moment, moment, vy máte na mysli kastráty?" zeptala se Katie.

„Správně. V šestnáctém století nesměly v kostele ani na jevišti zpívat ženy, a tak se místo žen a dívek používali chlapci. Z kastrátů se stal módní hit a ještě v devatenáctém století po nich byla obrovská poptávka."

„Ale... Ježíšku na křížku," přerušil ji strážmistr O'Rourke. „Uříznout mladému klukovi koule, aby zpíval jako holka... to je šílená představa."

„Chudým rodinám s tuctem dětí a bez šance na pořádný výdělek to jako šílená představa evidentně nepřipadalo. Ti nejšpičkovější kastráti — profesionální operní zpěváci nebo členové slavných církevních sborů — byli něco jako dnešní rockové hvězdy. Známí po celém světě, uctívaní a nesmírně bohatí. Kam se Bono hrabe na takového Farelliho, kterého v osmnáctém století otevřeně srovnávali s Bohem."

„To je teda něco. Netušil jsem, že Bůh piští jako holčička."

„Hlasy kastrátů nebyly ani trochu pištivé," opravila ho doktorka Collinsová. „Dosahovaly neuvěřitelných výšek, jako hlasy žen nebo prepubescentních chlapců, byly ale mnohem silnější a zvučnější. Hlasivky těch hochů dorostly po kastraci do stejné délky, jakou mají hlasivky sopranistek, nicméně hltan a ústní dutina se plně vyvinuly a kapacita plic byla stejná jako u normálního dospělého muže. Farinelli měl rozpětí tři oktávy a dokázal udržet tón klidně i celou minutu, aniž by se musel nadechnout."

„To zní úplně jako moje Maeve," prohodil strážmistr O'Rourke. Katie se znovu podívala na zakrvácenou ránu, pod jejímiž ochablými okraji míval otec Heaney šourek.

„Já si teď kladu jedinou otázku: proč?"

Doktorka Collinsová podotkla: „Na ‚proč?' jste expertka vy, komisařko. Já vám odpovím akorát na otázku ‚jak?'."

„Dospělého muže kastrace po hlasové stránce nijak neovlivní — tedy pokud ho necháte žít. Nebo se pletu?"

„Nepletete. Když chlapec dospěje do puberty, jeho hlasivky se vlivem testosteronu prodlouží o víc než šedesát procent, kdežto dívce ani ne o polovinu. Testosteron je krom toho zesílí, což způsobí trvalé prohloubení hlasu. Štítná chrupavka nabude u hochů třikrát větší délky než u dívek — právě proto mají muži viditelný ohryzek. Tyhle tělesné změny se nedají zvrátit, ani kastrací, podáváním hormonů nebo jinou metodou."

Katie rozvláčně zavrtěla hlavou. „Takže ty dva kněze vykastrovali, aby je mučili, ponížili coby muže, anebo z nějakého jiného důvodu, o němž zatím nevíme? Nebo kvůli tomu všemu dohromady?"

„Podle mě šlo o pomstu," ozval se strážmistr O'Rourke. „Ať se na to dívám odkudkoli, připadá mi to jako nejpravděpodobnější motiv. Tohle spáchal někdo, koho v raném mládí zneužívali. A jakmile ty kněze podrobil mučení a kastraci, neměl zkrátka na výběr a musel je zabít."

„Nejspíš máte pravdu," přitakala Katie. „Je tu ale drobný problém: pokud chtěl pachatel otce Heaneyho a Quinlana potrestat, protože ho zneužívali, proč jim neuřízl komplet všechno?"

„Nechápu."

„Proč jim spolu s varlaty neodstranil i penis?"

„To je velice zajímavá otázka," přikývla doktorka Collinsová. „Obzvlášť pokud vraha nutili k orálnímu sexu nebo ho análně znásilnili. Obětem zneužívání obvykle působí největší trauma penetrace — pocit, že do nich někdo proniká proti jejich vůli. Mám za sebou rozhovory s tucty obětí a skoro všechny si dovedou živě vybavit penis muže, který je znásilnil, a to i pokud si přesně nevzpomínají, jak vypadal v obličeji."

„Dost," zarazil ji strážmistr O'Rourke. „Dodneška si pamatuju, jak na mě otec O'Grady jednou v šatně zavolal: ‚Mrkej na tohle, O'Rourku!' Kouknu, a co nevidím: ono mu to vykukuje ze sutany jako párek. Zdejchl jsem se odtamtud takovým fofrem, že jsem se podrážkami málem nedotýkal podlahy."

„Doufám, že jste ho nahlásil," zhrozila se Katie.

„Co vás nemá? Bylo mi sedm, hrozně jsem se ho bál a neměl jsem nikoho, kdo by mi to dosvědčil. Beztak je dávno po smrti. On už svatý Petr rozhodne, jak ho potrestat. Pokud je na tomhle světě nějaká spravedlnost, tak si ten jeho párek budou o soudném dnu grilovat v pekle."

Doktorka Collinsová řekla: „O otci Quinlanovi bych vám toho měla být schopná povědět víc zítra někdy kolem poledne, až dokončím pitvu. S jistotou vám můžu sdělit jediné: příčinou Heaneyho smrti bylo uškrcení."

„On nevykrvácel?"

„Ne, to nebyla hlavní příčina, ale je pravda, že by na ztrátu krve patrně zemřel, kdyby ho nejdřív neuškrtili. Jeho arteria vesicalis inferior, tepna zásobující močový měchýř, byla při kastraci přerušena, a navíc měl natrženou slezinu, což znamená, že krvácel i vnitřně. Kromě toho mu zlomili tři žebra a přivodili hluboké vnitřní zhmoždění."

Zvedla ruku v latexové rukavici a začala počítat na prstech: „Teď si ale proberme, co jsem nenašla. Zaprvé, otisky prstů, charakteristicky tvarované modřiny nebo stopy, které by nám pomohly identifikovat útočníka. Zadruhé, sliny ani jiné tělesné tekutiny v dutinách, otvorech nebo na kůži, prostě cokoli, z čeho by se dala zjistit usvědčující DNA. Zatřetí, epitelovou tkáň, která by se zachytila pod nehty, pokud by se zavražděný s útočníkem pral a poškrábal ho. Začtvrté, vlasy, zvířecí chlupy ani cizí vlákna."

„Z čehož vyplývá zapáté," poznamenal strážmistr O'Rourke a vztyčil palec, „jsme naprosto v háji."

„Připouštím, že to pro vás nebude snadné, obzvlášť pokud se nic nenajde ani na těle otce Quinlana."

„Nezoufejte, něco přece jen máme: tu strunu z harfy," namítla Katie. „V Corku nemůže existovat mnoho míst, kde by se taková struna vyskytovala. Snad v nějakém obchodě s hudebními nástroji, na hudební škole nebo v orchestru."

Strážmistr O'Rourke se zamračil, vytáhl z kapsy telefon Blackberry a jeho prsty se rozběhly po displeji. Po několika minutách řekl: „Obchodů s hudebními nástroji je ve městě šest a v okruhu čtyřiceti kilometrů od Corku dalších pět — v Mallow, Bandonu a Carrigaline." Chvíli pokračoval ve vyhledávání a pak prohlásil: „Vedle toho je v oblasti minimálně pět hudebních škol, včetně Cork School of Music na Union Quay a Cork City Music College, ale na některých z nich se učí akorát hra na klávesy nebo kytaru."

„Holt to asi chce podniknout pár obchůzek," usoudila Katie. „Zavolejte O'Donovanovi a Horganovi a řekněte jim, ať se v těch obchodech zastaví a ptají se po — jakže to bylo? — struně pro sedmou oktávu, do harfy. Ať si vyžádají jména všech, kdo tyhle struny kupují."

Otočila se k doktorce Collinsové. „Vrátím se zase zítra, až budete hotová s otcem Quinlanem."

Chystala se k odchodu, ale náhle se jí zmocnila neochvějná jistota, že se pod zeleným prostěradlem zakrývajícím mrtvolu otce Quinlana cosi pohnulo. Nejprve se látka pouze jemně zachvěla, pak nakrátko opět znehybněla, potom sebou ale prudce, trhaně cukla, jako by se kněz probudil a marně se pokoušel ze sebe pokrývku shodit.

„On pořád žije!" zašeptala Katie. Měla pocit, jako by jí na hlavě vstával jeden vlas za druhým.

„Cože?" podivila se doktorka Collinsová a vytřeštila oči.

Katie ukázala na pojízdné lůžko. „Otec Quinlan — on pořád žije! Zrovna jsem viděla, jak se pohnul!"

Strážmistr O'Rourke namítl: „Ale prosím vás, to přece není možné. Na vlastní oči jsme se přesvědčili, že je mrtvý jako disko. Záchranáři se mu marně snažili nahmatat puls a zkontrolovali jeho zornice. Kdyby byl někdo mrtvější než on, už by si ho znamenali do guinessovky."

Nestačil však ani domluvit, když se látka náhle vzedmula a vzniklý hrbolek se začal rytmicky přesouvat ze strany na stranu. Vypadalo to, jako by otec Quinlan zaslechl jejich rozhovor a mával na ně levou rukou, aby upoutal jejich pozornost.

„To je absurdní," utrhla se doktorka Collinsová, jako by ji hluboce uráželo, že se někdo odvažuje oživnout poté, co ho s definitivní platností prohlásila za mrtvého. Rázně vykročila k lůžku a strhla z něj prostěradlo.

Strážmistr O'Rourke se pokřižoval. „Prokristapána," zamumlal.

Otec Quinlan nehybně ležel se zavřenýma očima na zádech, stejně zhmožděný a polámaný jako otec Heaney, ne-li víc — ramena měl vykloubená a paže spočívaly v podivuhodně nepřirozeném úhlu. Z lesklé díry v levé části jeho žaludku, těsně pod hrudním košem, vystrkovalo hlavičku mokré, tmavé stvoření s úzkým čumákem. Svíjelo se, kroutilo a zmítalo, horečnatě se pokoušelo osvobodit, a právě tento zuřivý pohyb Katie považovala za kněžův pokus dát jim najevo, že je dosud naživu.

„Potkan," dostala ze sebe doktorka Collinsová hlasem, z něhož odkapávala nefalšovaná hrůza.

Potkan sebou nepřestával škubat, z nějakého důvodu u toho však nevydal ani hlásku — žádné pískání, jímž se u hlodavců běžně projevuje stres. Doktorka Collinsová sáhla na stůl, kde bylo rozloženo její chirurgické náčiní, a nahmatala tlusté červené pracovní rukavice. Navlékla si je, pevně potkana chytila a začala ho centimetr po centimetru vytahovat z knězova těla.

„Ježíši," hlesl strážmistr O'Rourke.

Potkan z mrtvoly se zvučným lepkavým mlasknutím vypadl a Katie si vzpomněla, jak to znělo, když její matka připravovala dušeného králíka a odhazovala vnitřnosti do dřezu. Podobně jako tehdy se jí i nyní udělalo nevolno.

Doktorka Collinsová přešla na opačný konec laboratoře a držela cukajícího se potkana daleko od sebe.

„Jimmy!" vykřikla. „Tamten box, buďte tak laskav!"

Strážmistr hbitě rozrazil dvířka jedné z drátěných klecí, které sloužily jako dočasné úložiště všelijakých důkazních předmětů, například klobouků, bot a kabelek. Doktorka Collinsová máchla rukou a potkan v boxu přistál s hlasitým vlhkým plesknutím. Doktorka za ním zabouchla dvířka a zajistila je drátem.

„Potkani," odfrkla si. „Potkani a červi. Fuj, jak já je nesnáším! Někdy si říkám, že jsem se měla radši dát na aranžérství nebo pečení cukrovinek."

Katie pohlédla na vlahou poddajnou díru v knězově žaludku. „Věřili byste tomu? Oni ho do něj zašili. Ježíšimarja! Myslíte, že byl otec Quinlan naživu, když mu to provedli?"

Doktorka Collinsová si sundala pracovní rukavice a vyměnila je za latexové. Přešla k mrtvole, odsunula penis a rozevřela ránu po kastraci, jak nejvíc to šlo.

„Tady," řekla. „Vidíte ty stehy? Máte naprostou pravdu. Oni do něj toho potkana strčili a díru zašili, aby nemohl utéct."

Katie ani strážmistr O'Rourke se nezmohli na slovo. Jimmy si dlaní zakrýval ústa, jako by se buď hluboce soustředil, anebo se ze všech sil snažil nepozvracet.

Doktorka Collinsová se přemístila zpátky k provizorní klícce a přes drátěné mřížoví si potkana prohlédla. „Sice nedokážu určit, jestli otec Quinlan žil, když mu to udělali, ale podívejte se — tomu potkanovi svázali nití přední a zadní packy, aby se nemohl prohrabat ven, a zjevně mu přeřízli hlasivky, aby nevydal ani hlásku. Třeba si mysleli, že ho nikdo neobjeví a otec Quinlan bude pohřbený s živým potkanem v těle."

Potkan poskakoval sem a tam, zadní packy dosud svázané, a zas a znovu se jako pominutý vrhal na stěny klece. Bylo na první pohled jasné, že panikaří.

Doktorka Collinsová pokračovala: „Vidíte? Povedlo se mu překousat nit, jíž měl spoutané přední tlapky, což mu umožnilo si pomocí zubů a drápů vyhloubit cestičku skrz vnitřnosti."

Katie řekla: „Chci fotografie, doktorko, spoustu fotografií. A tomogramy. Plus vzorky krve, jak lidské, tak potkaní."

„To jste mi ani nemusela připomínat," ujistila ji doktorka Collinsová. „Mám dokonce dojem, že vám toho dodám mnohem víc. Takovou vraždu nelze provést, aniž by po sobě pachatel zanechal stopy. Je to zhola nemožné."

Venku bylo jasno a větrno. Když vyšli z nemocnice, opřel se do nich vichr a navál Katie do očí velkou hrst písku.

„Co vy na to, šéfová?" zeptal se strážmistr O'Rourke. „Hledáme nějakého cvoka, anebo hledáme nějakého cvoka?"

„Potřebuju skleničku," oznámila Katie. „Cestou zpátky se můžeme zastavit v Hayfield Manor, jestli chcete."

„A zjistit, kdy si naposledy přepočítali lžíce?"

24

Za stůl ve své kanceláři na Anglesea Street usedla až po sedmé večer. Dovnitř oknem dopadaly poslední sluneční paprsky a květináč vrhal na zeď stín připomínající zakaboněnou čarodějnici.

Na střeše podzemního parkoviště naproti policejnímu ústředí vysedávala hejna šedých vran, ještě početnější než obvykle, a vítr jim načechrával pírka. Katie na ně udělala: „Kšá!", ony se však ani nehnuly a dál pro Katie představovaly živoucí připomínku toho, že smrt je vskutku blízko.

O pouhých pět minut později vtrhli do kanceláře detektivové O'Donovan a Horgan, vyčerpaní a čpící cigaretovým kouřem. Detektiv O'Donovan se zhroutil na židli u Katiina stolu a přejel si rukama po obličeji. Detektiv Horgan zamířil k oknu a vyhlédl z něj, jako by venku uviděl něco nepředstavitelně poutavého, třeba polonahou dívku v nedalekém bytě nebo svou dávno zesnulou babičku, jak se se svým dávno zesnulým kokršpanělem loudá po ulici.

„Takže?" prolomila Katie mlčení. „Měli jste štěstí?"

„Na to můžete vsadit tátovy křusky, že měli," prohlásil detektiv O'Donovan udolaně. To v Corku znamenalo, že štěstí neměli ani náhodou. „Nechápu, proč obchod s hudebními nástroji vždycky musí provozovat nějaký vysmátý honič klobás. Říkám vám, že všichni ti chlapi mají řiďounký plnovous, brýle s úzkými skly a nedokázali by jednoznačně odpovědět, ani kdyby na tom závisel jejich život. To se takhle zeptám: ‚Promiňte, mladej, ale neprodali jste za posledních šest měsíců nějakou fosfor-bronzovou strunu pro sedmou oktávu do harfy?' Připadal jsem si jako vůl, jen jsem to vyslovil. A ten kluk na to: ,Pro sedmou oktávu? Božíčku, to ne, zato ale hromadu pro pátou. Strun pro pátou oktávu s nízkou tloušťkou jsme prodali víc, než se dá spočítat. Mimochodem, slyšel jste někdy Jean Kellyovou? Hraje na harfu na soundtracku k *Pánovi prstenů*. To jste věděl, že je z Corku? Měl byste se na ni podívat, ten její Händel je fakt něco.' A co na to tady Horgan s kamennou tváří prohlásí? „Já netušil, že se harfám říká Händel.'"

Detektiv Horgan otevřel svůj poznámkový blok a spustil, aniž by kolegovi věnoval jediný pohled: „Za uplynulých šest měsíců sháněla fosfor-bronzovou strunu pro sedmou oktávu jedna harfistka, jistá Mary ó Nualláinová, dvaadvacet let. O nedělních obědech pravidelně vystupuje v hotelu Ambassador. Silně pochybuju, že si milá Mary ó Nualláinová kupovala fosfor-bronzovou strunu pro sedmou oktávu, aby s ní zavraždila starého prasáckého kněze."

„Fajn," řekla Katie. „Zítra ale budete v pátrání pokračovat."

Detektiv Horgan zalistoval v notesu. „Hned od rána, komisařko, žádné strachy. Zítra brnkneme lidem z Cork Youth Orchestra a Cork Pops Orchestra a každému hráči na volné noze, který si na clàrsach kdy zadrnkal. My toho fidlala najdeme, to mi věřte."

„Michaeli!" obořila se na něj Katie.

„Ano, komisařko?"

„Přestaňte s těmi vtípky, nejsou vtipné. Jednoduše mi najděte toho psychopata, který zabil ty dva kněze. Co nejrychleji."

Před odchodem z kanceláře se snažila dovolat Siobhan, aby se zeptala, jestli uvařila něco k večeři. Její sestra si ale zřejmě vyrazila na flám a nezvedala telefon. Katie ze Siobhaniných pokusů o vaření stejně nebyla nijak nadšená, především z její verze chilli con carne, které se u nich s železnou pravidelností podávalo div ne každý týden, přestože bylo tekuté jako laciné žrádlo pro psy a nesnesitelně ostré.

Byla příliš unavená, než aby se v kuchyni namáhala sama, a proto se cestou domů zastavila v centru Cobhu a nechala si v bufetu Mimmo's na Casement Square zabalit tresku s bramborami. Seděla pod jasnými zářivkami a čekala na svou objednávku, když vtom jí zazvonil mobil. Volal John.

„Jak se má moje sexy komisařka? I když takhle už ti moc dlouho říkat nebudu. Tím myslím tu komisařku," dodal spěšně. „Sexy budeš pořád."

„Mám se skvěle, Johne, ale abych byla upřímná, jsem nějak vyřízená. Dneska byl děsně rušný den."

„Uvidíme se pak? Kde jsi?"

„Sedím v bufetu a čekám, až mi donesou večeři."

„To si děláš legraci? Mohli jsme zajít na jídlo spolu! Anebo bych ti něco uvařil. Moje nadýchané omelety ze tří vajec jsi ještě neochutnala, viď? Mňam. Po těch by se jeden utlouk."

„Promiň, zlato, ale vážně si chci jít brzo lehnout."

„V pohodě, ale ráno se za každou cenu musíme sejít. A už jsi to řekla šéfovi?"

„Co jestli jsem mu řekla?"

„No že rezignuješ, co jiného? Že se mnou jedeš do Států jako moje nevěsta."

„To má být oficiální nabídka k sňatku?"

„Já nevím, má? Tak asi jo, no."

„Takže já si sedím v bufetu, čekám na svůj fast food a ty mě po telefonu žádáš o ruku? Tvoje romantičnost nezná mezí."

„Však já si před tebou kleknu, neboj. Slyšelas to zavrzání? To jsem si klekl. Je to pro tebe dostatečně romantické?"

„Ještě jsem šéfovi nic neřekla, měla jsem moc práce. Díval ses na zprávy, ne? V Mayfieldu našli dalšího zavražděného kněze." Ztišila hlas, protože kousek od ní seděl chlapec s nohama do X a poslouchal ji. „Vykastrovali ho, zrovna jako toho, co plaval v řece u Ballyhooly."

„Jo, bylo to v televizi. Toho jsem si nemohl nevšimnout. Ale u policie končíš, viď? Nečekal jsem, že ten případ povedeš."

„Je můj, Johne. Ovšem že ho vedu. Od policie sice odcházím, ale nemůžu prostě vypochodovat ze dveří a vykašlat se na haldu nedokončených vyšetřování. A navíc musím dát oficiální výpověď."

John několik vteřin mlčel a pak řekl: „Nezměnilas názor, že ne?"

Mladý Ital za pultem zvedl igelitovou tašku nad hlavu a zavolal: „Malá treska, malé brambory a hrachová kaše!"

Katie na něj zamávala a křikla: „Malá treska, ta je moje!" Johnovi řekla: „Poslyš, zlato, moje jídlo je hotové. Brnknu ti, jakmile dorazím domů."

„Já bych si jenom rád byl jistý, že sis to nerozmyslela."

„Nech mě trochu vydechnout, jo? Zavolám ti. Za deset minut jsem doma."

Odbočila na příjezdovou cestu a s překvapením zjistila, že v jejím bungalovu panuje nepropniknutelná tma. Světlo na verandě se mělo zapínat automaticky, ale nefungovalo. Katie vystoupila z auta a všimla si, že záclony v obývacím pokoji jsou roztažené a stolní lampy nesvítí, přestože jsou dvě z nich nastaveny na osmou hodinu večer. Dokonce i televizní obrazovka byla lesle černá.

Ta Siobhan, pomyslela si Katie otráveně. Měla bych ji vykopnout z domu a její kufry hodit za ní, když je ustavičně takhle sobecká a bezohledná. Potom ji však napadlo: Bez obav, holka, brzo budeš pryč. Tenhle problém se zakrátko vyřeší.

Vkročila na verandu a pod botami jí zakřupaly úlomky bílého skla. Vzhlédla. Za celou dobu, co tady bydlela, musela tu žárovku vyměnit pouze dvakrát, a pokaždé to bylo proto, že se Paul opil, naštval se kvůli nějaké hlouposti a roztřískal světlo hokejkou. Katie pochopila, že ani teď žárovka nepraskla, ale že ji někdo rozbil. Třeba sem přišel na návštěvu Paulův duch, a když mu došlo, že Katie není doma, rozmlátil světlo, aby své ženě předvedl, jak hrozně je otrávený — a aby věděla, kdo se přišel podívat, jak se jí daří.

Odemkla hlavní dveře a zavolala: „Barney? Jak se máš, hochu?" Doufala, že ho Siobhan vzala na procházku, než vyrazila do klubu nebo kam to vlastně zmizela. Katie byla ospalá a ze všeho nejmíň měla chuť utírat loužičky v kuchyni.

„Barney? Jsi tu, hochu? Barney!"

Kdykoli se vrátila domů, začal její pes štěkat a skákat na kuchyňské dveře, dnes však v domě panovalo hrobové ticho.

„Barney?" řekla Katie a rozsvítila lampu s růžovým stínítkem, která byla na stolku v předsíni. Kdyby na ni pes čekal za kuchyňskými dveřmi, bývala by ho za výplní z matného skla zahlédla, jenže v kuchyni vládla černočerná tma.

Otevřela dveře a rozsvítila. Barney nikde, ale na lince leželo prkénko s nakrájenou mrkví a na sporáku stály dva hrnce, jeden s oškrábanými bramborami, druhý s fialovou brokolicí. Siobhan se před odchodem podle všeho pustila do přípravy večeře.

Katie zamířila k zadním dveřím a stiskla kliku, bylo však zamčeno zevnitř a zástrčka byla zajištěná, což vylučovalo možnost, že Siobhan vzala Barneyho na zadní dvorek, aby se vyvenčil za květináči s pelargoniemi a ona si mezitím dala cigaretu. Tak totiž Siobhan definovala „venčení".

Možná s ním šla na opravdovou procházku — už se přihodily i podivnější věci. Ale světla v domě se měla rozsvítit už před hodinou a Katie si neuměla představit, že by za sebou Siobhan pozhasínala, aniž by zároveň zatáhla závěsy. A kam se s Barneym vůbec vypravila, že je tak dlouho pryč? Až dolů k přístavu? To by ji ale Katie bezpochyby potkala, když jela z bufetu.

Přiblížila se ke dveřím do obývacího pokoje, které byly otevřené dokořán. Pokoj osvětlovala jen osamělá pouliční lampa a stíny větví se plazily po koberci jako protáhlé kostnaté prsty slepců, kteří se donekonečna pokoušejí nahmatat ztracené oči. Kdepak, hochu, ty víckrát nenajdeš, zakutálely se ti pod gauč.

Náhle Katie zamrazilo na šíji i ramenou — to se stávalo vždy, když její intuice začala bít na poplach. A tak z pouzdra vytáhla poniklovaný revolver, odjistila pojistku a zbraň zvedla. Něco tu bylo velmi špatně, tady, v tomhle bungalovu, a ten dojem v ní nevzbuzovalo pouze rozbité světlo na verandě, všudypřítomná tma nebo skutečnost, že po Siobhan a Barneym jako by se slehla zem — bylo to i ve vzduchu: v pokoji cosi velice zvláštně vonělo, nějaký silný pižmový parfém, Estée Lauder nebo podobná značka, Katie připomínal vůni, jíž čpěla Paulova košile, když tehdy strávil noc s místní cuchtou (samozřejmě se dušoval, že byl v Limericku na pracovní schůzce).

Aniž by Katie pustila revolver z ruky, natáhla levačku a rozsvítila lustr. Velké starožitné křeslo, v němž s oblibou sedával Paul, bylo překocené na bok, stejně jako jeden z odkládacích stolků. Porcelánová figurka pastýřky, která na něm původně stála, sklouzla na podlahu a ulomila si hlavu, přesto se nepřestávala přihlouple usmívat.

Katie obezřetně udělala dva kroky vpřed a právě v tom okamžiku si všimla, že zpoza gauče vyčnívá bosé boubelaté chodidlo s nalakovanými nehty. Ten třpytivě fialový lak by poznala i ve spánku.

Katie obešla pohovku a pohledem těkala z místa na místo pro případ, že by se vetřelec skrýval za závěsy či dveřmi nebo že by vylezl ze skrýše v koupelně či ložnici a vyřítil se na ni z chodby. Předpokládat, že pachatel opustil místo činu, se nemusí vždy vyplatit.

„Siobhan!" vykřikla, a když se jí nedostalo odpovědi, zavolala podruhé: „Siobhan!"

A pak Katie zpozorovala, že její sestra leží za gaučem tváří k zemi, na sobě zelený svetr s lodičkovým výstřihem a úzkou černou sukni, vlasy na temeni lesklé sraženou krví. Na tapetě před ní se táhly krvavé fleky a stříkance.

Katie si k sestře klekla a pistoli položila kousek od sebe na koberec, aby po ní mohla ihned sáhnout, kdyby to bylo potřeba. Siobhan měla zavřené oči, ale když se Katie sehnula a pořádně se zaposlouchala, uslyšela, že dýchá. Otočila ji na záda a nahmatala na krku tep. Byl pomalý — pod čtyřicet — a slabý.

„Siobhan, zlatíčko," oslovila sestru a jemně jí zatřásla. „Siobhan, slyšíš mě?"

Siobhan dál pomalu, zastřeně oddechovala. Cosi zamumlala, jako by měla ošklivý sen, oči však neotevřela.

Katie popadla revolver a vyrazila k telefonu. Vytočila sto dvanáctku, představila se a vyžádala si příjezd záchranné služby. „A řekněte jim, prosím, ať si pospíší. Moje sestra utrpěla vážné zranění hlavy a je v bezvědomí. Bojím se, aby neměla mozkový hematom."

„Nepotrvá to dlouho, komisařko, slibuju. Nanejvýš pět minut. Odklonila jsem k vám pohotovostní vůz, který se vrací z Glanmire."

Nato Katie zatelefonovala strážmistru O'Rourkovi. Zastihla ho, zrovna když si sedal k večeři.

„Jimmy?"

„Vy ale máte vynikající načasování, komisařko. Právě jsem si napíchl cibulový knedlík na vidličku, a kdybyste mi zavolala o pět vteřin později, nerozuměla byste mi teď ani slovo."

„Vážně se omlouvám, Jimmy, ale stalo se něco strašného a já potřebuju, abyste všeho nechal a něco málo pro mě zařídil. Sežeňte k telefonu někoho z technického, řekněte jim, že je to naléhavé a ať pošlou nejmíň čtyři příslušníky."

„Kruci, snad se nenašel další pedofilní kněžour?"

„Ne. Jde o mou sestru. Někdo se vloupal ke mně domů a praštil ji do hlavy. Vypadá to na otřes mozku, všude je spousta krve."

„To snad ne!" hlesl strážmistr O'Rourke. „To myslíte vaši sestru Siobhan?"

Katie našpulila rty a oči se jí zalily slzami. Zhluboka se nadechla a přinutila se říct: „Překotili několik kusů nábytku, ale nezdá se, že by s útočníkem bojovala. Navíc zmizel Barney a já jsem zatím neměla čas porozhlédnout se po domě. Prosím vás, Jimmy, přijeďte sem, jak nejrychleji to půjde. Budu na vás čekat."

„Vaše vlastní sestra, přímo u vás doma? Prokrista!"

„Prosím, Jimmy, pospěšte si."

„Na mě se můžete spolehnout, komisařko."

Katie zavěsila, přešla k Siobhan a opět si vedle ní klekla. „Tomu říkám ironie, ty moje milovaná sestřičko. Tak já přijdu domů, v duchu tě častuju všemi nadávkami pod sluncem, přemáhám se, abych tě odsud rovnou nevyhodila, a ty tu mezitím ležíš, zbitá a zakrvácená. Bůh někdy opravdu daruje, o co ho člověk prosí, ale zároveň mu přitom občas ukáže, že o to ve skutečnosti vůbec nestál."

Siobhan oddechovala pravidelně, její tep však vynechával. Katie jí položila ruku na čelo — bylo zpocené a studené. Upadala do šoku a potřebovala se rychle zahřát.

Katie odběhla ke dveřím do ložnice, vykopla je, rozsvítila a letmo pohlédla do všech rohů a pod postel. Rozrazila žaluziové dveře na míru vyrobené šatní skříně, ale pachatel se v ní neschovával. Ani za závěsy nikdo nečíhal.

Nahlédla do Siobhaniny ložnice a poté do koupelny. Ať se do bungalovu vloupal kdokoli, byl zjevně pryč, a to už hodně dlouho.

Katie vyškubla ze dna Siobhanina šatníku tlustou kostkovanou deku, odnesla ji dolů do obývacího pokoje a sestru s ní přikryla až ke krku.

„A je to, zlatíčko, to by tě mělo zahřát," řekla, Siobhan však místo odpovědi zamumlala: „Mmmfffff."

Zatímco Katie čekala na příjezd pohotovostního vozu, bleskově se v obývacím pokoji porozhlédla po něčem, co by jí prozradilo, kdo na Siobhan zaútočil a proč. S výjimkou překoceného křesla a setnuté pastýřky však nic v místnosti nejevilo sebemenší známky poškození. Siobhan utržila zranění na temeni a ležela čelem k zemi, takže Katie usoudila, že ji pachatel nejspíš překvapil. Tomu nasvědčovaly i krvavé cákance na tapetách — po zdi totiž stoupaly v jediné, téměř svislé čáře, což vypovídalo o sérii opakovaných úderů, jako když tesař zatlouká hřebík nebo když kněz mává kropenkou plnou svěcené vody.

Dveře do obývacího pokoje byly pořád dokořán, ale Katie u sebe neměla latexové rukavice, a tak se starožitné kliky nedotkla. Místo toho se natáhla a šťouchla do dveří spodkem dlaně, aby se zavřely. Chtěla se jenom ubezpečit, že se za nimi nikdo neskrývá.

Uviděla to, hned jak zapadly — vzkaz napsaný deseticentimetrovým písmem a tmavě zeleným fixem.

BŮH TI VZKAZUJE, AŤ SE DRŽÍŠ DÁL!

25

Venku už začínalo svítat, když do čekárny pro příbuzné konečně vešel chirurg. Katie vstala a zeptala se: „Jak je na tom?"

Byl to muž indického původu, se zahnutým nosem a vypouklýma očima, a kdyby na sobě neměl bledě zelené nemocniční kalhoty, Katie by si ho snadno spletla s majitelem restaurace Bombay Palace na Cook Street. Vzal ji za ruku a odvětil: „Vaše sestra je mimo nebezpečí, komisařko. Přežije to."

„Díky Bohu," oddechla si. „Kdy se za ní budu moct podívat?"

„Jakmile ji převezeme zpátky na jednotku intenzivní péče a postaráme se, aby měla pohodlí. Musím vás ovšem upozornit, že utrpěla velice závažná zranění. Jak víte, někdo ji udeřil tupým předmětem do temene, celkem třikrát, a to značnou silou. Řekl bych, že útočník pravděpodobně použil kladivo, protože na lebce zůstal kruhový otisk."

„Je to s ní zlé?"

Chirurg pokrčil rameny. „Každý z těch tří úderů způsobil vpáčenou frakturu lebky, nitrolebeční krvácení a zhmoždění mozku. Krvácení se nám podařilo zastavit a uvolnili jsme i tlak, který zlomená kost vyvíjela na mozek, ale takhle brzo nelze s jistotou říct, že její duševní schopnosti nebudou trvale poznamenány. Se smysluplným zhodnocením zdravotního stavu musíme počkat do doby, kdy vaše sestra přijde k sobě."

„Děkuju, doktore..."

„Jmenuju se Hahq, komisařko. A žádný doktor, ale pan."

„Promiňte."

„Nic se neděje. Teď byste měla upřít veškerou pozornost na sestru. Přeju jí, aby se co nejdřív plně zotavila."

Chirurg z čekárny odešel a přesně v tom okamžiku se objevil John se dvěma umělohmotnými kelímky kávy a dvěma balíčky zázvorových sušenek. Byl neoholený, na sobě měl džíny a ošoupanou bundu z hnědé kůže. Dorazil do nemocnice pouhých pětatřicet minut poté, co Siobhan přijali k ošetření, a zůstal s Katie celou noc. Zkusili usnout, ale Katie byla příliš rozrušená, než aby zamhouřila oka.

„Siobhan je zřejmě mimo nebezpečí," sdělila mu. „Převezou ji na jednotku intenzivní péče a dovolí nám, abychom ji šli navštívit."

„To je dobrá zpráva," řekl John. „No — obezřetně dobrá zpráva, přesto dobrá zpráva."

„Ze srdce v to doufám. Potíž je, že začínám uvažovat, jestli se útočník náhodou nespletl a nečekal ve skutečnosti na mě."

„To myslíš vážně?"

„Dává to smysl, ne? Siobhan žádné nepřátele nemá. Jasně, leze lidem na nervy, uznávám. Když se chová, jako by dělala konkurz na Stellu z *Tramvaje do stanice Touha*, leze na nervy i mně. Neumím si ale představit, že by někoho vytočila natolik, aby jí zasadil ránu kladivem."

John řekl: „Podle mě mu nešlo ani o jednu z vás. Siobhan se nejspíš připletla k nějakému nezdařenému vloupání. Vysvětluju ti to od chvíle, kdy jsem sem přijel: Siobhan se patrně vrátila domů a zaskočila nějakého grázla, jak se vám hrabe ve věcech. Anebo už doma byla a oni vlezli dovnitř, aniž by věděli, že nejsou sami."

„Jenže nikde nebyly známky násilného vniknutí, Johne. Až na tu rozbitou žárovku na verandě. Uvažuj. Pokud by Siobhan

178

přišla domů a zjistila, že je tam zloděj, tak by se ho snad pokusila zneškodnit, nezdá se ti?"

„Anebo by se pokusila utéct."

„To by se ale vrhla k hlavním dveřím, ne? A pokud by pachatele napadla, tak by ji tím kladivem praštil, když by k němu stála čelem — měla by na rukou a pažích modřiny, protože by se bránila.

Kdepak — já mám dojem, že ten chlap do obýváku vkročil, když k němu byla Siobhan zády, a udeřil ji, dřív než pochopila, že tam není sama. Neotočila se, neprala se s ním. Neměla tušení, co se stalo."

„A proto si myslíš, že si ji spletli s tebou?"

„Ano, proto. Pokud k útočníkovi stála zády, neviděl jí do obličeje o nic víc než ona jemu. Jsme zhruba stejně vysoké. Obě máme zrzavé vlasy, i když každá trochu jiný odstín. A Siobhan v uších výjimečně neměla ty svoje obří kruhové náušnice. Jestli si ten útok někdo objednal, nelze vyloučit, že mě pachatel nikdy neviděl osobně a musel se spolehnout na zprostředkovaný popis."

John se ztěžka posadil. Katie si k němu přisedla a on uchopil její ruce do dlaní. „Pokračuj. Kdo měl motiv objednat si tvou vraždu?" zeptal se.

„Propánakrále, Johne! Každý druhý! Třeba jeden litevský gauner, Evaldas Rauba. Už mi dvakrát nebo třikrát vyhrožoval. Jeho bratra jsem loni šoupla za mříže kvůli pašování vzduchovek upravených pro kulky ráže devět milimetrů. Dokonce k nim dodával i tlumiče. Rauba si mě odchytil na ulici a prohlásil, že mi za to uřízne hlavu a nachčije mi do krku."

John se zapitvořil. „Ty znáš se samými džentlmeny, co?"

Katie zauvažovala: „Jedno mi ovšem nesedí: proč by na mě Rauba posílal někoho s kladivem? Litevci si potrpí spíš na střelné zbraně."

„A proč by se najatý vrah obtěžoval čmárat ti na zeď? ‚Bůh ti vzkazuje, ať se držíš dál!' Co to má znamenat? Od čeho se máš držet dál? Bůh říká, ať se držíš dál od Litevců? A vůbec, co s tím má společného Bůh?"

Najednou se jí v paměti vynořila vzpomínka na tvář monsignora Kellyho a onen tvrdý pohled, který na ni upřel těsně před tím, než se vrátil k fotbalovému zápasu chlapecké školy Sunday's Well. Ne, pomyslela si. Jistě, je to arogantní, svatouškovský, falešný parchant, ale já prostě nevěřím, že by někomu zaplatil, ať mě zabije. Vždyť je generální vikář, pro Boha živého!

Přesto se neubránila dojmu, že se monsignore Kelly zoufale snaží udržet jakési tajemství. Co když jde o tajemství natolik šokující, že by se kvůli jeho uchování nezdráhal porušit páté přikázání? Bylo to naprosto nemyslitelné, ale Katie se té myšlenky nedovedla zbavit.

Do čekárny přispěchala baculatá pihovatá sestřička a zvolala: „Katie? Katie Maguirová? Můžete jít na návštěvu za sestrou."

Vstali a následovali ji po chodbě do výtahu.

„Už se probudila?" zeptala se Katie, zatímco stoupali do čtvrtého podlaží.

„Ne, ještě ne. Ale její životní funkce jsou dobré. Puls, dýchání i tlak. Odpoledne ji znovu odvezeme na tomograf."

Zavedla je do Siobhanina pokoje s výhledem na letiště a venkovskou krajinu, která se za ním rozkládala. Vrcholky kopců byly zahalené do oblak, jako by se na ně spolu s prvními kapkami deště snesla i jakási špinavě šedá přikrývka. Ticho v místnosti narušovalo pouze syčení Siobhanina dýchacího přístroje, pípání pulsmetru a bubnování deště do okenních tabulek.

Siobhan měla zavázanou hlavu a oči oteklé a zarudlé, jako by ji někdo uhodil do obličeje. Katie si přisunula židli k posteli, sedla si a vzala sestru za ruku.

„Ach, Siobhan, holka jedna nebohá. Kdo ti to jen udělal?"

John si odkašlal a řekl: „Při troše štěstí nám to poví sama, až se probere."

„Jo, *až* se probere. Ale kdo ví, kdy to bude? Já toho hajzla chci najít hned teď."

John chvíli mlčel a pak se rozhodl obrátit list: „Asi není nejvhodnější doba, abych s tím začínal, jenže musím připravit ten náš odjezd, a to hodně rychle, zlato."

Katie ho poslouchala na půl ucha, a proto neodpověděla. John chvíli počkal a potom dodal: „Kromě toho musím dát realitní agentuře definitivně vědět, jak jsem se rozhodl ohledně toho bytu, který si pronajmeme. Nejlíp dnes odpoledne. Je přímo naproti Russian Hill Park a mně se povedlo usmlouvat rozumnou cenu, dva tisíce tři sta měsíčně."

Opět se odmlčel, a když Katie neodpověděla ani tentokrát, řekl: „Pokud máš tady v Corku nějaké nevyřízené záležitosti, vždycky se ke mně můžeš přidat později."

Katie se k němu otočila. Neholený a s rozcuchanými vlasy jí připadal ještě mužnější a atraktivnější než jindy — jako by se připletl k pouliční rvačce a s převahou ji vyhrál.

„Kdy konkrétně plánuješ odjet?" zeptala se.

„Koncem příštího měsíce, a i to je dost na hraně. Kamarádi by byli rádi, kdybych pro ně začal pracovat co nejdřív. Doufal jsem, že zkusíš šéfa přesvědčit, aby od té výpovědní lhůty upustil."

„Koncem příštího měsíce? Vždyť to je už za... kolik? Za šest týdnů! Nemůžu přece Siobhan opustit, dokud jí nebude líp. A rozhodně nikam nepojedu, než chytím tu zrůdu, která jí to provedla."

„Ovšem. Já tě chápu."

Katie vstala a objala ho kolem pasu. „Johne... miluju tě. O život s tebou stojím víc než o cokoli jiného, to doufám víš."

Přikývl a políbil ji na čelo, na jeho doteku však bylo cosi roztržitého, jako by se pomalu začínal smiřovat s myšlenkou, že je společný život navzdory všemu nečeká.

„Poslouchej," řekl, „co kdybych tě vzal do Jury's na pořádnou snídani?"

„Nepozřela bych z ní ani sousto, Johne, promiň. Prozatím zůstanu u Siobhan. Co takhle sejít se u oběda?"

„Fajn," souhlasil a políbil ji podruhé, tentokrát na rty, jako by se s ní navždy loučil.

Její nehybnou hlídku u Siobhanina lůžka ukončilo až zazvonění mobilu. Volal detektiv O'Donovan z Anglesea Street.

„To s vaší sestrou mě moc mrzí, komisařko. Jak jí je?"

„Její stav je vážný, ale stabilizovaný, Patricku. Pořád se neprobrala, takže těžko říct."

„Budu se za ni modlit. Myslíte, že ve skutečnosti chtěli napadnout vás?"

„Ano, je to možné. V Corku žije nejmíň tucet mizerů, kteří by byli ochotní zaplatit slušné peníze za to, abych skončila pod drnem."

Detektiv O'Donovan řekl: „To asi jo. Ale proč vám volám: doručili mi první deník otce Heaneyho. Přeložený. Někdy v půlce týdne bych měl dostat i zbylé dva."

„To ale byla rychlovka. Kdo se o ten překlad postaral?"

„Stephen Keenan, co učí latinu na Presentation Brothers College. Dlužil mi službičku, takže to pro nás udělal zadarmo."

„Učitel latiny že vám dlužil službičku?"

„To by bylo na dlouho. Stačí říct, že v tom hrál roli jeho syn a menší množství nelegální vegetace. Slíbil jsem, že nad tím přimhouřím oko."

„Dobrá. Co ten notes? Povídejte."

„Dočíst jsem ho nestihl, ale člověk se u něj kolikrát ptá, jest-li si na nelegální vegetaci náhodou nepotrpěl i otec Heaney. Ustavičně píše o andělech a o tom, jak poslat vzkaz do nebe nebo jak se spojit s Bohem."

„To ale kněží dělají v jednom kuse, ne? Spojují se s Bohem pomocí modlitby."

„No ano, jenže když se modlíte, máte šanci nejvýš padesát na padesát, že vám Bůh odpoví. Můžete se modlit, dokud vám neupadne jazyk, ale nemáte nejmenší jistotu, jestli vás Bůh fakt poslouchá. Fajn, teoreticky vás třeba i poslouchá, ale když uslyší, o co ho žádáte, může si říct: ‚Na to ti teda zvysoka kašlu, vole.'"

Katie třeštila hlava, a tak si promnula čelo. „Nějak nechápu, co se mi snažíte říct, Patricku. Čím je jeho způsob komunikace s Bohem výjimečný?"

„Jak jsem říkal, nestihl jsem ten deník dočíst do konce, a navíc mě čekají další dva. Otec Heaney v něm ale neustále píše o tom, jak se s Bohem setkat osobně, uvidět ho, stanout mu tváří v tvář. Podle něj prý nebe a zemi spojuje nějaká brána, hmatatelná brána, a on objevil metodu, jak ji otevřít. Napsal si třeba tohle: ‚Na vlastní uši slyšíme jeho hlas a vlastní rukou se dotýkáme té jeho. Pravda je taková, že Bůh existuje.'"

Katie odvětila: „Asi máte pravdu, Patricku — zřejmě fakt něco hulil. Vždyť si to vezměte: k čemu by kněz potřeboval hmatatelný důkaz, že Bůh existuje? Duchovní přece mají víru, jinak by nebyli duchovní, ne?"

„Člověka to ale nahlodá, nemyslíte? Co když je Bůh opravdový, jako fakt opravdový, ne imaginárně opravdový?"

„S metafyzikou na mě nechoďte, Patricku, celou noc jsem nespala. Nechejte mi ten překlad okopírovat, někdy přes den se zastavím v kanceláři a vyzvednu si ho."

„Okamžitě na to vlítnu, komisařko. Ale než zavěsíte, přečtu vám ještě něco, co si otec Heaney napsal: ‚Abychom Boha přivolali, musíme s ním hovořit jazykem nebes a oslovit jej hlasem andělů.'"

„A to znamená co?"

„Ať mě trefí, jestli to vím."

26

Krátce po sedmé zavolal John. Znělo to, jako by kráčel po rušné ulici. Sdělil Katie, že oběd budou muset zrušit, protože se mu ozval zájemce o statek, ale že by se mohli sejít brzo večer.

„Fajn," řekla. „Beztak nemám hlad."

„Jak je Siobhan?" zeptal se.

„Ani líp, ani hůř. Doufám, že jsem tě nerozčílila."

„Ne, zlato, samozřejmě že ne. Musíme si ale promluvit."

„Ano, to musíme," přitakala. Oba věděli, co spolu musejí probrat.

Seděla u Siobhanina lůžka, dokud si pro sestru nepřišli zřízenci a neodvezli ji na tomograf. Přestalo pršet, obloha však dosud byla šedá a skličující a Katie si připadala, jako by se ocitla v nějakém depresivním černobílém artovém filmu. Vyšla z nemocnice, nasedla do auta a rozjela se do kanceláře, vyčerpaná i rozechvělá, protože to poněkud přehnala s kávou.

Svlékla si pršiplášť a posadila se za stůl, aby si přečetla e-maily. Sotva však zapnula počítač, zaklepal na dveře detektiv O'Donovan, v ruce kopii přeloženého deníku otce Heaneyho.

„Tady máte ten sešit, komisařko," řekl. „Udělali jsme pokrok i ohledně dodávky, co ji paní Rooneyová zahlídla u statku Grindellových."

„Našli jste ji?"

„Ne, zatím ne, ale..." S těmi slovy vytáhl z náprsní kapsy paměťový disk. „Průmyslová kamera ji zachytila, jak to ráno v šest dvacet sedm ujíždí severně od centra, nahoru po Summerhillu. To není ani hodina před tím, než paní Rooneyová uviděla toho chlapíka v oslovské čapce, jak hází tělo otce Heaneyho do řeky. Zpozorovali ji ještě v osm čtyřicet sedm — projížděla po objezdu Kinsale Road směrem k letišti."

„Kdy byla spatřena naposledy?" zeptala se Katie. „Teď už může být na opačném konci světa."

„Záleží na tom, kudy řidič jel," pokrčil detektiv O'Donovan rameny. „Třeba sjel na postranní silnici, odjel po ní až do Galway a po zbytek cesty na žádnou kameru nenarazil. Pokud ale ta dodávka patří tomu samému člověku, který zavraždil otce Quinlana, dost pochybuju, že ji odvezl někam daleko. Jasně, mohl se jí zbavit, ale v tom případě ji rozhodně najdeme, spíš dřív než později."

Katie řekla: „Brnkněte na letiště a požádejte tamní bezpečáky, ať se po ní porozhlédnou po letištních parkovištích. Zjistil jste její poznávací značku nebo něco jiného, podle čeho bychom ji mohli identifikovat? Otec Lenihan se zmínil, že Doodyho auto mělo na boku přemalovaný nápis."

Detektiv O'Donovan strčil paměťový disk do USB portu Katiina počítače a na monitoru se objevil snímek z průmyslové kamery. Byla na něm špinavá černá dodávka značky Renault, na jejímž pravém zadním skle se skvěl namalovaný nebo přilepený otazník.

„Je to stoprocentně ta samá, která skoro srazila pošťáka v Ballyhooly. Ověřil jsem si poznávací značku: patří fordu fiesta z roku 1993, před dvěma lety ho ale sešrotovali. Co znamená ten otazník, pokud vůbec něco, to netuším, ale prověřuju všechny ochranné známky, které by ho mohly mít."

„Dobrá," řekla Katie. „Pohnuli jste nějak s tou strunou?"

„Ne, komisařko, zatím ne. Zkontrolovali jsme všechny obchody s hudebními nástroji ve městě a popovídali jsme si s vedoucími těch orchestrů, ale dozvěděli jsme se leda velké kulové. Detektiv Horgan v průběhu dne obvolá všechny harfisty, jejichž jména se mu povedlo získat, asi pět profesionálů nebo poloprofesionálů a hrstku amatérů. Abych vám ale řekl pravdu, nedělám si velké iluze, že zjistíme, odkud ta struna pochází."

Vtom Katie zazvonil telefon. Zvedla ho a uslyšela neznámý hlas: „Mluvím prosím s komisařkou Maguirovou?"

„Ano, mluvíte."

„Tady Ronan Kerr z policejní stanice v Cobhu. Dnes ráno jste nám volala ohledně irského setra jménem Barney, nemýlím-li se. Volám, abych vám sdělil, že se před minutkou našel. Nějaký občan si ho všiml, jak se toulá okolo Heritage Centre, a přivedl ho sem."

„Ještě že tak. Nestalo se Barneymu nic?"

„Vůbec ne, absolutně nic. Sice z něj crčí voda, je od hlavy až k patě pokrytý blátem a má hlad jako vlk, ale jinak je s ním všechno tip ťop."

„Děkuju mnohokrát," řekla Katie a položila sluchátko.

Detektiv O'Donovan se zeptal: „V pohodě, komisařko?"

„Ano," odpověděla, „vše je v naprostém pořádku." Svým způsobem ji těšilo, že detektiv O'Donovan z kanceláře dosud neodešel, protože kvůli němu aspoň měla důvod spolknout slzy a zachovat klid. Za to může jen ta tvoje únava, namlouvala si, ačkoli hluboko uvnitř věděla, že se situace má ve skutečnosti mnohem hůř.

Vzala klíče a mobil a chystala se odjet domů, když někdo zničehonic opět zaklepal na dveře její kanceláře. Ke Katiinu překvapení za ní přišla doktorka Collinsová. Vlasy měla svázané do nezvykle úhledného účesu a oblečená byla do dvouřadového kostýmku ze zeleného tvídu se vzorem rybí kosti.

„To jsem ráda, že jsem vás tu zastihla, komisařko! Něco jsem objevila a chtěla jsem vám to ukázat osobně."

„Už jste dokončila ohledání otce Quinlana?"

„Ach, ano, otce Quinlana i toho jeho rozkošného mazlíčka. Běžný zástupce potkana obecného, *rattus norvegicus*, přibližně rok starý, nakažený leptospirózou a salmonelou. Tipuju, že ho odchytili někde v odpadním odtoku nebo na hřbitově. Málokdo si uvědomuje, kolik potkanů po hřbitovech pobíhá."

„Jakou jste u otce Quinlana stanovila příčinu smrti?"

„Uškrcení, to je zcela bez debat, stejně jako u otce Heaneyho." Doktorka Collinsová otevřela kufřík a vytáhla z něj průhlednou umělohmotnou složku opatřenou nálepkou s nápisem „důkazy". Uvnitř byla stočená ona tenká hedvábná šňůra z fialových a modrých vláken, kterou měl otec Quinlan pevně omotanou kolem krku.

„Před uškrcením ho mučili, totožným způsobem, jakým španělská inkvizice mučila kacíře. Říká se tomu estrapáda. Svázali mu ruce za zády a zvedli ho za zápěstí do výšky, aby se nohama nedotýkal země. Historické záznamy se shodují, že estrapáda je nejbolestivější druh mučení, jaký existuje. Uchylovali se k ní nacisté v koncentračních táborech a používali ji i členové Vietkongu v ‚Hanojském Hiltonu'.

Kromě toho byl otec Quinlan nemilosrdně zbit, opravdu nelítostně. Před smrtí mu bylo zlomeno pět žeber, klíční kost a většina kůstek v prstech na rukou i nohou. Kdo ví, co provedl, že si podle vraha zasloužil takhle příšerný trest, ale někdo si očividně přál, aby prožil peklo na zemi.

Poté ho vykastrovali pomocí *castratori* a nakonec mu do těla násilím vpravili toho potkana. Díru zašili, aby zvíře nemělo jinou možnost než se prokousat ven střevy. Pořád ovšem nevím, jestli otce Quinlana uškrtili předtím, nebo potom. Už kvůli němu doufám, že to bylo potom, nezvratnou odpověď vám ale nedám, protože jsem neměla šanci podívat se na místo činu a ověřit si, kolik ztratil krve."

Katie zvedla složku se šňůrou.

„Zjistila jste, co to je?"

„Ano, zjistila, právě proto jsem chtěla, abyste se podívala osobně. A zase jsem s tím nepřišla já, ale můj hudebně nadaný laboratorní asistent. Ta šňůrka podle všeho pochází z fagotu."

„Z fagotu?"

„Správně. Můj laborant tvrdí, že při výrobě fagotových strojků se na ně často uvazuje ozdobná šňůrka. Tady tomuhle uzlu se přezdívá Turkova hlava, protože vypadá jako turban. Váže se právě z toho, co držíte v ruce — z nylonové šňůrky potažené včelím voskem."

„Takže otce Heaneyho i otce Quinlana uškrtili dvěma druhy vlasců pocházejícími ze dvou různých hudebních nástrojů?"

„Trefa. Škrtidla se liší, ale provedení vraždy je takřka identické."

Katie klesla na židli. „Ježíši. Co vrah použije příště, střívkovou strunu z houslí?"

„Měly bychom se spíš modlit, aby k žádnému ‚příště' nedošlo."

„Na to bych nespoléhala," poznamenala Katie. „Mám takový pocit, že se ten šílenec teprve rozehřívá."

Doktorka Collinsová řekla: „S jeho hledáním vám bohužel příliš nepomůžu. Ano, fagotová šňůrka je sice velice charakteristická a to samé platí i o struně z harfy, jenže nic dalšího, podle čeho by se pachatel nebo pachatelé dali identifikovat, jsem na těle otce Quinlana nenašla. Žádné sliny, krev, vlasy, chlupy nebo epitelovou tkáň, žádné charakteristické modřiny způsobené prstenem, náramkem nebo hodinkami. Prostě nic."

„A právě proto se domnívám, že pachatel zabije třetího kněze," prohlásila Katie. „Vytáhl do boje proti duchovenstvu, a jelikož jeho tažení není ani zdaleka u konce, dává si obrovský pozor, aby po sobě nezanechal stopy. Co já vím, třeba je mu jedno, jestli ho časem dopadneme. Možná si dokonce přeje, abychom ho nakonec chytili. Vrazi, kteří zabíjejí z nějakého vyššího důvodu, mají většinou nepřekonatelnou potřebu světu vysvětlit, proč to vlastně spáchali. Náš vrah ovšem prozatím nehodlá dopustit, abychom ho zadrželi a zatli mu tipec."

„Zítra ta těla ohledám znovu," řekla doktorka Collinsová. „Zavolala jsem doktoru Reidymu a oznámila jsem mu, že se do Dublinu ještě několik dní nevrátím."

„No, pokud narazíte na nějaké hmotné důkazy, budu vám nesmírně vděčná," pronesla Katie a znovu vzala do ruky klíče.

Doktorka Collinsová na okamžik zaváhala, kousla se do rtu a pak řekla: „Máte pro dnešek hotovo?"

„Ano, mám. Nevím, jestli se to k vám doneslo, ale moji sestru napadli a teď leží na jednotce intenzivní péče. Byla jsem celou noc vzhůru a trochou spánku bych vážně nepohrdla."

„Ach, to mě hrozně mrzí! Jak k tomu došlo?"

Katie jí stručně vysvětlila, co se u ní doma odehrálo, a doktorka Collinsová potřásla hlavou. „Strašné, to je skutečně strašné. Taková ohavná věc, prostě ohavná."

„Uvidíme se tedy zítra," rozloučila se Katie.

„Víte... no... i když za těchto okolností... vzhledem k tomu, co se přihodilo vaší sestře a tak... no je to asi nevhodné," zakoktala se doktorka Collinsová, ale potom se vzpamatovala. „Snažím se říct, že jsem v Corku úplně sama a na vás doma nikdo nečeká, takže mě napadlo, že bych vás pozvala na večeři."

Katie netušila, co na to odpovědět. Okamžitě vycítila, že ze strany doktorky Collinsové ani náhodou nejde o obyčejné pozvání. Tohle by nebyla neškodná schůzka dvou profesionálek a kolegyň, které chtějí probrat detaily složitého případu nad sklenkou vína a talířem slaniny se zelím. Tahle večeře se měla stát začátkem něčeho výrazně intimnějšího.

Doktorka Collinsová zrudla a zase se kousla do rtu, nespouštěla však z Katie oči — jako by ji v duchu vybízela, ať její nabídku přijme, ale současně jako by nepochybovala, že se dočká odmítnutí.

Katie si najednou vzpomněla na sestru Bridget ze školy i na to, jak se usmívala tenkrát, když Katie nabízela doučování v soukromí svého pokoje.

Hodila klíče a mobil do kabelky.

„To je od vás moc milé, doktorko, ale musím si dojet na policejní stanici v Cobhu pro psa a ujistit se, že se ke mně domů nikdo nedostane. Budu ráda, když se zvládnu dovléct do pelechu a neusnu dřív, než se pomodlím, to mi můžete věřit."

Raději už nedodala, že ji navíc čeká schůzka s milencem. Prozradila by totiž, že si je doktorčina pokusu o flirt vědoma. A kdo ví, třeba se ji doktorka Collinsová nepokouší svést. Možná je jednoduše osamělá a touží si s někým popovídat, místo aby se v jídle rýpala sama.

„Nic se neděje," vyhrkla doktorka Collinsová nervózně. „Snad někdy jindy. Co takhle zítra nebo pozítří večer? Jenom chci, abyste věděla, jak moc na mě zapůsobilo všechno, čeho jste tu dosáhla. Dokázala jste, že i v takhle mužském prostředí se ženy zvládnou dopracovat až na vrchol. A navíc jste velmi atraktivní."

Katie zhasla stolní lampu a doktorka Collinsová se rázem proměnila v černou siluetu rýsující se proti oknu. „Děkuju, doktorko, toho si skutečně cením. Dobrou noc."

27

John jí zavolal až krátce před devátou večer.

„Hrozně mě to mrzí, Katie. Jsem na internetu a řeším s Bobem a Carlem ze San Francisca pár věcí. Zdá se, že skončím až hodně dlouho po půlnoci. Je toho tolik, co musíme vyřídit, než ten podnik rozjedeme."

„Fajn, nedělej si s tím těžkou hlavu. Beztoho jsem šíleně utahaná."

„Zítra se ale stoprocentně uvidíme. Dáme si oběd, jestli budeš mít čas. Miluju tě."

„Taky tě miluju," řekla. Na telefonním stolku stála jejich zarámovaná fotografie a ona natáhla ruku a špičkami prstů se dotkla Johnových rtů. Na snímku se usmíval, Katie si však teprve nyní všimla, že se nedívá přímo na ni — jako by jeho pozornost upoutalo cosi v dálce.

Položila sluchátko a odešla do kuchyně. Než jí John zavolal, připravovala si sendvič se sýrem gubbeen a hodlala si ho odnést do postele k televizi. Teď ji ale hlad úplně přešel. I únava jako by z ní spadla. Barney ležel ve svém košíku v komoře a štěkal ze spaní. Po návratu domů ho Katie vykoupala, nakrmila a všemožně ho obskakovala, on za ní ale i přesto cupital z místnosti do místnosti — co kdyby ji napadlo znovu ho opustit?

Svlékla se, dala si sprchu a oblékla si dlouhou noční košili z bílého lnu, o níž John tvrdil, že v ní vypadá jako duch. „Kdybys mě v tom hábitu uprostřed noci postrašila, tak si strachy asi nadělám do kalhot."

Ztišila hlasitost své hifi věže a pustila si cédéčko *Elements* od sboru při Sirotčinci svatého Josefa, aby se uvolnila. Ty sladké pronikavé hlasy jí připomínaly, že se život neskládá pouze z mučení, škrcení a útoků kladivem. A nejenom to: Katie připadalo příznačné a povzbudivé, že takhle duchovní hudbu nahrály děti z téhož sirotčince, před nímž byl nalezen otec Quinlan. Jako by se ho pokoušely utěšit a svým zpěvem doprovodit na cestě do nebe.

Katie otevřela laptop a zběžně si pročetla pitevní zprávy, které jí poslala doktorka Collinsová. Obě byly zdlouhavé a plné odborných termínů — jako by je tvořil nekončící seznam téměř všech fraktur a zhmožděnin uvedených v lékařském slovníku. O některých zraněních neměla Katie až doteď tušení. Otce Heaneyho například před kastrací análně znásilnili stočeným výtiskem novin — doktorka Collinsová to poznala na výstelce knězova řitního otvoru, která byla natržená a poskvrněná sójovým olejem, používaným jako rozpouštědlo novinového inkoustu, dále černí, kadmiem žluté a dalšími přírodními barvivy, jimiž se tisknou fotografie.

Katie si původně plánovala uvařit šálek čaje, ale nakonec zamířila k baru a nalila si velkého panáka vodky. Panenko Maria, pomyslela si. Pomsta je jedna věc, ale tohle je ryzí sadismus. Poranění, která doktorka Collinsová ve zprávách vyjmenovávala, byla bod od bodu krutější a Katie si nedokázala představit, že by za ně mohl být zodpovědný někdo jiný než učiněný psychopat nebo démon. Démoni ale existovali pouze v legendách a Bibli.

Lokla si vodky a otřásla se, podobně jako se údajně otřásají i démoni, kdykoli zaslechnou jméno Boží.

Jedním si však byla stále jistější i přesto, že neměla žádný důkaz: Brendan Doody není tím, koho hledají. Monsignore

Kelly se ji z nějakého důvodu usilovně snažil přesvědčit, že ten mladík je vrah, jenže na životě toho muže nebylo nic, co by ukazovalo na takto vynalézavou bezcitnou povahu. Brendan Doody chodil lidem natírat plot, sekat trávník a plít zahrádku a v jeho zchátralém obydlí se nenacházelo nic, co by nasvědčovalo tomu, že je posedlý touhou působit ostatním nesnesitelnou bolest.

Bylo půl jedenácté večer a Katie se rozhodla zavolat do nemocnice a zeptat se, jestli se na Siobhanině stavu něco nezměnilo. „Bohužel je na tom pořád stejně," sdělila jí sestra, která měla službu na jednotce intenzivní péče. „Je v bezvědomí, ale stabilizovaná. Zítra v devět ráno se na ni přijde podívat pan Hahq."

Katie se vrátila zpátky k laptopu a začala si na internetu zjišťovat informace o všelijakých špičatých kloboucích, pro případ, že by jí pomohly dozvědět se víc o totožnosti muže, který otce Heaneyho zavlekl do řeky Blackwater. Jedny z prvních zašpičatělých čepic se údajně našly v hrobkách mumií pohřbených někdy v době železné, okolo roku 800 před Kristem: „Velmi dlouhé kuželovité klobouky, stejné jako ty, které si o Halloweenu nasazujeme, abychom se proměnili v čarodějnice na košťatech nebo středověké čaroděje zabrané do svých kouzel."

Vedle tradiční oslovské čapky existoval i *hennin*, který v patnáctém století nosily francouzské šlechtičny a v němž se na ilustracích v pohádkových knížkách často zobrazují unesené princezny. Pak tu byl i *capuchon* typický pro oslavy masopustního úterý v Louisianě, bavorský *spitzhut* a klobouk ve tvaru homole, jaký mívají v oblibě čarodějky. Následovala lepenková kuželová čepice, kterou si ve Španělsku nasazují kajícníci, obvykle doplňovaná maskou, aby dotyčnému nebylo vidět do tváře. Za éry španělské inkvizice ji obžalovaní kacíři museli mít na hlavě při veřejném ponižování, mučení a následné popravě.

Katie napadlo, že způsob, jímž byli zavražděni otec Heaney a otec Quinlan, by se španělským inkvizitorům velmi, velmi zamlouval.

Bylo nad slunce jasné, že se vrah touží pomstít kněžím, kteří ho v dětství zneužívali, Katie se však nedokázala zbavit pocitu, že na celé té věci je ještě něco víc. Párkrát se dostala do situace, kdy musela vyslýchat chlapce zneužívané církevními hodnostáři. Nikdy pro ni nebylo lehké je přesvědčit, aby to trauma přiznali. Někteří z nich chtěli zapomenout, že k něčemu vůbec došlo, výjimkou však nebyly ani případy, kdy k provinilému knězi nepřestávali navzdory všemu pociťovat úctu a lásku.

„Vžijte se do kůže takového pubertálního kluka," prohlásil kdysi její učitel psychologie během přednášky na policejní škole v Templemore. „Představte si, že jste celý život trpěli nedostatkem lásky i náklonnosti. Vaši opilí, ignorantští rodiče vás ustavičně bili a zanedbávali. A potom vám najednou usměvavý přátelský kněz dá tyčinku Mars, ukáže vám fotky nahých ženských a láskyplně vám asistuje při masturbaci. Opravdu by vám to připadalo tak hrozné?"

Katie zadala do Googlu „demonstrace proti pedofilním kněžím" a získala stovky tisíc výsledků, které se však z větší části týkaly Ameriky a hlavně filadelfské arcidiecéze. Potom ale klikla na článek z deníku *Cork Examiner* z 29. dubna 2003 a všimla si titulku „BISKUP VYZVÁN, ABY PROZRADIL JMÉNA PEDOFILNÍCH KNĚŽÍ".

Katie si ten protestní pochod pamatovala, přestože proběhl víceméně poklidně a nikdo během něj nebyl zatčen. Tenkrát byla ještě obyčejná policistka Maguirová. Zhruba třicet obětí sexuálního zneužívání tehdy uspořádalo na Redemption Road průvod, jehož účastníci měli skoro všichni na tvářích masky, aby zůstala utajena jejich identita. Protestující požadovali, aby biskup Kerrigan zveřejnil jména dvanácti corkských duchovních, o nichž panovalo důvodné podezření, že v minulosti zneužili děti svěřené jim do péče — chlapce i děvčata.

Článek provázela fotografie, na níž byli protestující před úřadem diecéze. Na schodech před budovou stál samotný monsignore Kelly a s podivně zastřeným pohledem přijímal petici od vůdce manifestace. Obklopovalo ho přibližně pět až šest kněží, všichni do jednoho vyšší než on. Vypadali spíš jako jeho bodyguardi než duchovní bratři. Pršelo a jeden z nich mu nad hlavou přidržoval obrovský deštník.

Protest vedl muž jménem Paul McKeown, ředitel Corkské společnosti pro oběti sexuálních zločinů, jejímž účelem bylo poskytnout terapeutickou péči mladým mužům a ženám, které v dětství zneužívali duchovní. Jako jediný z celého davu neměl na hlavě masku. Byl vysoký a měl tmavé kudrnaté vlasy, odvracel však tvář od fotografa, a tak z něj Katie nic víc neviděla.

Ostatní protestující měli obličeje zahalené šátky, kuklami nebo bledými bezvýraznými maskami a Katie si všimla, že úplně vzadu postává pět lidí ve špičatých bílých čepicích a látkových rouškách. Všichni bez výjimky odpovídali popisu paní Rooneyové: „Vzpomněla jsem si na ty oslovské čepice, které nás nutili nosit ve škole, kdykoli jsme udělali chybu při počítání.“

A Katie zaznamenala ještě něco — kousek za demonstranty ve špičatých čepicích parkovaly dva vozy: stará, vínově červená honda accord a černá dodávka, na níž byly namalované dva otazníky, po jednom na každých zadních dveřích.

Dodávka stála od fotografa nejméně patnáct metrů daleko, a tak Katie nemohla rozluštit její státní poznávací značku. Nebyla si úplně jistá, že vidí skutečně otazníky. Byly sice zřetelnější než ten na zadních dveřích dodávky, kterou zachytily bezpečnostní kamery, ale zdály se rozmazané nebo nějakým způsobem upravené.

Katie vzala mobil a zavolala detektivu O'Donovanovi.

„Patricku? Jak to, že nespíte?"

„Koukám na živý přenos Irské ligy. Galway United versus Sligo Rovers."

„No, nerada vyrušuju od zábavy, ale za minutku vám pošlu e-mailem jednu fotku. Jde o snímek pořízený během manifestace pořádané v dubnu 2003 lidmi, které sexuálně zneužili kněží. Několik protestujících má na hlavě špičatou čepici, jakou měl podle paní Rooneyové i muž, co ho zahlédla v Blackwateru. Kromě toho parkuje v pozadí dodávka velmi podobná té, kterou se snažíme vypátrat. Zaneste ten snímek na fotografické oddělení *Examineru*, požádejte je, ať vám vyhledají originál, a zašlete ho do Dublinu, aby nám ho zvětšili."

„Aha," řekl detektiv O'Donovan sklíčeně. „Tak jo."

„Jaké je skóre?" zeptala se Katie, když uslyšela hulákající dav fotbalových fanoušků v pozadí.

„Galway tři, Sligo nic."

„To mě mrzí."

„No jo, mě taky. Já Sligu šíleně fandím."

28

Gerry O'Dwyer nastavil ve svém obchodě s hudebními nástroji poplašné zařízení, vyšel ven na ulici a zamkl za sebou. Na Maylor Street v tuhle noční dobu nebyl nikdo kromě hloučku mladých lidí na rohu, kteří přešlapovali, pokřikovali na sebe a kouřili cigarety. Gerry se podíval na hodinky a vyrazil k Patrick Street. Bylo sedm minut po jedenácté. Neměl v úmyslu zůstat vzhůru takhle dlouho, ale slíbil své účetní, že jí do zítřejšího rána dodá zprávu o stavu firmy. Příští týden měla odjet na dovolenou na Lanzarote, a pokud jeho daňové přiznání nedokončí do pondělka, nebude na ně mít následující dva týdny čas a on bude muset zaplatit pokutu.

Gerrymu připadalo paradoxní, jak se míní přetrhnout, aby jí účetnictví doručil včas, když on sám si s Maureeen nemůže dovolit ani víkendový pobyt v Kerry. Za současné hospodářské situace lidé radši šetří na jídlo a splácí účty za kreditní karty, než aby vyhazovali za hudební nástroje. Neuběhl jediný den, aby do jeho krámku The Mighty Minstrel nezavítal nějaký dřívější zákazník a nepokusil se vrátit mu kytaru nebo housle, které si u Gerryho koupil za příznivějších poměrů. Irští obchodníci s hudebními nástroji mívali takové pořekadlo: když kupuješ, jsou to skřipky, když prodáváš, jsou to housle.

Gerry byl urostlý muž. Když ještě chodil na střední školu Presentation Brothers College, býval hvězdou tamního ragbyového družstva a po složení řeholního slibu trénoval tým Sirotčince svatého Josefa. Poslední dobou však začínal mít dojem, že ho čas a okolnosti pomalu udolávají. Bylo to na něm vidět — husté kudrnaté vlasy mu zešedly a se zlomeným nosem vypadal jako zkrachovalý boxer, nikoli jako silný rojník z druhé řady. Ramena pod omšelým kabátem ze zeleného tvídu měl zakulacená a jeho chůze už dávno nebyla pyšná, teď připomínala spíš dědečkovské šourání.

Nahlas by to nikdy neřekl, ani před Maureen ne, ale zmocňoval se ho stále neodbytnější pocit, že ačkoli Bohu zasvětil celý život, Pán se k němu obrátil zády.

Sotva došel na roh Patrick Street, odlepil se od vchodu do obchodního domu Brown Thomas jakýsi muž a namířil si to přes ulici přímo k němu.

„Nemáte oheň?" zeptal se a zamával cigaretou. Byl hubený, měl velký úzký nos a jeho stříbřité uhlazené vlasy se ve světle pouličních lamp leskly. Na sobě měl černou koženou bundu.

„Ovšem." Gerry se zastavil a sáhl do kapsy pro zapalovač. On sám nekouřil, ale často se stávalo, že potřeboval rozpustit pečetní vosk a lepidlo nebo přepálit střívkovou strunu. Cvakl zapalovačem, muž si cigaretu vsunul mezi rty, naklonil se k němu a dal ruce kolem těch Gerryho, aby plamen nezhasl. To gesto působilo téměř intimně.

Vyfoukl kouř koutkem úst a řekl: „Díky." Náhle dal hlavu na stranu jako zvídavý kokršpaněl a prohodil: „Já vás odněkud znám."

„To je docela dobře možné," pokrčil rameny Gerry. „Nechodil jste na Presentation Brothers College?"

„Cože, já? Na takovou školu mi to málo myslí. Jako kluk jsem byl přesvědčený, že Herkules je přezdívka pro chlapa s velkými koulemi."

„Třeba jsme se viděli u mě v obchodě, tamhle — The Mighty Minstrel."

„To je ten krámek s hudebními nástroji? Ne, tam jsem v životě nevkročil — kdepak, já a hudba. Musel jsem vás potkat někde jinde."

„Tak to vážně nevím. Teď mě prosím omluvte, musím jít. Už takhle mám zpoždění."

„Počkejte," vyhrkl muž a zvedl ruku s cigaretou. „Vy jste nosíval kolárek! To je ono. Úplně vás vidím, jak jste navlečený v kněžském hábitu. Že mám pravdu?"

„Kněz? Ne, nikdy."

Muž potřásl hlavou. Ve tváři měl potutelný výraz, který se Gerrymu ani trochu nezamlouval, a nosními dírkami vydechoval kouř. Gerryho napadlo, že by nebylo těžké splést si ho s démonem.

„To je ale zvláštní," řekl muž. „Byl bych ochotný přísahat, že jste kněz, kterého jsem kdysi znával. Jako byste mu z oka vypadl. Ovšem, byl o dvacet let mladší než vy, ale přesto — stejně pochybný maník, stejný uhýbavý pohled, jako by někde hluboko v sobě skrýval cosi, co chce před druhými utajit. Chápete, jak to myslím?"

„Ne, to opravdu nechápu. A vážně musím jít."

„Ale no tak, vždyť to mám na jazyku! Otec O'Grady? Ne, otec O'Grady to nebyl. Otec O'Gallagher, to je ono. Otec O'Gallagher!" Muž se odmlčel a zamračeně potáhl z cigarety. „Ne, moment, takhle se taky nejmenoval. Jmenoval se — počkat — otec O'Gara! No jo, otec O'Gara! Jako byste byl jeho dvojče. Otec O'Gara od Svatého Josefa!"

Gerry místo odpovědi udělal krok stranou a vyrazil pryč.

„Otec O'Gara!" zahalekal muž za Gerryho zády a jeho hlas se po vylidněné obchodní třídě hlasitě rozléhal. „Jste to vy, neopovažujte se zapírat! Jen to zkuste zapřít, tady před Bohem!"

Gerry, který mezitím dospěl až ke konci pěší zóny, se zastavil na obrubníku a ohlédl se. „Poslyšte, kamaráde, netuším, co tu předvádíte, ale moje jméno je O'Dwyer a nikdy jsem kněz nebyl. Takže nám oběma prokažte službičku a laskavě odpalte, ano?"

Muž se k němu pomalu vydal, aniž by na sobě dával znát sebemenší rozpaky. Nepřestával se usmívat. „A co se stane, když vás neposlechnu, otče O'Garo? Brnknete policajtům? Co kdyby vám odebrali otisky prstů a dokázali, že jste to fakt vy?"

Gerry se na něj obořil: „Sakra, nechte mě na pokoji, než udělám něco, čeho budu hořce litovat."

Muž však přistoupil ještě blíž a naklonil se k němu. V jeho vykulených očích se zračil pocit vítězství. „Litujete i jiných věcí? Například všech těch ubrečených malých kluků od Svatého Josefa? Páni, otče, jestlipak dovedete spočítat, kolikrát jejich polštáře nasákly slzami, nemluvě o jiných tekutinách?"

„Nic takového jsem neprovedl!" vyštěkl Gerry. „Ani jednou!"

„Takže přiznáváte, že jste to vy!" odsekl muž. „Přiznáváte, že jste otec O'Gara!"

Vtom se mu Gerry oběma rukama opřel do hrudi, aby ho od sebe odstrčil, a přestože dávno neměl stejnou sílu jako během své ragbyové kariéry, povedlo se mu srazit jej na chodník. Muži při pádu nohy vylétly vzhůru a jeho cigareta se ve sprše jisker odkutálela do kanálu.

„Fajn!" zavrčel. Překulil se na bok a opět se postavil, zadýchaný námahou a vztekem. „Fajn! Mám toho dost, to vám kurva povídám! Mám toho dost! Však já vám ukážu, zač je toho loket!" zařval a vyřítil se na Gerryho se zaťatými pěstmi, jako by zkoušel napodobit bojový styl pěstních zápasníků a moc mu to nešlo.

Gerry řekl: „Ať vás to ani nenapadne, jinak půjdete domů s brekem. Odprejsknete konečně, jak jsem vás žádal?"

Muž se k němu kousek po kousku přibližoval, opakovaně zasazoval údery jakémusi neviditelnému nepříteli, odfrkoval a vykřikoval: „No jen si pro mě pojďte!"

Gerry pozvedl ruce a ucouvl. „Já se s vámi prát nehodlám, vy idiote. Jděte si lehnout a vyspěte se z toho."

„Čeho se bojíte, otče? Máte strach, že někdo ví, kdo doopravdy jste? O'Dwyer, no to mě poser! Jste otec O'Gara od Svatého Josefa a nastal čas, abyste zaplatil."

Gerry před ním dál couval, obě ruce zvednuté na obranu. Byl plně zaneprázdněný tím poskakujícím blbcem, který kolem sebe nepřestával máchat rukama, a tak mu úplně uniklo, že ani ne šedesát metrů po jeho pravici nastartovala dodávka, se zhasnutými světly odrazila od obrubníku a řítí se rovnou na něj. Zaznamenal ji teprve v okamžiku, kdy pozpátku vstoupil do silnice.

Pokusil se vyskočit zpátky na chodník, ale muž v černé kožené bundě se k němu dvěma rychlými kroky přihnal a praštil ho do prsou, podobně jako předtím on udeřil jeho. Velkou sílu sice neměl, přesto Gerry zakopl a zakymácel se. Bezděky vyhodil ruce do vzduchu, aby získal rovnováhu, bylo ale příliš pozdě — dodávka ho s ohlušující ránou srazila. Nejela rychleji než třicet kilometrů za hodinu, bohatě to však stačilo a Gerry odletěl na opačný konec ulice. Přistál na tvrdé zemi a kutálel se a kutálel, dokud se nezastavil nárazem o odpadkový koš, obličej zakrvácený a ruce i nohy nepřirozeně pokroucené. Jejich poloha připomínala hákový kříž. Zůstal ležet, tvář opřenou o studený beton, a bez hnutí civěl na nohu odpadkového koše. Vědomí neztratil, zdálo se mu však, že svět se začíná rozpíjet a postupně se noří do čím dál větší tmy.

Nechápal, co se stalo. Připadal si jako tehdy, když se na něj během ragbyového utkání zřítil celý mlýn a půltuctu hráčů ho nechtěně podupalo, jak se ze všech sil snažili z té hromady těl vymotat.

Cítil, že se jeho ruka bezvládně povaluje na chodníku. Zkusil jí pohnout, ale jeho mozek odmítl vydat příslušný rozkaz. Gerry měl dojem, jako by se jeho nohy oddělily od zbytku těla, a napadlo ho, že možná nebude víckrát chodit.

Odkudsi se ozval hlas nějaké dívky: „Slyšíte mě, pane? Jste naživu?"

Pokusil se vzhlédnout, ale i přesto z děvčete neviděl nic než červené sandály na klínku a dvě hubené nohy v těsných černých džínech. Uslyšel druhý dívčí hlas: „Ne, Mar, není mrtvý, koukni se: hýbe očima. Zavolám záchranku."

Na chvíli se rozhostilo ticho. Gerry vnímal pouze šoupání nohou na chodníku a tlumený rozhovor několika lidí, neslyšel však, co si povídají. Jediný srozumitelný hlas patřil ženě, která pořád dokola opakovala: „Nemělo by se s ním hýbat, učí se to tak ve skautu. Vážně by se s ním nemělo hýbat. Co když si zlomil vaz? Nebo natrhl slezinu?"

Vtom nad Gerrym promluvil jakýsi muž: „To je v pořádku. My ho odvezeme tamhle do nemocnice U Milosrdných. Bude to rychlejší než čekat na sanitku." Jeho hlas zněl velice melodicky a konejšivě, skoro jako když matka uklidňuje děti nebo když anděl utěšuje vdovce truchlícího u smrtelné postele své ženy.

„Neměli byste s ním hýbat," zopakovala žena. „Už by taky nemusel chodit. Vždyť se podívejte na jeho nohy. Jsou zkroucené jako paragraf."

„Nedělejte si s tím starosti, má milá. Mám kurz první pomoci. Každý víkend jezdím se záchrankou od Svatého Jana pomáhat na fotbalových zápasech. Čím dřív ho převezeme do nemocnice, tím líp, věřte mi."

„Podle mě byste s ním neměli hýbat."

Okolní svět potemněl, přesto si Gerry uvědomoval, že se jej chápou tři nebo čtyři páry rukou a zvedají ho. Měl pocit, jako by jeho vnitřnosti procházely drtičkou a kosti se mu odíraly o sebe. Uvědomoval si, že by měl strašlivě trpět, kupodivu však nic necítil. Třeba ta bolest byla natolik nesnesitelná, že ji jeho mozek prostě odmítl zpracovat.

Zatímco ho ty cizí ruce odnášely pryč, vzhlédl a spatřil rozkomíhaná světla pouličních lamp. Muži, kteří jej nesli, se na několik vteřin zastavili a on zaslechl vrzání otevírajících se dveří. Pak se ocitl v zadní části dodávky a dopadl na cosi, co páchlo jako hromada prázdných pytlů.

Otevřel ústa, aby vykřikl: „Kam mě to vezete?", ale z hrdla se mu vydralo jen sípavé vypísknutí, jako by se pokoušel dýchat skrz ucpaný nos. Dveře se zabouchly, motor téměř okamžitě nastartoval a dodávka se rozjela. Řidič vůči zraněnému pasažérovi neprojevoval žádné ohledy — jel rychle a trhal volantem, a kdykoli zahnul za roh, sklouzl Gerry z jednoho konce auta na druhý a udeřil se o podběh. Zkusil se přidržet pytlů, jenže i ty po podlaze sjížděly.

Po pěti minutách naplněných otřesy a nadskakováním si Gerry uvědomil, že do nemocnice U Milosrdných nejedou, je totiž hned za rohem Patrick Street, poblíž místa, kde ho dodávka přejela. Zjevně stoupali do kopce, poněvadž se pytle začaly shrnovat u zadních dveří a Gerry zaslechl, jak řidič přeřazuje. Do kopce, to znamenalo na sever, pryč od centra. Pochopil, že ho do žádné nemocnice nevezou, protože nejbližší nemocnice na sever od Corku sídlila v Mallow, což bylo přes třicet kilometrů daleko.

Dodávka najela do výmolu, nejprve do jednoho, pak do druhého a Gerrym to divoce házelo nahoru a dolů. Temenem hlavy se opakovaně tloukl o podlahu. Teprve v tu chvíli ho naplno zasáhla bolest, strašlivá bolest, jakou nikdy nezažil. Jako by byl v krematoriu a nohama napřed ho protlačovali skrz drtičku kostí.

Bolest neúprosně stoupala z nohou výš a výš, převalila se přes rozkrok a sevřela mu hrudník, takže se nemohl ani nadechnout, natož zavolat o pomoc. Na pár vteřin omdlel, potom se mu však vědomí vrátilo a zmocnila se ho ledová agonie. Nikdy by nevěřil, že je taková bolest vůbec možná. V nohách mu tepalo, pánev jako by pukla na dvě poloviny a žebra se mu zabodávala do plic. I zuby ho bolely, až dole u kořenů. Před očima se mu míhaly černé a rudé pásy a znovu upadl do bezvědomí, i nyní se ale zase probral. Bolest ho však neopustila, naopak byla ještě nesnesitelnější.

Ach, dobrý Bože, prosím tě, ušetři mě toho. Drahý Bože, prosím tě, otoč se a shlédni na mě. Snažil jsem se tě jenom potěšit, můj milovaný Pane. Prosím, přestaň se ke mně obracet zády, úpěl v duchu.

Auto se však dál neúprosně šinulo do kopce a Gerryho bolest se s každým dalším hrbolem a úderem jeho srdce zhoršovala. Byla neuvěřitelně intenzivní, jako neslyšný, pronikavý, strašný výkřik, který lidské ucho není schopno zachytit.

Dodávka se na čemsi hlučně smekla, nejspíš na oblázcích, a zastavila. Gerry ležel se zavřenýma očima na pytlích a modlil se, aby ho odtamtud odnesli, zároveň se však bál, že s ním muži budou hrubě zacházet a ublíží mu ještě víc.

Zadní dveře se s dvojitým prásknutím otevřely, kdosi do dodávky vlezl a klekl si vedle něj.

„Jak vám je, otče?" řekl ten sladký konejšivý hlas, který Gerry zaslechl, když bezmocně ležel na Patrick Street. Přinutil se otevřít jedno oko a uviděl, že se nad ním sklání tmavá rozmazaná postava ve špičaté kápi, která muži zakrývá celý obličej až na oči za dvěma strašidelnými průzory.

„Omlouvám se, pokud si připadáte zbitý a zhmožděný, otče," prohlásil ten člověk. „Bohužel jsme vás museli unést rychle a tohle byl nejlepší způsob, jak to udělat. Nepochybuju, že jinak byste před lidmi ztropil děsný povyk, a navíc máte navzdory svému věku pořád slušnou sílu."

„Doktora," zašeptal Gerry. Cítil, jak mu z otevřeného oka stéká slza. „Prosím, sežeňte mi doktora."

„Všechno pěkně popořadě," řekla postava ve špičaté čepici. „Nejdřív toho musíme spoustu vyřídit."

„Bolí to... tolik to bolí. Já to nevydržím."

„Vzpomeňte si na svá vlastní slova, otče. ‚Kristus musel na kříži snášet nepředstavitelnou bolest, aby spasil naše duše. Oplatit mu tuhle laskavost je to nejmenší, co pro něj můžeme vykonat.'"

„Udělám cokoli," zaprosil Gerry. „Jen mi sežeňte doktora. Prosím."

„Stručná odpověď zní: ne. Pojďte, kluci, už ho můžete přesunout. Odneste ho do domu, ale dejte si pozor, ať mu neublížíte. Nechceme přece, aby nás někdo nařknul, že nemáme srdce."

„Ne," namítl Gerry. „Prosím vás, zavolejte sanitku. Nikomu nic nepovím. Přísahám Bohu, že vás nikomu neprozradím."

„Copak jste zapomněl, jak jste dnes přísahal, že nejste otec O'Gara? Proč bych vám teď měl věřit?"

„Slibuji na život své ženy. Slibuji na život své dcery."

„Ach, otče, vy jste toho za ty roky nasliboval. ‚Slibuji ti, hochu, že tohle je začátek tvé cesty na vrchol.' Tenhle slib patří mezi mé oblíbené, spolu se ‚Slibuju, že tě to nebude ani trochu bolet.'"

„Prosím vás, nesahejte na mě. Nehýbejte se mnou. Dovolte mi tu ležet, dokud nepřijede záchranka. Prosím."

„To se ovšem načekáte, otče, protože já žádnou záchranku volat nehodlám. Ani za chvíli, ani později, ani zítra. Nikdy. Podívejte se na sebe. Vždycky jste se pokládal za největšího drsňáka v okolí, a to i v době, kdy jste nosíval sutanu, nemám pravdu? Tehdy jste byl tvrďák. Teď ale fňukáte jako malé děcko."

Gerry nic neříkal, protože jej přesně v tom okamžiku ohlušil a oslepil příval bolesti. Stejně ho nenapadalo, co by tomu člověku odpověděl. Muž ve špičatém klobouku přešel ke dveřím dodávky a vyskočil ven na oblázky. „Zatím nashle, otče. Třeba vás to nebude tolik bolet, až se zase uvidíme. Dobrá, kluci, vezměte si ho."

29

Katie se nevyspala dobře. Zdálo se jí, že se k ní do domu vloupal vetřelec a schovává se v nějakém pokoji, nevěděla však ve kterém. Ve svém snu postávala na chodbě, nehnutě a bez dechu, ale i narušitel pravděpodobně zadržoval dech, protože neslyšela, že by se pohnul.

„Kdo je tam?" zeptala se a snažila se znít rozhodně. „Ať jste kdokoliv, měl byste ve vlastním zájmu vylézt ven s rukama nad hlavou."

Žádná odpověď. Možná se spletla a nikdo se do domu nevloupal. Vrátit se zpátky do postele se však neodvažovala — co kdyby ten vetřelec vtrhl k ní do ložnice, až bude spát, a zaútočil na ni kladivem?

Budík zazvonil těsně před šestou ráno. Katie vstala, odplížila se do koupelny a příštích pět minut strávila se zavřenýma očima pod sprchou. Potom se postavila k umyvadlu a dlouze se zadívala na svůj odraz v oroseném zrcadle, jako by sama sebe nepoznávala. Mokré vlasy se jí lepily na ramena a na ňadra jako nějaké smyslné mořské víle.

Proboha, pomyslela si, proč musí být zrovna můj život jeden velký průšvih? Byla v pokušení zvednout telefon, oznámit vrchnímu inspektoru O'Driscollovi, že s okamžitou platností rezignuje, a hned nato zavolat Johnovi a říct mu, že by s ním do San Francisca odjela, i kdyby jí práci u Pinkertonovy detektivní agentury nesehnal. Cítila se neuvěřitelně vyčerpaná a deprimovaná. Ano, vypadala jako irská mořská víla, jenže tahle víla za sebou v síti vláčí celý Cork se všemi jeho prospěcháři, drogovými dealery, pasáky a politickými kšeftaři, zatímco z téže sítě na opačný konec oceánu odplouvá láska k životu.

Oblékla si světlehnědý svetr a tmavě hnědé kalhoty, odešla do kuchyně a uvařila si hrnek černé kávy. Postavila se k dřezu, aby ji vypila, a dívala se při tom z okna na malou zahrádku za domem. Obloha byla zatažená a pršelo. U nosu sošky Panenky Marie, která stála uprostřed skalky, se houpala velká dešťová kapka.

Katie zazvonil mobil. Volal detektiv O'Donovan.

„Dobré ráno, komisařko. Sehnal jsem od lidí z *Examineru* originál té fotky. Vykutal mi ji Tim O'Leare, noční redaktor. Jakmile to půjde, pošlu ji klukům z technického."

„Díky, Patricku. Jedu teď do nemocnice za sestrou, ale kolem půl desáté budu na ústředí."

„Všichni se modlíme, aby se brzo uzdravila. Dneska nejspíš dorazí zpráva z forenzního — ten chlap, co se k vám vloupal, po sobě ale nezanechal zrovna hromady důkazů. Akorát zelený fix a pár neúplných otisků na dveřích do obýváku, ale ty můžou patřit komukoli."

„Zatím se mějte, Patricku. A za ty modlitby děkuju."

„Modlitby někdy zabírají, komisařko. Vím to z první ruky."

„Jednou mi o tom budete vyprávět. Začínám si pomalu říkat, jestli Bůh náhodou nemá prázdniny."

Dorazila na jednotku intenzivní péče, kde zjistila, že Siobhan je stále v bezvědomí. Její obličej byl pod kyslíkovou maskou sinalý a bledý, službu konající sestra však Katie ubezpečila, že Siobhaniny životní funkce jsou stabilizované a její krevní tlak se v noci zvýšil.

„Pan Hahq se na ni podívá a pak ji znovu pošleme dolů na tomogram, abychom měli jistotu, že se opět nespustilo vnitřní krvácení."

Katie vzala Siobhan za ruku a stiskla ji. „No tak, Siobhan. Vzpomínáš, jak jsme si hrávaly na Šípkovou Růženku? Jedna z nás vždycky předstírala, že spí, a ta druhá musela přijít na způsob, jak ji probudit. Mě stačilo polechtat a bylo to, ale ty? Na tebe jsem klidně mohla vylít hrnek vody, a ani jsi nemrkla."

Odmlčela se a místnost naplnil zvuk deště bušícího do okenní tabulky. „Teď si ale na Šípkovou Růženku nehrajeme. Jsme dospělé a nesmíme předstírat — nemůžeme si to dovolit. Já vím, že chceš vyhrát, ale je načase, abys toho nechala."

Dál na Siobhan mluvila, náhle však do pokoje vstoupil Michael ve vytahané khaki větrovce a pytlovitých džínech. Vypadal k smrti unavený.

„Michaeli," užasla Katie.

Zvedl ruku, aby jí ukázal, jak bezmocně se cítí. „Jen se na ni koukni. Vždyť mohla umřít."

„Kdy ses o tom dozvěděl?"

„Včera večer. Celý den jsem se jí snažil dovolat na mobil, a když mě to přestalo bavit, brnkl jsem k ní do práce."

„Řekli ti, jak je to s ní vážné?"

Michael přikývl. „Podle sestřičky přežije, ale neví se, jestli nebude malinko pošahaná, až se probudí. Však víš, kvůli tomu poranění mozku."

Katie netušila, co na to odpovědět. Michael přistoupil k nemocničnímu lůžku a jemně položil ruku na Siobhaninu hlavu.

„Chceš něco vědět, Katie?" prohodil. „Nikdy jsme se se Siobhan neměli rozcházet. Člověk nikdy neví, co má, dokud o to nepřijde."

„Teď máš Nolu."

Michael nepouštěl ruku ze Siobhanina čela. „Já vím," odsekl. „To mi fakt připomínat nemusíš."

Cestou na Anglesea Street jí zazvonil mobil a přehrál první tři takty z „Fields of Athenry". Volal vrchní inspektor O'Driscoll. Katie hovor přijala a řekla: „Inspektore? Za tři minuty jsem na místě."

„Zkuste to urychlit, pokud můžete. Zdá se, že nám spadl do klína další mrtvý kněz. Zatím si tedy nejsme jisti, že je po smrti, ale pohřešuje se a půl tuctu svědků vidělo, jak ho přímo uprostřed Patrick Street smetli nějací chlapi, naložili ho do černé dodávky s otazníkem na zadních dveřích a zdejchli se s ním."

„Kdy k tomu došlo?"

„Včera večer kolem jedenácté, ale nahlásili nám to teprve před hodinou, věřila byste tomu? Všichni svědci si mysleli, že ho dodávka odveze do nemocnice U Milosrdných. Jeden ze svědků se šel ráno zeptat na pohotovost, jestli je ten chlap živý a zdravý, a oni mu řekli, že tam nikoho takového nepřivezli.

Zavolali jsme do Všeobecné nemocnice v Mallow a nemocnice svatého Antonína v Dunmanway, tam ale taky není — ne že bychom snad čekali opak."

„Dobrá," řekla Katie. „Právě jsem dojela ke Kinsale Road. Za chvíli jsem u vás."

Vrchního inspektora O'Driscolla našla ve vyšetřovací místnosti, jak mluví k bledé ženě s očima posazenýma blízko u sebe a s fádními šedými vlasy připlácnutými jako přejetý holub k jedné tváři. U okna stál inspektor Liam Fennessy, který se dnes podobal Jamesi Joyceovi víc než kdy jindy, a kravatou si leštil kulaté brýle. Těsně vedle neznámé ženy seděl strážmistr

212

Jimmy O'Rourke a ruku měl soucitně položenou na rameni jejího rezavě červeného, ručně pleteného svetříku. O protější zeď se opíral detektiv Horgan a rukou si zakrýval obličej, aby nebylo vidět, že se vrtá v nose.

„Á, Katie," přivítal ji Dermot O'Driscoll. „Tohle je paní Maureen O'Dwyerová. To jejího manžela, Gerryho O'Dwyera, včera v noci na Patrick Street srazili a patrně unesli."

Katie si přitáhla židli a posadila se naproti paní O'Dwyerové. „Víme určitě, že jde o Gerryho O'Dwyera?" zeptala se.

Liam Fennessy odpověděl, aniž by se odvrátil od okna: „Identifikovali ho dva svědci, komisařko. Jedná se o vedoucího hudebního obchodu The Mighty Minstler na Maylor Street."

„Ano, ten krámek samozřejmě znám. A myslím, že znám i jeho, minimálně od vidění. Proč by ho ale někdo srážel a unášel?"

Paní O'Dwyerová se na Katie zadívala zarudlýma očima. „Vzali jsme se před sedmi a půl lety. Je dobrý člověk, ale není to s ním snadné. Pořád říká, že ho pronásledují výčitky svědomí — jako vzteklý pes, který čeká, až dostane příležitost po něm skočit a zakousnout ho."

„Výčitky svědomí? Pročpak? Kvůli čemu si připadal provinile?"

„Právě jsem o tom vyprávěla vašim kolegům. Víte, on se vždycky nejmenoval Gerry O'Dwyer. Pět let před tím, než jsme se seznámili, to byl otec Gerry O'Gara."

„On býval kněz?"

Paní O'Dwyerová přikývla. „Byl jedním z těch duchovních od Sirotčince svatého Josefa, které vyšetřovali, protože prý špatně zacházeli s dětmi. Gerrymu nikdy nic nedokázali, ani žádné z těch dětí na něj jakživ neukázalo a neprohlásilo, že je zneužíval. Přísahal mi, že jim nikdy neprovedl nic nepatřičného.

Zároveň se ale strašně styděl, že ho z toho lidi obviňují. Odešel od kněžstva, změnil si jméno a pokusil se začít nový život."

Liam Fennessy si přestal čistit brýle, nasadil si je na nos a řekl: „Tak vidíte. Třetí kněz podezřelý ze sexuálního zneužívání, ať už to udělal, nebo ne. Pro jeho dobro bychom měli doufat, že ho neunesli ti samí pachatelé, kteří zabili otce Heaneyho a otce Quinlana."

„Najdete ho, viďte?" naléhala Maureen O'Dwyerová a točila svým snubním prstenem. „Nedopustíte, aby mu ublížili, že ne? Je to vážně moc hodný člověk."

Strážmistr O'Rourke řekl: „Naši muži ho všude hledají, Maureen, a popis té dodávky jsme zaslali na každou policejní stanici v Kerry, Limericku, Tipperary a Waterfordu. Očividně je těžké ji přehlédnout. Dřív nebo později si jí někdo všimne. Teď nemůžete dělat nic jiného než jít domů a pomodlit se. Pán vám to pomůže přestát, slibuju."

Katie zavolala mladou policistku, aby paní O'Dwyerovou odvedla z vyšetřovací místnosti a doprovodila ji ven. Jakmile byly pryč, Katie se otočila k ostatním a řekla: „Odpovídá to něčemu, co jsem tuhle vykládala doktorce Collinsové. Skoro jako by si pachatel *přál*, abychom ho dopadli. Ne hned, ale časem, až potrestá všechny duchovní, kteří si podle něj potrestat zaslouží. Beze všeho mohl použít jinou dodávku, jenže chtěl, abychom věděli, že ten únos má na svědomí on. Nebo oni, to je jedno — kdo ví, kolik lidí se na tom podílí."

„To nám rovnou mohl poslat textovku," poznamenal detektiv Horgan. „„Haló, tady sériový ušmikávač šourků, zase v tom jedu. Heslo zní au.'"

Katie sevřela rty a chladně se na něj podívala, aby mu naznačila, že ji to ani omylem nepobavilo. Nepopírala však, že by detektiv Horgan mohl být něčemu na stopě. „Mám pocit, že tuhle konkrétní dodávku používá proto, že má nějaký zvláštní význam... protože je na ní něco, co by nešlo sdělit textovkou. Vezměte si například ten otazník na zadních dveřích... co asi znamená?"

Liam Fennessy pokrčil rameny a zamračil se. „Může znamenat cokoli, anebo taky vůbec nic. Třeba tím prostě chce říct: ‚Co jsem kurva zač a proč tohle všechno dělám?' Anebo: ‚Vy idioti si nad tím furt lámete hlavu, co?'"

Dermot O'Driscoll se podíval na hodinky. „Každopádně s tím případem musíme pohnout, a to hodně rychle. Katie, svolal jsem na půl třetí odpoledne tiskovku a potřebuju s vámi probrat, co přesně novinářům řekneme. Musíme být velice diplomatičtí. Spousta lidí je upřímně přesvědčena, že pokud kněz zneužije svého svěřence, zaslouží si znetvořit a uříznout koule."

„Pod tohle bych se ovšem s radostí podepsal," připojil se detektiv Horgan. „Vlastně bych šel ještě dál — prováděl bych ty kastrace veřejně na Emmet Place, vybíral vstupné a prodával k tomu popcorn."

30

Gerryho probudila mučivá bolest a nadpozemská krása něčího zpěvu. Skladbu přirozeně poznával. Byla to „Růže z Allendale", tesklivá balada o kočovníkovi odloučeném od ženy, kterou miluje. Její nazpívání bylo zcela mimořádné — vysoké a zvučné, jako by tu píseň nahráli v dozvukové komoře, a plné hudebních ornamentů, které zdánlivě trvaly nekonečné minuty.

> „Žil jsem jako v pustině
> zmítán osudem jak hejl,
> dokud mne cit nespojil
> s tou růží z Allendale."

Víc toho Gerry neslyšel, protože se přes něj najednou převalila ohavná, nesnesitelná bolest, která zastínila a vymazala vše ostatní — jeho sluch, zrak, dokonce i schopnost logicky uvažovat. Nebyl si vědom ničeho kromě pocitu, že každá kost v jeho těle byla zlomena nebo roztříštěna a jeho vnitřní orgány byly vytrženy — játra, slezina, žaludek i ledviny — a že to všechno do sebe naráží a odírá se o sebe jako čluny v rozbouřeném přístavu, zašmodrchané v roztřepené síti jeho nervů.

Uběhlo přes pět minut, teprve pak dokázal vykřiknout nebo udělat cokoli jiného než bezmocně ležet, třást se, chrčet a lapat po dechu. Utrpení postupně polevovalo, třebaže dýchání Gerryho dosud bolelo tak strašlivě, že se neovládl a po každém nadechnutí slabě zakňoural. Zpěváci dospěli k závěrečnému refrénu a poslední tón tak protahovali, že se Gerry nemohl dočkat, až píseň skončí. Konečně se rozhostil klid, který přerušilo pouze bouchnutí dveří a startování motoru.

„Bože, prosím, prosím tě, Bože, zachraň mě," zašeptal Gerry. Otevřel oči a pokusil se zaostřit na místnost, v níž se nacházel, všechno ale bylo rozmazané. Zjistil, že leží na jednolůžkové posteli, jejíž péra vržou a skřípou, kdykoli se na nich zkusí otočit. V pokoji bylo jediné malé okno, pokryté prachem a pavučinami, a Gerry jím viděl pouze zelené listí a přerostlé hortenzie, jejichž hlavičky na sebe ve větříku ustavičně pokyvovaly. Zdi byly pokryty bledě zelenými tapetami s obrázky chryzantém, protější zeď však byla vlhká a dělaly se na ní tmavě hnědé skvrny. Na zbylých třech stěnách se tapeta buď vzdouvala, nebo přímo odloupávala. Na podlaze spočíval laciný bledý koberec, který byl tak špinavý a plesnivý, že nešlo poznat, jakou barvu původně měl.

„Prosím, Bože," zopakoval Gerry, byl si ale nezájmem svého Pána neochvějně jistý — v duchu ho viděl, jak se k němu obrací zády a vlají mu u toho vlasy. Gerry v nejmenším nepochyboval, že Bůh jeho modlitby slyší, odmítá na ně však odpovědět. Obrátil se tedy k Ježíšovi.

„Ó milosrdný Pane, Ježíši Kriste, vládce země, žádám tě, abys přijal toto dítě do své náruče, jak jsi nám ve svém nekonečném milosrdenství přislíbil."

Nevěděl, zda si může poslední pomazání udělit sám — koneckonců už dávno nebyl kněz. Jiný duchovní však poblíž nebyl, a Gerry proto zavřel oči a představil si, jak sám sobě kreslí na čelo kříž. „Skrze toto svaté pomazání ať ti Pán pro své milosrdenství pomůže milostí Ducha svatého, amen. Ať tě vysvobodí z hříchů, ať tě zachrání a posilní, amen."

Sotva zamumlal závěrečná slova svého rozhřešení, uvědomil si, že se někdo potichounku vkradl do místnosti, stoupl si kousek vedle něj — ne, sklonil se nad ním! — a soustředěně poslouchá.

Gerry otevřel oči a uvědomil si, že je to muž ve špičaté čepici a roušce přes obličej, ten, s nímž mluvil vzadu v dodávce.

„Prosím," naléhal Gerry. „Odvezte mě do nemocnice."

„Aha, tak vy takhle! Vy si myslíte, že vaše odporné hříchy jsou od nynějška odpuštěny a zapomenuty, co, otče O'Garo? Moc mě mrzí, že vám to musím říct, ale jste na omylu — minimálně já a kluci jsme nezapomněli."

„Prosím vás, zavolejte mi sanitku. Já už tu bolest nevydržím ani o minutu déle."

„Bohužel," odsekl muž. Jeho hlas byl zvláštně chraplavý, skoro jako by patřil dítěti, které si hraje na dospělého. „Víte, otče, my jsme vás sem nepřivezli bezdůvodně. Jste tu proto, abyste pochopil, že všechno na světě má své následky a že zlé skutky člověku neprojdou."

„Kdo jste? Měl bych vás znát? Copak jsem vám někdy něco udělal?"

„Ale ano, znáte mě, stejně jako znám já vás. Moje jméno by vám ovšem k ničemu nebylo. Dnes si říkám Cípal, podle těch nenažraných ryb v řece Lee, které mívají neukojitelnou chuť na syrové splašky. A přesně to jste, vy i vaši zbožní bratři — splašky života, sráči, jejichž nechutnost se vzpírá pochopení, amen."

Muž se k němu sklonil ještě blíž a Gerry uslyšel, jak mu při dýchání píská v nosní dírce.

„Víte, co mi o cípalech říkával děda? Že nejlíp chutnají, když je uvaříte v hrnci s bylinkami a starou běžeckou botou. Po půl hodině hrnec vylijete, cípala vyhodíte a botu sníte."

Narovnal se a přešel k opačné straně postele, k níž byla přistavena kuchyňská židle ve stylu šedesátých let, s krémově bílými trubicovitými nohami a bledě modrým vinylovým sedákem. Gerry si všiml, že na ní stojí dvoulitrová lahev od dietní koly, naplněná jakousi průzračnou tekutinou. V místnosti byly i jiné věci, ale nemohl si je prohlédnout, aniž by otočil hlavu, a na to ho příliš bolelo za krkem.

„Já jsem jako cípalové, protože až všechny ty splašky spolykám, můj Pán mě taky vyhodí. Budu skrz naskrz znečištěný, a tudíž nehodný spásy. Moje schránka bude smrdět po vás a vašich hříších. Na druhou stranu — znečištěný jsem byl už před dlouhou, dlouhou dobou, viďte, otče? Moje tělo i duše byly zničeny dávno před tím, než jsem stihl přijít na to, kdo jsem a co od života chci.

Možná, opravdu jen možná bych si sám vybral to, co jste ze mě chtěli mít vy a vaši bratři. Dost o tom ale pochybuju. Popravdě řečeno jsem si kurva jistý, že bych si to ani náhodou nezvolil. Ovšem na výběr jste mi holt nedali.“

„Bůh rozhoduje za nás,“ zašeptal Gerry.

„Cože? Co jste mi to řekl? Vy viníte Boha, otče O'Garo? *Boha*? Neurazte se, ale to mi přijde fakt zvláštní. Nevybavuju si, že by s námi Bůh byl v místnosti a dával vám nebeskou zelenou, když jste mi udělal, co jste mi udělal.“

„Neprovedl jsem nic špatného,“ řekl Gerry. Bolest se vracela a Gerryho hlas šelestil jako list papíru, jímž si vítr pohazuje na ulici. „Přísahám, že mi šlo pouze o vaše dobro.“

„Lžete. Šlo vám o vaše dobro, vaše a toho zasraného biskupa Kerrigana. Toužil jste po slávě, otče O'Garo, vy všichni jste byli celí žhaví, až vás budou glorifikovat. Glory, glory a nádavkem jedno zkurvený aleluja.“

„Pro lásku Boží, odvezte mě do nemocnice,“ rozplakal se Gerry.

„Kdepak,“ řekl Cípal. „Žádná nemocnice. Pěkně se vyzpovídáte ze svých hříchů a budete prosit o odpuštění, ne Boha, ale mě.“

219

„Já už Boha o odpuštění neprosím," prohlásil Gerry. Odmlčel se, aby se dvakrát bolestivě nadechl, a dodal: „Bůh mi beztak nenaslouchá."

„Proč mě to nepřekvapuje?" podotkl Cípal. Vytáhl z kapsy dvě pouta z černého nylonového kabelu a přemístil se k pelesti.

„Dobrá," řekl. „A teď vás hezky posadíme."

„Ne!" zaúpěl Gerry. „Prosím vás, ne! Jsem uvnitř na cucky. Zabijete mě!"

„No, otče, obávám se, že to budeme muset risknout."

„Ne! Proboha vás prosím, nedělejte to!"

Cípal však Gerryho popadl za tlustý hnědý svetr, trhl jím a posadil ho. Gerry zaječel — z úst mu vyšel dlouhý pronikavý skřek zrozený z ryzí agonie. Cítil, jak mu křupají kosti a zlomená žebra se zabodávají do plic.

„Ale no tak, otče," plísnil ho Cípal. „Tohle ještě nic není. Počkejte, až uvidíte, co jsme si pro vás připravili."

Cípal ho vlekl k čelu postele. Gerry příliš trpěl, než aby se zmohl na další výkřik. Kdykoli jím únosce pohnul, vydal ze sebe pouze slabounké rozechvělé zavytí.

„Úplně jsem zapomněl, jak nádherně umíte zpívat, otče," procedil Cípal. Táhl Gerryho, dokud jej zády neopřel o mřížové čelo postele. Nato jej vzal nejprve za levou ruku, pak za pravou a nylonovými pouty ho přivázal k železným mřížím.

Gerry omdlel, dřív než Cípal skončil. Oči měl zavřené, brada mu spočívala na hrudi a ze spodního rtu mu visel tenký provázek zakrvácených slin. Cípal popadl Gerryho za rameno a zatřásl jím. „Otče O'Garo? Otče O'Garo, slyšíte mě? Ach, otče O'Garoooo!"

Gerryho víčka se zachvěla, ale odpovědi se Cípal nedočkal. Ustoupil a chvíli se na něj díval, aniž by se ho znovu pokusil probudit. Znenadání zvedl ruku a pomalu si sundal špičatou čepici i roušku, která k ní byla připevněna. V tentýž okamžik pronikl zamženým okénkem na protější straně místnosti jasný paprsek světla a ozářil jeho tvář, téměř jako by to měl napsáno ve scénáři.

Cípalovy vlasy byly žluté jako sláma, kudrnaté a hrubé. Jeho obličej byl kulatý a tváře baculaté a mírně uzardělé. Oči měl malé, ale pronikavě modré, nos drobný a rty našpulené.

Paní Rooneyová, která ho spatřila, jak na mělčině řeky Blackwater vláčí mrtvolu otce Heaneyho, měla pravdu: skutečně připomínal cherubína. Otec Machin koneckonců v souvislosti s ním často zmiňoval jednu z maleb Rossa Fiorentina — tvrdil, že Cípal vypadá jako jeden ze dvou cherubínů, kteří na obraze sedí madoně u nohou a čtou si knihu.

Kdyby nebyl tak vysoký a robustní, vypadal by téměř nevinně a neškodně. Navzdory andělskému obličeji však právě kvůli své výšce a rozměrům působil podivně hrozivě, obzvlášť nyní, když se na Gerryho mračil jako rozmrzelé dvouleté dítě.

Zvedl z kuchyňské židle lahev od dietní koly a odšrouboval víčko. Očichal ho a zkrabatil nos. Pach octa odjakživa nesnášel. Vyvolával v něm vzpomínky na sirotčinec a nakládaná vejce, která se podávala k odpolední svačině. Nejhorší to bylo v den svatého Patrika, kdy se barvila nazeleno — to v jídelně sedával až do setmění, protože je prostě odmítal pozřít a nesměl od stolu odejít, dokud nesní všechna do jednoho.

Někdy se mu dařilo přesvědčit sebe samého, že nakládaná vejce můžou za jeho neutuchající nenávist ke kněžstvu ještě víc než to, co se mu později přihodilo.

Uběhla celá hodina, než Gerry znovu přišel k vědomí. Tou dobou už se slunce schovalo za nízký šedý mrak a ložnici zahalila taková tma, že Gerry úplně přehlédl Cípala, který v masce a špičaté čepici nehybně postával v rohu a pozoroval ho.

„Vida, vy jste vzhůru," řekl Cípal nezvykle vysokým hlasem, potom si však odkašlal a pokračoval: „Výborně — to, co vás čeká, byste rozhodně nechtěl zaspat. No, vy byste asi chtěl, ale já bych si takovou podívanou ani náhodou ujít nenechal."

Gerry si zkusil olíznout rty, ale jeho jazyk byl oschlý jako slimák na zahradní pěšince. „Nechápu, proč mě jednoduše neuškrtíte a neskoncujete s tím."

Cípal se odlepil od zdi a přistoupil k okraji postele. „Spravedlnosti musí být učiněno zadost, otče O'Garo. V Bibli stojí: ‚oko za oko, zub za zub, ruku za ruku, nohu za nohu'. Lidi si to často mylně vykládají a docházejí k závěru, že se tím myslí pomsta. Jenže se pletou — prostě to znamená, že by trest měl odpovídat spáchanému zločinu. Žádná samoúčelná pomsta, ale spravedlivá odplata. Ne víc, než jste si zasloužil, ale zároveň ani míň, a právě to ‚ani míň' je tady klíčové."

Začal se zadýchávat a na chvíli se odmlčel. „Podrobil jste mě ohni pekelnému, otče. Vystavil jste mě plamenům samotného Hádu. A přesně to udělám i já vám."

„V tom případě nechť vám Bůh odpustí."

„To nejspíš neodpustí a já to od něj ani nečekám. Abych vám řekl pravdu, otče, už dávno mi na jeho odpuštění přestalo záležet. Protože to, co jste mi vy a vaši bratři provedli, je mnohem horší než cokoli, co by mi kdy mohl provést náš Pán."

Otevřel lahev od dietní koly, přidržel ji Gerrymu u nosu a řekl: „Čichněte si. Podomácku vyrobený napalm. Pět tablet na zažívací potíže rozpuštěných v deseti čajových lžičkách octa, to vše zalité dezinfekčním roztokem."

Gerry se na něj podíval a v jeho oteklých očích se zračila čirá hrůza.

„Vy to myslíte vážně, co?" řekl. Žebra i pánev ho nesmírně bolely, a tak se pokusil změnit polohu, vtom ale ucítil, jak se o sebe třou jeho polámané kosti. Musel několik vteřin zůstat naprosto bez hnutí, dokud se jeho mozek s bolestí nevyrovnal. „Neexistuje nic, co by vás přimělo změnit názor?"

V tom okamžiku se otevřely dveře a do ložnice vstoupili dva muži — jeden z nich měl na hlavě vysoký klobouk, který připomínal biskupskou mitru, a druhý křídově bílou masku pierota. Přikročili k druhé straně postele a založili si ruce na hrudi. Páchli cigaretovým kouřem.

„Promiň, že nám to tak dlouho trvalo," řekl muž v pierotské masce a jeho hlas zněl přes lepenku zdušeně. „Na South Ring byl provoz k posrání."

„Hlavně mám radost, že jsi nezačal bez nás," dodal ten v mitře.

„To by mě v životě nenapadlo, kluci," ubezpečil je Cípal. „Vím, že tenhle den pro vás znamená tolik co pro mě."

Nalil si do levé dlaně velkou dávku lesklého čpícího gelu z lahve od dietní koly a namazal ho Gerrymu na hlavu, jako když kadeřnice nanáší zákazníkovi kondicionér. Gerry zafuněl a pokusil se odvrátit, jenže šlachami v krku mu opět projela vlna bolesti a Cípal na něj stejně byl příliš silný. Gel silně páchl octem a studil, když ho Cípal vtíral do kůže na Gerryho temeni.

„Na kolenou vás prosím," zašeptal. „Prosím vás, nedělejte to. Řeknu všechno, co chcete. Vyzpovídám se ze všeho, z čeho se podle vás mám vyzpovídat. Přiznám se, přísahám na Bibli svatou, že se přiznám."

„Jak byste se mohl vyzpovídat, otče, když jste v hloubi duše přesvědčený, že jste nespáchal nic špatného?"

„Jenže my jsme si nemysleli… nikdy nás nenapadlo, že to, co jsme dělali… že by to mohlo být špatné. Vůbec nám to

223

nepřišlo na mysl. Upřímně jsme věřili... že vám dáváme... ten nejúžasnější dar, jaký lze... někomu dát."

Z námahy, kterou musel při řeči vynaložit, se usedavě rozplakal a slzy mu v lesklých potůčcích stekly po tvářích.

„Do prdele, no jen se na něj koukněte," odfrkl si muž v pierotské masce a zavrtěl hlavou. „Nikdy by mě nenapadlo, že otec O'Gorila dovede brečet jako nějaký podělaný mrně."

Cípal sáhl do kapsy a vyndal z ní krabičku extra dlouhých zápalek. Dal ji Gerrymu k obličeji, zachrastil jí a řekl: „Slyšíte, otče, jak se smějí? A proto nikdy neposílej někoho zjistit, komu se smějí sirky. Smějí se tobě..."

Gerry na něj zíral vlhkýma, zarudlýma očima. „Ne," pokusil se říct, ale z jeho úst nevyšel žádný zvuk.

Cípal vytáhl z krabičky zápalku a škrtl jí. Rozhořela se a on ji na pár vteřin podržel v ruce. Gerry na ni upřeně civěl, po chvíli však zavřel oči, jako by ji tím mohl uhasit.

Cípal řekl: „Tuto svíčku zapaluji na památku všech chlapců ze Sirotčince svatého Josefa, o které jsme přišli. Na památku šťastné budoucnosti, jíž se nikdy nedožili, na příšerné bolesti a ponížení, které si vytrpěli. A především ji zapaluji v jistotě a neochvějném vědomí, že to, čím si prošli, se žádnému chlapci víckrát nepřihodí. Amen."

„Amen," zopakovali po něm oba muži. Cípal se hořící zápalkou dotkl Gerryho lebky a vlasy bývalého kněze s ostrým zapraskáním vzplály. Gerry několik vteřin nic necítil, ale plameny šlehaly rychle a prudce a sahaly víc než půl metru nad jeho hlavu — jakmile se vlasy žárem scvrkly a rozžhavený gel mu začal spalovat holou lebku, zavřeštěl tak hlasitě, že si muž v pierotské masce musel zakrýt uši.

Gerry, ověnčený korunou ze žhavých plamenů, sebou divoce házel ze strany na stranu, takže postel pod ním na protest

224

úpěla a vrzala a její nohy tancovaly po podlaze horečnou rumbu. Černé nylonové pásky, které jej poutaly k železnému čelu, však nepovolovaly a jemu nakonec nezbylo než zůstat zcela nehybný, tvář staženou utrpením a pěsti sevřené. Oheň šlehal výš a výš, až časem konečně pohasl.

Po třech nebo čtyřech minutách olízly Gerryho zčernalou zakrvácenou lebku poslední plameny a on se ponořil do bezvědomí. Hlava mu spadla na hruď. Ze samého šoku se třásl od hlavy až k patě, jako by mrzl. Štiplavý kouř, který naplnil místnost, líně stoupal ke stropu, kde se jej chopil průvan a odvál ho pryč.

Muž v biskupské mitře se pokřižoval. „Co myslíte," prohodil. „Spatřil peklo?"

„Podle mě ho akorát zahlédl," odpověděl Cípal. Zase lahev od koly zašroubovat a položil ji zpět na židli. „Ale žádné strachy — brzy zjistí, jaké to je ocitnout se v pekle, stejně jako jsme to zjistili my."

31

Katiino kapučíno dávno vystydlo, ale ona ho přesto vypila a z krabičky na stole vzala papírový kapesník, aby si otřela ústa. Zrovna vzala do ruky telefonní sluchátko a chystala se zavolat do nemocnice, když na dveře její kanceláře zaklepal John. Na sobě měl leteckou bundu z hnědé kůže a zelenobílou kostkovanou košili. Vracel se od holiče a s novým sestřihem vypadal o dobrých pět let mladší.

„Katie," řekl s typicky obezřetným úsměvem.

„Johne! Ahoj, zlato. Bohužel mám tak trochu napilno."

„Takže oběd nebude?"

„Svolali jsme na půl třetí tiskovku a já se snažím s případem těch zabitých kněží pohnout, abychom novinářům vůbec měli co oznámit."

John vešel dovnitř a stoupl si ke Katiinu stolu. „Proč si s tím děláš takové starosti?"

„Nechápu."

„Stačí jim přece říct, že prověřujete pár velice slibných tipů, do několika dní pachatele zatknete a že budeš k dispozici, až si dáš v hotelu Clarion pozdní oběd s mužem, kterého miluješ a s nímž si možná malinko zařádíš nahoře v pokoji."

Katie na něj pohlédla s předstíraným rozhořčením. „To nejde, protože žádné velice slibné tipy neprověřujeme a protože s tím fakt musím hnout. Zatím o tom nemá nikdo vědět, ale zmizel třetí kněz — no, bývalý kněz — a my se vážně obáváme, že se mu přihodí totéž, co těm prvním dvěma. Pokud už k tomu nedošlo."

„Tím myslíš…?" John zvedl dva prsty a napodobil stříhání nůžkami.

Katie přikývla. „A podle toho, jak skončil otec Quinlan, by mohl dopadnout i mnohem hůř."

„Ježíši."

Katie obešla stůl a objala Johna kolem pasu. „Poslyš," řekla o poznání tišeji, „šíleně mě mrzí, že to všechno muselo vypuknout zrovna teď."

Políbil ji — jednou, dvakrát, třikrát. „No tak, zlato. Já vím, že musíš dělat svou práci. Ale teď k tomu nejdůležitějšímu: jak se vede tvojí sestře?"

„Stejně jako když jsem u ní byla naposledy. Právě jsem chtěla brnknout do nemocnice a přeptat se na ni."

Přitáhl si ji k sobě. „Hrozně mě mrzí, že jsem na tebe v nemocnici tolik tlačil. Holt se asi bojím, že budu muset do San Francisca odjet sám a ty za mnou nepřijedeš. Jako by se s každým dalším dnem vynořil nový důvod, proč to tady nemůžeš pověsit na hřebík." Zaváhal a pak pokračoval: „Chtěl jsem ti dneska říct, že opravdu musím odjet, jak nejdřív to půjde. Nemůžu čekat ani do konce příštího měsíce. Kluci šílí a požadují, abych dorazil hned a pomohl jim s online distribucí."

„V tom případě bys jim měl vyhovět."

Shlédl na ni a hluboce se jí zadíval do očí. „Nehodlám odjet, dokud si nebudu stoprocentně jistý, že za mnou přijedeš — samozřejmě jakmile se tvoje sestra uzdraví a ty uzavřeš vyšetřování. Nerad bych se odsud odstěhoval a pak zjistil, že tě víckrát neuvidím."

Katie přitiskla hlavu k jeho hrudi a uslyšela, jak mu pod měkkou bavlněnou košilí bije srdce. Nadechla se a ucítila vůni skořice a dubové vody po holení — prostě ucítila Johna. Nenapadala ji žádná odpověď, protože mu v tom okamžiku nedovedla před Bohem odpřisáhnout, že se za ním do San Francisca skutečně vypraví. Také ale věděla, že je zhola nemožné, aby v Irsku zůstal.

„Víš přece, co se říká," prohlásila nakonec. „Potíže jsou zkouškou lásky."

V tu chvíli do otevřených dveří nahlédl detektiv O'Donovan. Odkašlal si, aby svůj příchod ohlásil, a John s Katie od sebe poodstoupili. Detektiv O'Donovan ukázal Katie flash disk, který držel v ruce. „Nerad ruším, komisařko, ale kluci z fotografického oddělení v Dublinu mi něco poslali a myslím, že byste se na to měla okamžitě mrknout."

„Ovšem," odvětila Katie, zaklonila hlavu a políbila Johna. „Promluvíme si večer, jo? Co kdybychom zaskočili na skleničku a něco k snědku?"

John nic neřekl, pouze jí pevně stiskl ruku.

„Omlouvám se, komisařko," řekl detektiv O'Donovan, jakmile John odešel.

„Nic se neděje. Tak se podívejme, co nám to vlastně přišlo."

Detektiv O'Donovan se přesunul ke Katiinu počítači s širokoúhlým monitorem a paměťový disk do něj zastrčil. Za chvíli se na obrazovce objevil černobílý novinový snímek, na němž byla zachycena demonstrace Corkské společnosti pro oběti sexuálních zločinů. Na schodech před budovou diecéze stál monsignore Kelly schovaný pod obřím černým deštníkem a obklopený podsaditými kněžími, přímo před ním byl ředitel společnosti Paul McKeown a za jeho zády se jako skupina uprchlíků z kočovného cirkusu tlačil nesourodý dav maskovaných protestujících.

„Tahle fotka je pořízená z původního negativu," vysvětlil detektiv O'Donovan. „Pozadí je rozmazané, kluci ho ale prohnali

228

softwarem Kneson Imagener. Nevěřila byste, co všechno se jim z toho povedlo vytáhnout. Vážně bomba!"

Klikl myší a snímek se zaostřil. Klikl podruhé a obrazovku vyplnil velký obrázek černé dodávky se dvěma otazníky na zadních dveřích. Původně rozmazaný nápis na boční straně vozu byl nyní dokonale čitelný.

„Ihned sem všechny svolejte," přikázala Katie. „Chci, aby to viděl celý tým. A sežeňte i vrchního inspektora O'Driscolla, pokud se už vrátil z oběda."

Za pět minut se v Katiině kanceláři tísnili inspektor Fennessy, strážmistr O'Rourke, detektiv Horgan a tři další detektivové.

„Tohle zůstane pod pokličkou, dokud nerozhodnu jinak," upozornila je Katie. „Musím si znovu popovídat s monsignorem Kellym, než o tom komukoli povíme."

Strážmistr O'Rourke přikročil k monitoru a se soustředěně zamračeným výrazem na něj pohlédl. Po chvilce se otočil a řekl: „Ty otazníky na zadních dveřích ve skutečnosti žádné otazníky nejsou, co? Jsou to takové ty zahnuté pastýřské věcičky, které s sebou tahají biskupové."

„Máte pravdu," přitakal inspektor Fennessy. „Říká se jim berly. Dvě biskupské berly."

„Správně," potvrdila Katie. „A podívejte se, co je napsané na boku dodávky. *Diecéze Cork a Ross, Redemption Road, Cork.* Pod tím je telefonní číslo."

Strážmistr O'Rourke zvolna potřásl hlavou. „Takže ta zasraná dodávka, ve které si náš zabiják duchovních vozí zadek a převáží mrtvoly, patří církvi?"

„Nebo jí alespoň kdysi patřila," řekla Katie.

„Nemám dojem, že bych ji ve městě někdy zahlédl."

„Člověk by si jí nevšiml, leda by ji cíleně hledal," vložil se do hovoru detektiv O'Donovan. „Někdy poté, co byla ta fotka

229

pořízena, pachatelé písmena začernili a vyměnili státní poznávací značku. Z nějakého důvodu si ale nenašli čas zamalovat i druhou biskupskou berlu."

„Třeba jim došla barva," navrhl detektiv Horgan.

Strážmistr O'Rourke řekl: „Možná jo. Stávají se i větší pitomosti. Vzpomínáte na toho chlapa, který zabil koně a uřízl mu nohy, aby se vešel na zadní sedadlo auta, pak mu ale vystrčil hlavu z okna a projížděl se s ním po Grand Parade? ‚Von je úplně jako pes, zírejte, taky má radost, že mu vítr fouká do tváře.' Přesně to z toho maníka vylezlo, když jsme ho zastavili."

„Jaký je tedy plán útoku?" zeptal se inspektor Fennessy.

„Navštívit Redemption Road, co jiného?" prohodila Katie. „Hezky se tomu podíváme na zoubek. Liame, byla bych ráda, kdybyste jel se mnou. Mám takový dojem, že dnes se mi vaše racionální uvažování bude opravdu hodit."

Katie chtěla monsignora Kellyho zastihnout nepřipraveného, a proto se na Redemption Road vypravila, aniž by si u jeho sekretářky sjednala schůzku. Do asfaltu bubnoval hustý déšť a Katie i inspektor Fennessy si vyhrnuli límce. Přeběhli přes parkoviště k budově diecéze a vystoupali ke kanceláři monsignora Kellyho. Katie jedinkrát ťukla na dveře jeho sekretářky a bez okolků si to namířila dovnitř.

Monsignoru Kellymu dělala sekretářku unaveně působící jeptiška se špičatým narůžovělým nosem. Na stole před ní ležel zpola snědený kuřecí sendvič, jeptiška však měla tak neuvěřitelně malá ústa, až bylo s podivem, že ze sebe vůbec zvládne vypravit jedno jediné slovo, natož pozřít jídlo.

Katie zvedla odznak. „Komisařka Maguirová. Jdu za monsignorem."

„Aha, chápu. No, ehm, já nevím," zrudla jeptiška a nos jí zcela zrůžověl. „Monsignore vás očekává?"

„Ne," procedila Katie.

Jeptiška se zahleděla do otevřeného diáře, který měla na stole, a přísně se zamračila, jako by tím mohla monsignorovo odpoledne zázračně naplnit schůzkami.

„Bohužel není k dispozici. Alespoň teď ne."

Než se sekretářka zmohla na protest, obešla Katie stůl a sama do diáře nahlédla. *„Pět odpoledne, golf s radním Murphym na ostrově Fota, pouze za příznivého počasí.* Nic víc tu zapsané není. A kolik máme? Teprve půl jedné. Takže monsignore má čtyři a půl hodiny volného času, během nichž si s námi může bez problémů popovídat. Kromě toho leje jako z konve, takže počasí zcela zjevně příznivé není."

„Je mi líto, komisařko. Není to tu poznačené, ale monsignore momentálně pořádá tiskovou konferenci."

„Tiskovou konferenci? A čeho se týká? Dobře ví, že o případu nemá s novináři co mluvit. Rozhodně ne bez toho, aby se nejdřív poradil se mnou."

„Nejsem si jistá, o čem s nimi hovoří," odsekla jeptiška. Byla stále podrážděnější a špičkami prstů jemně poklepávala do desky stolu, jako by muži sedícímu v místnosti za jejími zády vysílala varování v Morseově abecedě.

„Koho tam má? Lidi z *Examineru*? RTÉ? Nevšimla jsem si, že by venku parkovaly televizní vozy."

Katie zamířila k těžkým dubovým dveřím, za nimiž měl monsignore Kelly kancelář, jeptiška však vyskočila od stolu, zastoupila jí cestu a majetnicky popadla kliku, dřív než Katie stačila zaklepat.

„Zeptám se, jestli by na vás neměl pár minut," řekla. Připomínala Katie jednu z těch vyhublých, ustrašených, modřinami pokrytých manželek, které zpanikaří, kdykoli se o jejich muže zajímá policie, a dušují se, že ho celé týdny neviděly. A on se přitom schovává pod postelí v dětském pokoji nebo se krčí v šatníku a zakrývá si hlavu prostěradlem.

„Vyšetřujeme vraždu," oznámila Katie. „Monsignore na nás bude mít tolik času, kolik uznáme za nutné."

Jeptiška zaťukala na dveře. „Monsignore Kelly," zavolala tiše. Když nikdo neodpověděl, zaťukala podruhé.

„Monsignore Kelly, je tu komisařka Maguirová. Prý s vámi potřebuje mluvit!"

Zavládlo dlouhé ticho, ale než sekretářka zaklepala potřetí, ozvalo se slabounké otočení klíčem a monsignore Kelly řekl: „Dále!"

Jeptiška otevřela a všichni tři vstoupili dovnitř. V kanceláři panovala hluboká tma. Všechna světla včetně stolní lampy byla zhasnutá, přestože měla obloha za oknem uhlově černou barvu.

Monsignore Kelly stál u stolu, pravou ruku měl založenou v bok a levou si zajížděl do vlasů. Katie napadlo, že jeho postoj působí zvláštně strojeně — byl zčásti obranný a zčásti útočný. Monsignore Kelly vypadal, jako by při vystupování z autobusu zakopl a snažil se znovu získat rovnováhu a ztracenou důstojnost.

Kromě něj a pompézně vyhlížejícího biskupa Kerrigana na obraze se v místnosti nikdo nenacházel.

„Katie," řekl monsignore Kelly nuceně vlídným hlasem, předstoupil před ni a podal jí ruku. „Propříště bych ocenil, kdybyste si domluvila schůzku, abych vám mohl věnovat náležitou pozornost."

Katie si pomyslela: Však vidím, jak za tím úsměvem skřípete zuby, monsignore. Myslíte si, že si zasloužím jen to nejhorší, co? Okázale se rozhlédla po kanceláři a podivila se: „Kde máte ty novináře?"

„Novináře?"

„Ano, vaše sekretářka tvrdila, že pořádáte tiskovou konferenci. Mimochodem, tohle je inspektor Liam Fennessy. Ještě jste neměli tu čest, pokud se nemýlím."

„Tiskovou konferenci..." řekl monsignore Kelly a zakryl si rukou ústa, jako by nechápal, co ta slova znamenají.

Přesně v tom okamžiku se ozvalo spláchnutí, otevřely se postranní dveře vedle knihovny a v kanceláři se zničehonic objevila Ciara Clareová z časopisu *Catholic Recorder*.

Když se s ní Katie seznámila — to ráno, kdy v řece Blackwater u Ballyhooly našli mrtvolu otce Heaneyho —, byla Ciara oblečena do velkého šedého ponča, které šikovně skrývalo její velká prsa. Dnes však na sobě měla těsný svetr s véčkovým výstřihem a širokými růžovými a fialovými pruhy, které obří poprsí dramaticky zdůrazňovaly. Svetřík doplňovala velmi krátká fialová sukně a lesklé fialové boty na podpatku. Černé kudrnaté vlasy měla Ciara nešikovně sepnuté vlásenkami a Katie neušlo, že si právě nanesla brusinkově červenou rtěnku. Znaménko nad rtem měla Ciara výraznější než předtím.

„Vida, vida," podotkla Katie. „Těší mě, že vás zase vidím, Ciaro. Hádám, že tu tiskovku jste pořádal právě pro slečnu Clareovou, co, monsignore?"

„Reportéři z *Catholic Recorderu* sem chodí na tiskovou konferenci pravidelně každý týden," utrhl se na ni monsignore Kelly. „*Catholic Recorder* je ostatně jediný orgán, který diecézi umožňuje přímo oslovovat širokou veřejnost."

Katie byla v pokušení jeho poznámku o orgánech uštěpačně okomentovat, ale přemohla se a místo toho řekla: „Přišli jsme vám položit pár otázek ohledně nových důkazů, které jsme zajistili, monsignore. Mohla byste nás laskavě omluvit, Ciaro?"

Ciara Clareová vzala z opěradla židle fialový propínací svetr a šišlavě se rozloučila: „Já vám později zavolám, monsignore, abyste mi sdělil podrobnosti o tom festivalu pro mládež v Clonmacnoise."

Mluvila bezvýrazně a nacvičeně a Katie okamžitě pochopila, že se snaží poskytnout monsignoru Kellymu alibi. Katie by byla ochotná se vsadit, že se o církevním festivalu pro mládež jediným slovem nezmínil, o něm ani o jiných akcích pořádaných diecézí. Napadlo ji, že kdyby začichala, ucítila by ve vzduchu nezaměnitelný puch žvástů.

„Posaďte se, prosím," řekl monsignore Kelly, jakmile Ciara Clareová odešla z kanceláře a zavřela za sebou.

„Nebudeme vás dlouho obtěžovat," prohlásila Katie, otevřela kufřík a vyndala z něj snímek z demonstrace Corkské společnosti pro oběti sexuálních zločinů.

Monsignore Kelly si fotografii prohlédl, upjatě se na Katie usmál a potřásl hlavou. „Na ten den si pamatuji, ale nedá se říct, že by se jednalo o kdovíjak příjemnou vzpomínku. Ty takzvané oběti byly nesmírně agresivní."

„Možná k tomu měly důvod. Ale o to mi nejde. Ráda bych se dozvěděla něco víc o dodávce, co stojí na parkovišti."

Monsignore Kelly se na fotku opět zahleděl. „Ano, tuhle dodávku jsme používali, kdykoli bylo v diecézi nutné něco vyřídit — například nakoupit, vyzvednout darované šatstvo, převézt sportovní vybavení nebo dopravit nábytek z jednoho kostela do druhého. Jistě si to umíte představit."

„Víte, co se s ní stalo?"

Monsignore Kelly přimhouřil oči. „*Stalo*? Co mi naznačujete? Jak mám vědět, co se s ní stalo?"

234

„Náleží pořád diecézi, nebo ne?"

„Ne. Pokud je mi známo, před třemi čtyřmi lety jsme se jí zbavili. Teď máme novou, bílou. Vlastně dvě. Domnívám se, že tuhle jsme prodali na protiúčet."

„Je v diecézi někdo, kdo by to věděl určitě?"

„Otec Lowery. Řídí dopravu a logistiku. Třeba se mýlím, ale na tom, co se s tou dodávkou stalo, přece nijak nezáleží."

„Ale ano, monsignore, naopak na tom velice záleží."

„Smím se zeptat proč?"

„Zatím vám to bohužel nesmím prozradit, je ale možné, že se tu časem zastavím a povím vám to. Má otec Lowery kancelář tady v budově? Čím dřív si s ním promluvíme, tím líp."

Monsignore Kelly sepnul ruce a přes tvář mu přelétl nečitelný výraz. Bylo jasné pouze to, že jeho mozek pracuje na plné obrátky.

„Otec Lowery zde kancelář má, to ano, ale nejsem si jistý, jestli tu dneska je. S největší pravděpodobností se rozjel na charitativní výprodej, který probíhá v kostele svatého Michala v Rathbarry. A kromě toho mám dojem, že protokol vyžaduje, abych se nejprve spojil s biskupem a informoval jej, že o otce Loweryho projevujete zájem. Moc ho netěší, když lidé od Garda Síochána namátkou vyslýchají jeho duchovní."

„Na mých výsleších nic namátkového není, o tom vás můžu ujistit," řekla Katie. „Řešíme závažný případ několikanásobné vraždy, takže platí výhradně policejní protokol. Vše musí být podřízeno tomu, abychom našli vraha otce Heaneyho a otce Quinlana, dřív než udeří znovu."

Monsignore Kelly se na ni opět napjatě usmál. „Dobrá tedy, ihned se na biskupa obrátím a pak vám telefonicky sdělím, kde otce Loweryho naleznete. Žádné odklady, slibuji."

Katie vykročila ke dveřím a inspektor Fennessy se jí držel v patách.

„Mimochodem," zvolal monsignore Kelly, „máte už nějaké zprávy o Brendanu Doodym?"

„Prozatím žádné. Pokud v tom dopise na rozloučenou mluvil pravdu a skutečně spáchal sebevraždu, tak si dal opravdu záležet na výběru místa, kde ho nikdo neobjeví."

„Jednoho dne ho najdete, Katie," řekl monsignore Kelly. „A toho dne se ukáže, že jsem se v něm nezmýlil, dejte na má slova."

Katie otevřela dveře a zahleděla se na zrudlou sekretářku, která seděla za stolem, ve tváři výraz krajního rozčilení. Ženská nebohá, pomyslela si Katie. Ani za námi nestačí zapadnout dveře a vy to schytáte, protože jste nás nedokázala poslat k šípku.

Během zpáteční cesty na Anglesea Street přestalo pršet, silnice však byla mokrá a pneumatiky na vozovce kvílely.

„Co vy na to, Liame?" zeptala se Katie inspektora Fennessyho, když přejeli přes řeku. Slunce se oslnivě odráželo od vodní hladiny, takže si Katie musela sklopit stínítko.

„Co já na to? Že duchovenstvo nějak okázale ignoruje kázání arcibiskupa Diarmuida Martina," odvětil inspektor Fennessy potutelně. Katie chápala, na co tím naráží. Na nedávném vysvěcování nových duchovních v Dublinu totiž arcibiskup Diarmuid Martin jednoznačně potvrdil, že církev stále zastává myšlenku kněžského celibátu.

„Asi záleží na tom, jak člověk definuje celibát," uvažovala Katie. „Zdá se, že si monsignore objednal spíš model Monika Lewinská než kompletní balíček se vším všudy."

„Na druhou stranu si třeba fakt potřebovala odskočit," navrhl inspektor Fennessy, z jeho tónu však bylo zřejmé, že tomu ani na vteřinu neuvěřil.

Katie zavrtěla hlavou. „Zaprvé, měl zamčené dveře, z čehož vyplývá, že ať už náš dobrý monsignore prováděl cokoli, nepřál si u toho být vyrušován. Proč by se bál, že k němu do kanceláře někdo vtrhne, kdyby si akorát povídal s reportérkou z *Catholic Recorderu* o festivalu pro puberťáky v Clonmacnoise?

Zadruhé, Ciara Clareová měla čerstvě nanesenou rtěnku, což značí, že vyváděla něco, čím si pokazila líčení. Nic k pití ani k jídlu v místnosti nebylo, takže o hrnek nebo sendvič si ji neotřela.

Nakonec zatřetí — a klidně se s vámi vsadím, že tohohle jste si nevšiml —, knoflíky na sutaně monsignora Kellyho byly uprostřed špatně zapnuté. Spěchal, aby se co nejrychleji upravil, a omylem vynechal jednu dírku."

Inspektor Fennessy pobaveně odfrkl. „Takže monsignore Kelly je nejen generální vikář, ale i staré čuně. Fajn, ale k čemu nám to je?"

„Netuším, ale hodně to vypovídá o jeho charakteru. A v nejmenším nepochybuju, že na těch vraždách je něco, co před námi chce za každou cenu utajit."

„Podle mě by klíčem mohla být ta dodávka," řekl inspektor Fennessy. „Když jste se ho zeptala, kam se poděla, hrozně uhýbal. Tipuju, že moc dobře ví, kam zmizela, a jenom nás zdržuje."

„Souhlasím, Liame. Na dnešní tiskovce asi oznámím, že jsme narazili na zásadní vodítko, které by mohlo vést k vyřešení případu. Vy se mezitím poohlédněte po otci Lowerym. Určitě má mobil. Nebo mu zkuste brnknout ke Svatému Michalovi.

Ale tamní strážníky do toho radši nezatahujte. Však víte, jak to chodí, když je člověk zapojí do pátrání — samým nadšením se div nepřerazí a nakonec zákonitě vyžvaní všechny naše plány. Pokud se vám nepovede zastihnout otce Loweryho po telefonu, nezbyde vám než do Rathbarry někoho poslat. Zkuste Jimmyho O'Rourka. Tomu to nezabere déle než hodinu."

Dorazili na parkoviště policejního ústředí a vystoupili z auta. Zatímco se ubírali k policejní budově, inspektor Fennessy řekl: „Co kdybychom tisku prozradili několik podrobností o zmizení té dodávky? Přes noc musí někde parkovat, takže ji určitě někdo viděl."

„Zatím s tím počkáme," zamítla Katie jeho návrh. „Jak jsem řekla, pachatel na ní ten obrázek biskupské berly nenechal bezdůvodně. Podle mě je mu jasné, že o ní víme. Nechci, aby zpanikařil a tu berlu zamaloval nebo se auta rovnou zbavil. Dobírá si nás, to ano, stále však nemá hotovo a udělá naprosto cokoli, abychom ho nechytili předčasně."

„Takže nepochybujete, že zabije další kněze?"

„Jsem si tím absolutně jistá. Úplně to cítím. Nalijme si čistého vína — jenom tady v Corku se kvůli podezření ze zneužívání dětí vyšetřovalo dvanáct duchovních. Taky se můžeme dostat do bodu, kdy už tenhle případ nebudeme označovat za sériovou vraždu, ale za masakr."

32

Gerryho probudil tentýž nadpozemský zvuk, který slyšel předtím — překrásné hlasy zpívající „Růži z Allendale". Tentokrát byly ještě vyšší než minule, téměř falzety.

> „Ač květy svahy zdobily,
> údolí plnil vůní rej,
> tím květem ze všech nejsladším
> však byla růže z Allendale."

Pořád ležel na holém lůžku s vystupujícími péry a ruce měl nylonovými pásky připoutané k mřížovému čelu železné postele. Někdo na něj hodil tři nebo čtyři těžké vlněné deky, které páchly vlhkem a pižmem, Gerry se však třásl šokem, a tak za ně byl rád.

Měl dojem, že kůže na jeho temeni stále hoří, ačkoli plameny dávno pohasly. Neuvědomoval si, že mu oheň seškvařil většinu vlasů, až na několik zakrslých chomáčků v zátylku, a pokožku na levém spánku sežehl natolik důkladně, že odhalil lebku. Dva kusy zčernalé kůže se zkroutily, takže Gerry vypadal, jako by měl malé čertovské růžky. Zbytek hlavy byl šarlatově rudý a pokrytý lesklou tekutinou.

Nedokázal uvěřit, že je možné, aby lidská bytost zakusila takto nepředstavitelné utrpení, natož že je tou bytostí on sám. Bolest neutuchala, naopak na něj zas a znovu útočila jako nějaký příšerně neodbytný zvuk, který člověku každou noc brání usnout. Gerry se za její skončení modlil tak usilovně, jako se ještě nikdy za nic nemodlil. Gerryho rty se pohybovaly a on své modlitby v duchu slyšel, z úst mu však vycházelo jen tiché monotónní bručení.

„Ó svatý Otče, prosím tě, aby ses ke mně pro jednou otočil, spatřil mou bolest a slitoval se nade mnou. Vím, že jsem zhřešil a že jsem tě zklamal. Prosím, ukonči má muka a přijmi mě do své náruče. Prosím, Otče, učiň tomu konec. Prosím. I pokud po smrti není nic než věčné mlčení a věčná temnota, prosím tě, aby ses nade mnou smiloval a dovolil mi zemřít.“

Stále se modlil, když se v pokoji zničehonic objevil Cípal. Proboha, zděsil se Gerry. Hlavně ne další mučení. Žádnou další bolest. Nic nemůže být horší než tohle. Nikdy dřív se tolik nebál. Pod dekou se počural a jeho teplá moč skapala na podlahu.

Cípal se nad ním chvíli skláněl a bavlněná maska se mu při dýchání lepila k ústům. Gerryho se zmocnilo trýznivé zdání, že nechybí málo a rozpozná jeho rysy.

„Vy jste se modlil, otče,“ prohlásil Cípal nakonec. „Kurva, vy jste se právě modlil, co?“

„Jsem v pekle,“ zašeptal Gerry.

„Mohl byste to zopakovat?“ vybídl ho Cípal a přiložil si ruku k uchu. „Kde že to jste?“

„Jsem… v… pekle!“

„V pekle, jo? Vida, vida, tak on je v pekle! Nic jiného si nezasloužíte, otče O'Garo. Peklo, kterému jste vystavoval druhé, nemělo konce. To vaše ale skončí brzy. Sice ne tak brzy, jak byste si asi přál, ale na vkus můj a mých přátel až příliš rychle.“

Gerry se několikrát zmučeně nadechl a pak řekl: „My jsme upřímně věřili… my jsme opravdu ze srdce věřili… že uvidíme Boha.“

„Však já o tom nepochybuju," podotkl Cípal předstíraně soucitným tónem. „Copak vám to pořád nedošlo? Upřímná víra vaše skutky nijak neomlouvá, naopak jsou ještě o to zavrženíhodnější. Jak člověk docílí toho, aby uviděl Boha? Jak se kdokoli na tomto světě setká se svým Stvořitelem? Skrze vykoupení, otče, skrze nesobeckost a oddanost, ne pomocí svéhlavého obětování ostatních."

„Je mi to líto," řekl Gerry.

„Aha, ono je vám to líto! Jsem přesvědčený, že teď vám to líto je, ale kdykoli jsem se na vás přišel podívat do toho obchodu s hudebními nástroji — a věřte mi, že jsem se tam za vámi zastavil víckrát, než by vás napadlo —, ani jednou se mi nezdálo, že by vás něco mrzelo. Culil jste se a smál, kajícný jste mi opravdu nepřipadal."

„Co se mnou provedete?" zeptal se Gerry, jehož hlas teď zněl jako pisklavé sípání.

„Můžu vám zaručit, kamaráde, že se vám to bude fakt děsně zamlouvat."

„Opravdu?"

„Nebuďte kriploň, otče. Jen si z vás dělám prču. Jasně že se vám to zamlouvat nebude, ale pokud se k tomu postavíte jako k odůvodněnému pokání, možná se s tím snadněji vyrovnáte."

„Prosím vás, už mi neubližujte."

Cípal se k němu sklonil ještě víc a Gerryho na zlomek vteřiny napadlo, že ví, kdo Cípal je. Na jeho řeči bylo cosi nezaměnitelného — přízvuk i slovní zásoba, která zahrnovala jak stylově vyšší výrazy typu „vykoupení" a „odůvodněné pokání", tak pouliční slang jako „kriploň" nebo „prča". Gerrymu zněl Cípal jako někdo, kdo v raném dětství vyrůstal v drsné chudinské čtvrti a později byl adoptován kultivovanou zámožnou rodinou.

Měl jeho jméno na jazyku. Já vím, pomyslel si. Jsem si jistý, že vím, co je zač. Chystal se říct to nahlas, když vtom Cípal popadl deky, které na něm byly pohozené, a jediným škubnutím je hodil na podlahu. Gerrym ten pohyb trhl do strany, takže přistál přímo na rozlámaném hrudním koši. Zaplavil jej pocit, jako by do něj bodal tucet šílených útočníků kuchyňskými noži, a v tu chvíli vše zapomněl: Cípalovo jméno, co je za den i jak se sám jmenuje. Málem se mu z paměti vykouřilo i to, že je člověk.

Cípal řekl: „To, co jste nám udělal, bylo daleko horší, než kdybyste nás připravil o život. Sebral jste nám, čím jsme byli. Bývaly doby, kdy jsem se ráno podíval do zrcadla a spatřil jsem v něm tvář, která mi pohled oplácela, jenže jsem to nebyl já — už dávno ne."

Gerry příliš trpěl, než aby ze sebe vymáčkl odpověď. Pevně stiskl zuby a podivně zachroptěl.

„Ano, máte pravdu, radši bychom se do toho měli pustit," prohlásil Cípal. Ostře zahvízdal a do pokoje se vrátili zbylí dva muži.

„Konečně je při vědomí," sdělil jim Cípal. „No, úplně sice ne, ale mělo by to stačit. Nerad bych se namáhal a potom zjistil, že všechno bylo nadarmo a on nic necítil."

„Ježíšimarja, vždyť vypadá jak obří hromada syrovejch jater!"

„Ne aby ti ho začalo být líto. Vzpomeň si, co nám udělal."

„Já toho parchanta v nejmenším nelituju, to mi můžeš věřit. Kdybych mohl nějak zařídit, aby trpěl příštích třicet let, ani bych nezaváhal."

„Pomoz nám sundat mu kalhoty. Sakra, on se pochcal."

Cípal Gerrymu rozepnul hnědý kožený pásek a poté zip světlehnědých kalhot, jejichž ztmavlý předek byl nasáklý močí.

242

Muž v pierotské masce Gerrymu přetáhl kalhoty přes stehna a kolena a škubnutím mu je strhl z chodidel. Muž v biskupské mitře mezitím uchopil Gerryho tmavě hnědý svetr a vyhrnul ho až k hrudníku. Zjevně mu zatlačil na zlámaná žebra, protože Gerry zavřeštěl: „Dobrý Bože, dost!"

Muž v biskupské mitře se znechuceně zašklebil a svlékl mu bledě modré boxerky, které byly silně znečištěné a zahnědlé. Zvedl je, zlehka jimi zahoupal a poznamenal: „On se i posral."

„Tomu říkám pomsta," opáčil muž v pierotské masce, sklonil se těsně ke Gerrymu a řekl: „Mně jsi jednou provedl to samý, ty parchante, na hodině katechismu, bylo mi teprve sedm. Svíjel jsem se jak pominutej, ale tys mi nedovolil jít na hajzl. Smrděl jsem tak děsně, že se všichni ze třídy scukli do protějšího rohu a tys je musel poslat na hřiště o deset minut dřív."

„Já vím, kdo jste," zaskřehotal Gerry. „Já vím, co jste vy tři zač."

„Vážně, otče O'Garo? Škoda že nebudete mít příležitost se s tím někomu svěřit, co?"

„Vím, kdo jste, ale hlavní je, že to ví i Bůh. Připojíte se ke mně v pekle, to vám zaručuju."

„To tvrdíte vy."

Cípal se vrátil k pelesti postele a v ruce zase držel dvoulitrovou lahev s průzračným lesklým rosolem. Zatřásl jí a řekl: „Posledně jsme vám trošičku přiškvařili mozek, abychom vám dali najevo, co si o vás myslíme. Teď je ale načase přejít k jádru věci.

Oko za oko, zub za zub, mužství za mužství. Ano, otče O'Garo. Býval jste kněz, takže se v otázkách mužství vyznáte a moc dobře víte, jaké to je, když je vám odepřeno, ať už Bohem, nebo lidskými vrtochy."

Gerry opět začínal ztrácet vědomí. Místnost jako by temněla a temněla a z Cípalova hlasu zbývala jen ozvěna. Připadal si, jako by se nacházel na jevišti, kde Cípal hraje roli kouzelníka, dva maskovaní společníci mu dělají asistenty a Gerry sám je dobrovolník z publika, kterého nějakým trikem hodlají nechat zmizet, rozpůlit nebo vystavit něčemu mnohem, mnohem horšímu.

Cípal odšrouboval víčko a zase si do levé dlaně nalil rozklepaný průsvitný gel. Vzduchem zavanul puch octa.

„Ne," hlesl Gerry. „Podruhé už ne. Prosím."

Měl dojem, jako by vedle něj Cípal postával celou věčnost, třebaže to ve skutečnosti nemohlo být déle než půl minuty. Nikdo nepromluvil. Gerry slyšel, jak pod ním vržou péra postele, o okno se třou hortenzie a Cípal se dvěma společníky funí za svými maskami jako zadýchaní psi. Náhle s hrůzou pochopil, proč ti tři tolik supí.

Oni byli vzrušení.

„Ne," hekl, byl však naprosto bezmocný a nezmohl se na sebeslabší odpor, ani když mu Cípal začal gel mazat na ochablé přirození. Jenom trhl pánví do strany. Cípal mu nanesl na penis a ochlupení tlustou vrstvu chladného rosolu, pak zase lahev od koly uzavřel a otřel si ruce do jedné z dek pohozených vedle.

„Hotovo," řekl. „To je mi ale římská svíce. *Svatá* římská svíce."

Vytáhl krabičku dlouhých zápalek, otevřel ji a jednu z nich zapálil. Vzplála, ale zlomila se a upadla na koberec. Cípal na ni musel šlápnout, uhasit ji a vyndat místo ní jinou.

„Ne," zopakoval Gerry, nebyl si však jistý, jestli to opravdu řekl nahlas, nebo jenom snil. Zavřel oči, aby neviděl, co se mu v nadcházejících okamžicích přihodí. Zaškrábání druhé zápalky se mu však vytěsnit nepodařilo a zaslechl i prskavý zvuk, který následoval. Nastala několikavteřinová pauza, během které nic necítil. Pomyslel si: Díky Bohu. Třeba to bolet vůbec nebude. Jenže poté mu mezi nohama vybuchl spalující žár, žhavější než planoucí lampa. Otevřel oči a ke svému nesmírnému zděšení uviděl, že ačkoli jej chlípně olizují plameny a jeho kůže se scvrkává a kroutí, jeho penis tvrdne a zvedá se, jako by jej laskal samotný Satan.

33

Katie se vrátila ke stolu a uviděla, že na jejím telefonu bliká světýlko. Zvedla sluchátko a zjistila, že má na záznamníku vzkaz od doktorky Collinsové.

„Katie? Volám kvůli tomu potkanovi, kterého otci Quinlanovi zašili do břicha. Analyzovala jsem obsah jeho žaludku a našla jsem trochu natráveného syrového kuřete, sýra a chleba. Z toho vyplývá, že ho pachatel držel v zajetí několik dní, než vraždu spáchal. Zjevně jej otci Quinlanovi nezašil do břicha z náhlého popudu — bylo to předem promyšlené.

Je tu ještě jedna důležitá věc. Krátce předtím, než byli otec Heaney a otec Quinlan uškrceni, požili nejméně jednadvacet gramů medu, což odpovídá zhruba jedné polévkové lžíci. V obou případech nebyl med řádně stráven, protože se nestačil dostat přes žaludek do tenkého střeva, kde by ho enzymy rozložily na glukózu.

Mám pro vás i jiná zjištění, ale tahle jsou nejzajímavější. Co kdybychom se sešly a probraly je u skleničky?"

Katie se opřela a poklepala si perem na zuby. Nález doktorky Collinsové potvrzoval její teorii, že otce Heaneyho a Quinlana zavraždila jedna a tatáž osoba nebo osoby.

Proč by se ale ti dva pro všechno na světě krátce před smrtí ládovali medem? Katie silně pochybovala, že ho snědli dobrovolně. Proč jim ho vrah podal? Mělo to nějaký symbolický význam? A pokud ano, tak jaký?

V tu chvíli zaklepal na její otevřené dveře vrchní inspektor O'Driscoll a řekl: „Šakalové dorazili. Vlítneme na to?"

Katie se v konferenční místnosti natáhla k mikrofonu a cvrnkla do něj, spíš aby upoutala pozornost shromážděných novinářů, než že by si doopravdy chtěla ověřit, jestli funguje.

„Dobré odpoledne a vítejte," začala. Poznávala většinu přítomných — dostavila se Fionnuala Sweenyová z RTÉ, Dan Keane z deníku *Examiner*, Mary Fitzpatricková z rádia *Cork 96FM*, dokonce i Ciara Clareová z časopisu *Catholic Recorder*, která si přes svůj přiléhavý pruhovaný svršek z toho poledne přehodila fialový propínací svetr.

Ozvala se salva kašle a narychlo ztlumené zašvitoření mobilního telefonu. Katie pokračovala: „Svolali jsme vás sem, protože ve vyšetřování smrti otce Heaneyho a otce Quinlana došlo k novému vývoji. Jsme si nyní stoprocentně jisti, že obě vraždy má na svědomí stejný pachatel. Může se sice zdát, že to bylo evidentní od samého začátku — oba muže koneckonců svázali strunou z harfy a vykastrovali —, existovala však nepatrná možnost, že je smrt otce Quinlana dílem někoho, kdo se vraždou otce Heaneyho pouze inspiroval.

Nedávno ovšem vyšly na světlo nové forenzní důkazy, které jasně ukázaly, že ta dvě úmrtí spojuje i jiný aspekt, o němž by případný napodobitel jednoduše nemohl vědět."

„Prozradíte nám, o jaký aspekt jde, komisařko?" zeptal se John McCarthy z deníku *Southern Star*.

„Zatím bohužel ne."

„Obáváte se snad, že vrah udeří potřetí?" hlasitě prohodil Dan Keane, aniž by se odtrhl od notesu.

„Přirozeně si v tomto směru děláme starosti a v žádném případě nestojíme o to, aby ho kdokoli napodoboval. Už takhle nevíme, kam dřív skočit."

„To je celé?" podivila se Mary Fitzpatricková. „Jen jste potvrdili něco, co bylo všem zřejmé, a dál jste nepokročili?"

„Ne," odsekla Katie. „Rovněž nepochybujeme, že jistý příslušník nebo příslušníci duchovenstva pachatelovu totožnost buď znají, nebo alespoň tuší."

„Vážně? Máte představu, o které příslušníky duchovenstva běží?"

„Žádné další informace bohužel zveřejnit nemohu."

„Jaké mají postavení a kam až to sahá? Co třeba biskup Mahoney, zná vrahovo jméno i on?"

„Nemůžu se o tom rozhovořit dopodrobna a v tuto chvíli vám nesmím sdělit ani žádná konkrétní jména. Pokud se pachatel dozví, že s námi tito lidé spolupracují, mohl by jim vyhrožovat, nebo dokonce ublížit, aby nebyl dopaden. A to není vše — náš informátor by mohl být donucen odhalit veřejnosti svou totožnost a přiznat se, že i on v minulosti zneužíval děti, a právě proto ví, co ví. Tuto možnost zkrátka nelze vyloučit.

Domnívám se, že nechybí mnoho a podezřelého zatkneme," prohlásila Katie a zvedla palec a ukazováček, aby novinářům předvedla, jak málo k tomu podle ní schází.

„Máme tady v Corku vynikající tým, a technické oddělení z Dublinu nám navíc poskytlo opravdu neocenitelnou pomoc. Zároveň jsem však přesvědčená, že bychom vraha dopadli daleko rychleji, kdyby s námi církev spolupracovala více. Nemám v úmyslu hodnostáře kritizovat, ale jsem toho mínění, že v diecézi Cork a Ross působí duchovní, který nám může prozradit vrahovo jméno a zachránit tak spoustu životů."

„Co vás vede k názoru, že dotyčný duchovní vraha zná?" zeptal se Dan Keane. Tentokrát zvedl hlavu a upřeně se na Katie zadíval, pero měl ale stále přichystané, aby mohl začít okamžitě psát. Katie úplně viděla, jak v duchu smolí zítřejší šťavnatý titulek. ZÁHADNÝ DUCHOVNÍ CHRÁNÍ DVOJNÁSOBNÉHO VRAHA KNĚŽÍ, TVRDÍ PŘEDSTAVITELKA POLICIE.

„S detaily se vám svěřit nemůžu," zavrtěla hlavou. „Řekněme jen, že někdy se lidé tolik snaží něco skrývat, až je všem nad slunce jasné, že mají nějaké tajemství."

„Ale no tak, u tohohle přece nezůstanete!"

„Nezůstanu, ale prozatím si musíme počkat, jestli zmíněný duchovní udělá správnou věc a poví nám, co je vrah zač."

„Takže jste si naprosto jistá, že hledáte sériového vraha?" zeptala se Fionnuala Sweenyová. „Protože v tom případě je ještě důležitější, aby se na vás ten duchovní obrátil, nemám pravdu?"

„Nepochybuji, že pokud k tomu vrah dostane příležitost, zabije třetího kněze, ano," odvětila Katie. „Je načase, aby se církev za utrpení způsobené zástupům malých dětí nejenom omluvila, ale rovněž aby se jednotliví duchovní pokusili své skutky nějakým hmatatelným a konkrétním způsobem odčinit, bez ohledu na to, jaké to pro ně osobně bude mít následky. Jestli nějaký kněz ví, kdo je vrah, nebo má aspoň tip, musí nám ještě dnes zavolat — pokud možno okamžitě —, abychom tomu řádění učinili přítrž. Případným informátorům umožníme zůstat v anonymitě, jestliže to budou chtít."

Zdálo se, že Katiin proslov novináře vcelku uspokojil. Nic se ostatně neprodává lépe než příběh s otevřeným koncem. Zatímco novinoví, televizní i rozhlasoví reportéři pomalu odcházeli z konferenční místnosti, přistoupil ke Katie vrchní inspektor O'Driscoll a poplácal ji po rameni.

„To bylo senzační, Katie. Není nic lepšího, než když nám zobou z ruky a ještě si u toho pošmáknou."

Ciara Clareová odcházela mezi posledními, než však zmizela ve dveřích, upřeně se na Katie zadívala přimhouřenýma očima. Katie měla na zlomek vteřiny dojem, že k ní mladá dívka přijde a něco jí řekne, ona se však nakonec otočila a připojila se k ostatním reportérům.

Katie z ní nespouštěla oči, a tudíž jí neušlo, že se po ní Ciara před odchodem naposledy ohlédla. Netvářila se vůbec nepřátelsky, neprůbojně však také ne a Katie si pomyslela, že vypadá neklidně.

Vrátila se do své kanceláře, kde už na ni čekal detektiv O'Donovan a šklebil se. „Jedno vám povím, komisařko," zazubil se. „Na diecézi je minimálně jeden flanďák, který z toho vašeho projevu rozhodně nebude skákat nadšením."

„Tím myslíte monsignora Kellyho? Ano, já vím. Přesně o to mi šlo. Omluvte mě na chvilku, než zavolám do nemocnice a zeptám se, jak se vede Siobhan."

Čekala, až k telefonu přijde zdravotní sestra, a mezitím se zeptala: „Pokročili jste nějak s těmi strunami z harfy?"

Detektiv O'Donovan zavrtěl hlavou. „Vůbec. To samé se šňůrkou z fagotu. Ještě musíme zavolat několika učitelům hudby, ale pokud chcete znát můj názor, tak vrah ty struny koupil v zahraničí nebo si je objednal přes internet."

„Zkontaktujte všechny společnosti, které je nabízejí online. Moc jich být nemůže."

Vtom ji přerušila zdravotní sestra: „Haló? Mluvím s Katie Maguirovou?"

„Ano, mluvíte. Jak se daří Siobhan?"

„Bohužel se zatím neprobudila, je mi líto. Její životní funkce se ale zlepšují. Zítra odpoledne ji znovu pošleme na mozkové vyšetření."

„Děkuju, sestro. Možná vám pak zase zavolám," řekla Katie a položila telefon. Detektiv O'Donovan chvilku mlčel a potom se zeptal: „Jak je na tom?"

„O něco líp, Patricku, ale je stále v bezvědomí."

„To mě opravdu mrzí." Opět pár vteřin počkal a poté řekl: „Dole čeká Stephen Keenan, ten učitel latiny z Presentation Brothers College. Dokončil překlad deníků otce Heaneyho."

„Skutečně? V tom případě mu vyřiďte, ať sem přijde."

Zatímco čekala, až detektiv O'Donovan vyzvedne Stephena Keenana v recepci, pročetla si došlé e-maily. Celkem jí přišly tři, všechny od Johna. „Chybíš mi, zlato... prosím tě, zkus si dneska udělat volno." Dále: „Vypadá to, že jsem našel vážného zájemce o statek!!!" A nakonec: „Miluju tě, Katie, víc než svůj vlastní život, na to nezapomínej."

Detektiv O'Donovan se vrátil ke Katie do kanceláře a v závěsu ho následoval plešatící muž krátce po čtyřicítce, se zakulacenými rameny, velkým nosem a huňatým blonďatým obočím. Na sobě měl pytlovité šedé kalhoty a zelené tvídové sako s hnědými koženými záplatami na loktech a řádkou různě zbarvených propisek v náprsní kapse. Katiině pozornosti neunikly ani jeho sešlapané hnědé boty.

„Tohle je Stephen Keenan, komisařko," řekl detektiv O'Donovan. Stephen Keenan se ke Katie natáhl a jemně, ale jaksi složitě jí potřásl rukou, jako by jí naznačoval, že je členem nějakého tajného řádu. Měl vykulené oči a mírně šilhal, takže Katie neměla ponětí, jestli se dívá na ni, nebo za její záda, kde byl na fotografii zachycen policejní komisař Michael Staines, jak v srpnu roku 1922 provádí irské policejní sbory branou Dublinského hradu.

„Takže, Stephene, prý jste dodělal ten překlad," spustila Katie. Snažila se znít profesionálně a zároveň ho nevystrašit.

Stephen Keenan zvedl zelenou složku s oslíma ušima a řekl: „Ano, komisařko, ale procházka růžovým sadem to zrovna nebyla, to vám tedy povím. Otec Heaney v těch denících používá

251

tucty zkratek a pseudonymů — nejspíš se pokoušel chránit něčí totožnost. Jeho gramatika taky není nejlepší. Kdyby býval docházel ke mně na hodiny, dal bych mu maximálně tři body z deseti. No, s přimhouřeným kuřím okem možná čtyři."

„Posaďte se, prosím," vyzvala ho Katie. „Dáte si kafe? Patricku, požádejte Brannu, ať nám ho přinese. Mně vezměte kapučíno, jinak umřu žízní."

Stephen Keenan si sedl a otevřel složku. „Ty sešity z větší části tvoří nejrůznější bláboly o možnosti druhého příchodu Krista a bytí či nebytí andělů. Nejdřív jsem nechápal, proč se to obtěžoval psát v latině, ale čím víc jsem toho měl přeloženého, tím mi bylo jasnější, že byl upřímně přesvědčený o hmotné existenci nebes."

„On si myslel, že nebe doopravdy je? To jako někde na obláčku?"

Stephen Keenan zaujatě přikývl. „Správně, trefa do černého. Nebe pro něj bylo stejně reálné jako Cork, postavené z nebeských cihel a nebeské malty. Ulice plné lidí, s tou výjimkou, že jsou po smrti a nehlídají je strážníci z Garda Síochána, nýbrž z andělského chóru. Promiňte, to měl být vtip."

„V pořádku," ubezpečila ho Katie a pousmála se, aby dala najevo, že to jako vtip pochopila. „Ale proč ta latina? Tomu, že je nebe skutečné, přece věří miliony lidí. Nevím, no... je to sice trošku středověká myšlenka, ale nic, co by člověk musel tajit."

„Ha! Jenomže otec Heaney a jeho kamarádi věřili nejenom v hmotnou existenci nebes, nýbrž i v to, že se nebe dá za jistých podmínek zahlédnout odsud ze země. Teď mluvím smrtelně vážně. Oni se domnívali, že Boha lze nějakým způsobem přemluvit k tomu, aby nám ukázal svou tvář a vzal nás na předběžnou prohlídku ráje, obrazně řečeno."

„Rozumím. Zní to šíleně praštěně, ale stejně nechápu, proč s tím nadělali takové tajnosti."

Stephen Keenan si olízl palec a obrátil šest nebo sedm listů ručně psaných poznámek, než našel, co hledal.

„Oni se netajili myšlenkou samou, ale tím, co bylo nezbytné k tomu, aby ji uskutečnili a Bůh nám nebohým smrtelníkům laskavě udělil audienci."

„A sice?"

Stephen Keenan vytáhl z vnitřní kapsy saka půlměsícové brýle ze želvoviny a posadil si je na špičku nosu. Poté uchopil list papíru a začal předčítat, co si na něj napsal. Mluvil jednotvárným hlasem, který Katie v dané situaci připadal více než vhodný.

„Otec Heaney začíná slovy: ‚*Illic est dulcis sono quod Deus dilligo*', což volně přeloženo znamená: ‚Některý zpěv je tak sladký, že si vyslouží Boží lásku.' Nebo o něm Bůh má alespoň vysoké mínění.

Dále tvrdí, že se v druhé polovině šestnáctého století Svatý stolec pustil do vytváření hudby, která by Boha natolik potěšila, že by se odhodlal projevit jejím tvůrcům uznání a zjevit se jim v tělesné podobě. Mělo se jednat o nesmírně komplexní a polyfonní hudbu se spoustou důmyslných ornamentů, k jejímuž nazpívání byly potřeba hlasy schopné dosáhnout vysokých poloh.

Aby se toho docílilo a současně byl dodržen papežský výnos zakazující ženám zpívat na veřejnosti, musel vatikánský sbor používat chlapce a dospělé falzety mužského pohlaví, z nichž byli mnozí dovezeni ze Španělska. Problém spočíval v tom, že dětem scházela zvučnost hlasů a jejich kariéra skončila, jakmile dospěly do puberty. Tón a síla hlasu dospělých falzetů se zase pokládaly za podřadné, především ve srovnání s…" Stephen Keenan zvedl prst a řekl: „A teď teprve přijde ta pravá bomba: s eunuchy."

„On měl na mysli kastráty, viďte?" zapojila se Katie.

„Správně, kastráty. Otec Heaney pokračuje: prvním papežem, který se rozhodl spatřit Boží tvář, byl Sixtus V. Domníval se totiž, že pokud Boha přesvědčí, aby se zjevil na této zemi, nade vši pochybnost se tím prokáže převaha Svatého stolce i jeho samotného coby duchovního vůdce. V roce 1589 proto vydal bulu, v níž vyzval sbor při bazilice svatého Petra v Římě, aby do svých řad přijal čtyři kastráty.

Kastráti poté náleželi k papežské kurii přes tři století a každý papež po Sixtovi V. usiloval o zdokonalení sborového zpěvu, aby přiměl Boha otevřít brány nebeské a zjevit se.

Otec Heaney dodává, že pokud by se to podařilo, konečně bychom my, katolíci, směli zakončovat Otčenáš slovy: ‚Neboť tvé jest Království i moc i sláva na věky věkův,' jejichž používání nám bylo odjakživa znemožněno. Teď bychom se však o jejich pravdivosti mohli na vlastní oči přesvědčit.

Když se papežský stát ocitl v roce 1808 pod nadvládou Napoleona Bonaparta, bylo využívání kastrátů dočasně přerušeno, ale po Napoleonově porážce u Waterloo byla tato praktika opět obnovena. Kastráti opustili Sixtinskou kapli teprve v roce 1902. Posledním eunuchem ve Vatikánu byl Alessandro Moreschi, který zemřel roku 1922 ve věku šestačtyřiceti let. Podle těch, kdo ho osobně slyšeli zpívat, byl jeho hlas čistý jako nejryzejší křišťál."

Stephen Keenan si sundal brýle a vzhlédl. „Zbytek tohoto sešitu tvoří historické zápisky o slavných operních kastrátech a osobní údaje z domácnosti otce Heaneyho. Z nějakého důvodu si i poznámky do prádelny psal latinsky. Schválně, jestli uhodnete, jak se v latině řekne ‚pět kolárků, neškrobit'?"

„O kastrátech tam nic dalšího není?" podivila se Katie. „My se snažíme odhalit, jaký motiv měl vrah k uškrcení otce Heaneyho a otce Quinlana, zdá se ale, že se z toho notesu nedozvíme nic, co už jsme sami neodhadli. Otec Heaney kdovíproč projevoval velký zájem o kastráty, ale v našem případě to vypadá, že se vrah mstí kněžím, kteří ho v dětství zneužívali. Alespoň doktorka Collinsová si to myslí a já se k jejímu názoru přikláním, jelikož žádné jiné vysvětlení se nenabízí."

„S tím nemohu souhlasit," přerušil ji Stephen Keenan a píchl prstem do vzduchu. „Naopak, je tu toho mnohem víc. Druhý zápisník pojednává o dobách, kdy otec Heaney pracoval v Sirotčinci svatého Josefa v Mayfieldu jako učitel hudby, a já mám za to, že vaši otázku o motivu jasně zodpoví."

34

„Otec Heaney učil na základní škole svatého Antonína v Douglasu hudbu — měl ale na starosti i jiné předměty, například zeměpis. V květnu 1982 si ho prý osoba, kterou zde označuje jako reverenda Bis, pozvala na jakési tajné shromáždění.“

„Reverend Bis?“ zopakovala Katie. „Co je to k čertu za jméno?“

„Nemám tušení. *Bis* ale v latině znamená ,dvakrát'.“

„Aha. Tak co od něj ten reverend Dvakrát chtěl?“

„Zjevně na něj hluboce zapůsobil Heaneyho talent na výuku hudby. Se sborem při Svatém Antonínovi získávali mnohá ocenění, ale nejvíc se pyšnili tím, že tři roky po sobě vyhráli první cenu na Mezinárodním corkském festivalu chorálního zpěvu. Navíc se jim dostalo ohromné cti zazpívat papeži Janu Pavlovi II., když v roce 1979 zavítal do Irska.

Otec Heaney se dostavil do velkého domu na Lover's Walk v Montenotte, kde se schůzka konala. Kromě něj a reverenda Bis se jí účastnili už jen dva mladí kněží, z nichž ani jeden za celou dobu nepromluvil, a žena ve středním věku, která také mlčela a pořizovala o proneseném návrhu těsnopisné poznámky.“

„A co že se na tom setkání navrhovalo?“

„Aby se otec Heaney nechal ze Svatého Antonína na neurčitou dobu uvolnit a vytvořil v Sirotčinci svatého Josefa kompletně nový sbor.“

„Řekl mu reverend Bis důvod?“

„Ne, takhle bez okolků ne. Dal mu ale jasně na srozuměnou, že to musí být nejlepší sbor, jaký kdy diecéze měla, ještě lepší než ten od Svatého Antonína. Konkrétně požadoval ‚chór, který potěší uši Boží'.“

„To zní jako plán toho tvého papeže Sixta,“ vložil se do hovoru detektiv O'Donovan. „Netvrď mi, že se ten reverend Bis pokoušel přemluvit Boha, aby zaskočil na návštěvu do Corku. Umíte si představit, jak by to vypadalo, kdyby se Bůh objevil třeba v Knocknadeenly? ‚Čauves, Bože, jak se vede, vole?'“

Stephen Keenan se k němu otočil a řekl: „Klidně se tomu směj, Patricku, jenže ono se zdá, že přesně to měl v úmyslu. Něco vám ale povím — mám z těch zápisků otce Heaneyho pocit, že reverend Bis nebyl hlavním strůjcem toho plánu. Otec Heaney ho označuje za *cursor*, což v latině není šipka na monitoru počítače, nýbrž ‚posel'.“

„Takže sestavit sbor napadlo někoho jiného a reverend Bis to prostě jen zprostředkoval?“

„Podle mě ano.“

„Jak ta tajná schůzka dopadla?“ zeptala se Katie. „Hádám, že otec Heaney s plánem souhlasil.“

„Ale ovšem! Popravdě řečeno ho ta myšlenka natolik nadchla, že po návratu domů nešel spát a místo toho se celou noc modlil a děkoval Bohu, že si ho vybral jako nástroj své vůle. Následující den napsal chvalozpěv jménem ‚Vox Angelus' — Hlas anděla. Složil ho pro harfu, protože to byl jeho oblíbený nástroj, uměl ale hrát i na housle, cello a piano.“

„On hrál na harfu?“

„Ano, zmiňuje se o tom hned několikrát. Považoval ji za hudební obdobu větru, který se opírá do křídel andělům.“

„Když jsme prohledávali jeho pokoj, žádnou harfu jsme nenašli,“ namítl detektiv O'Donovan.

„Sám to tady vysvětluje," prohlásil Stephen Keenan. „Údajně mu ji poškodili stěhováci, když se přesouval do nového podnájmu. Na její opravu a nový výplet neměl peníze, a proto ji uložil do garáže své sestry v Ballincolligu."

Katie pohlédla na detektiva O'Donovana a on přikývl, jako že chápe, co od něj požaduje — aby zajel do Ballincolligu a přivezl harfu na ústředí, kde z ní sejmou otisky prstů a ověří si, jestli otec Heaney ve svých zápiscích mluvil pravdu.

„Založením sboru při Sirotčinci svatého Josefa byli kromě něj pověřeni tři kněží," pokračoval Stephen Keenan a začal jednotlivé duchovní vypočítávat na prstech. „Otec O'Gara, otec Quinlan a otec ó Súllabháin. Všichni měli v oblasti hudby vynikající kvalifikaci — každý měl jiné zaměření, ale vzájemně se skvěle doplňovali.

Otec Heaney píše, že když přijde na duchovní hudbu, je otec ó Súllabháin jedním z nejlepších učitelů zpěvu v Irsku. Vedl například členy chlapeckého sboru při sdružených školách North Monastery, než nahráli album *I Love All Beauteous Things*. Otec Quinlan hraje na dřevěné dechové nástroje — flétnu a fagot —, a navíc je i vysoce nadaným aranžérem, jak starověké, tak moderní hudby."

„*Byl* vysoce nadaným aranžérem," opravila ho Katie, která se neubránila vzpomínce na obrovského zakrváceného potkana, který se přímo před jejíma očima prokousal ze žaludku otce Quinlana.

„Samozřejmě, omlouvám se," řekl Stephen Keenan. Zrudl a upustil několik papírů na podlahu.

„Co otec O'Gara?"

„Otec O'Gara je podle otce Heaneyho výborný varhaník — a bez výborného varhaníka se prvotřídní sbor neobejde. Podle všeho se ale nedal označit za pohodového člověka. Pokud jsem tomu správně porozuměl, byl prý popudlivý a nepříjemný. *Iratus*. Netoleroval žádný prohřešek, byť sebenepatrnější, a kvůli každé blbině sahal po rákosce."

„Chápu. Takže záhadný reverend Bis dal ty čtyři kněze dohromady, aby v Sirotčinci svatého Josefa vytvořili zvláštní sbor, výjimečný sbor, ‚chór, který potěší uši Boží'."

„Ale proč zrovna u Svatého Josefa, krucinál?" podivil se detektiv O'Donovan. „Sama jste viděla, jak ta děcka vypadají — a kdo ví, jak na tom chovanci byli před třiceti lety. Většinou jsou podvyživení nebo naopak obézní, protože se přejídají brambůrky. Zuby mají zkažené, pokud jim vůbec nějaké zbývají, a když mluví s těmi svými přízvuky, zní to, jako když řežete motorovou pilou. Oprsklí, smradlaví a nevychovaní. Koho by sakra napadlo sestavovat z nich náboženský sbor?"

Katie se opřela a přitiskla si špičky prstů na čelo, jako by věštila budoucnost. Věděla to, od samého začátku to věděla, ale nějakou dobu trvalo, než do sebe dílky skládačky zapadly.

„Co se děje, komisařko?" zeptal se detektiv O'Donovan zmateně.

„Patricku, oni si je vybrali právě proto, že byli sirotci, ne navzdory tomu."

„Co tím myslíte?"

„Ti kluci od Svatého Josefa se jim dokonale hodili, protože na nich nikomu na světě nezáleželo. Jejich rodiče byli rozvedení, násilničtí, ustavičně zlití nebo se o ně prostě nemohli starat. Sociální pracovníci měli plné ruce práce a málo peněz, a tak byli radostí bez sebe, kdykoli si jejich svěřence někdo odvedl. Chlapci byli na kněze a jeptišky od Svatého Josefa zcela odkázaní, a to ve všech ohledech — ať už šlo o jídlo, pití, přístřeší nebo teplo. Duchovní jim ale hlavně jako jediní prokazovali nějakou náklonnost. Právě z toho důvodu vůči nim byli výrazně méně odolní než jiní chlapci, a tedy i mnohem ochotnější podvolit se tomu, co jim vedoucí sboru hodlali udělat."

Detektiv O'Donovan nechápavě prohodil: „To jako zneužít je?"

Katie prudce zavrtěla hlavou. „Oni je nezneužívali. No, možná je i zneužili, především jim ale provedli něco daleko horšího. Vykastrovali je. Víte, já jsem si cédéčko *Elements,* co s tím sborem natočili, celé týdny pouštěla v autě a říkala jsem si, jak krásně je nazpívané. Samozřejmě že je krásně nazpívané, protože se jedná o stejný typ zpěvu, jaký byl v šestnáctém století využíván v papežském chóru.

To album nazpívali kastráti. Otec Heaney, otec Quinlan, otec O'Gara a otec ó Súllabháin se na ty chlapce od Svatého Josefa zaměřili, protože z nich chtěli udělat sboristy, a všem bez výjimky uřízli varlata, aby zpívali jako andělé."

„Šokující, viďte?" prohodil Stephen Keenan a zavřel složku. „Po pročtení deníků nicméně nelze dospět k jinému závěru. Člověk musí číst mezi řádky, je to tam ale zaznamenané černé na bílém. Třeba o kastraci se otec Heaney nezmiňuje ani jednou, zato však píše o *purificationis* neboli ‚rituálním očištění' — jsem si jistý, že tím myslí jedno a to samé. Uvádí čas a datum, kdy přesně kastrace probíhaly — celkem jim bylo podrobeno šestnáct chlapců. Otec Heaney je nejmenuje a neposkytuje ani žádné indicie, z nichž by se jejich totožnost dala vyvodit, já se ale domnívám, že ta jména snadno naleznete v záznamech sirotčince."

„K tomu všemu ale došlo ve dvaaosmdesátém," řekl detektiv O'Donovan. „Ti kluci měli na pomstu přes třicet let. Proč se propánakrále rozhodli jít těm grázlům po krku zrovna teď?"

Katie vstala a přešla k oknu. Na střeše krytého parkoviště se choulilo nejméně dvacetihlavé hejno šedých vran a vítr jim načechrával pírka. Katie měla odjakživa pocit, jako by na ni čekaly, otrhané a trpělivé, protože vědí něco, co si ona nikdy nedokázala domyslet.

„Možná někde zaslechli to cédéčko," podotkla. „Člověk dneska nemůže udělat ani krok, aby na něho nenarazil. Tuhle ho pouštěli i v obchodním domě. Třeba v nich vzbudilo potlačené vzpomínky. Anebo je rozrušila pozornost, kterou média poslední dobou věnují zneužívání dětí církevními hodnostáři. Nelze vyloučit, že ty události spustilo právě tohle."

Stephen Keenan přikývl. „Na tom něco je. Všechny ty články v novinách uvedly do chodu div ne řetězovou reakci. Jeden z mých nejlepších kamarádů se mi minulý týden svěřil, že když mu bylo devět, místní farář ho víc než rok opakovaně zneužíval. Vyprávěl mi o tom a usedavě brečel, jako by byl pořád malý kluk. Netušil jsem, co bych mu měl odpovědět. ,Už je po všem, Bryane, zapomeň na to, život jde dál.' Měl jsem mu říct něco podobného? Pro něj nikdy nebude po všem. Ta hanba a přesvědčení, že se měl vzepřít, ho budou provázet nadosmrti."

Katie řekla: „Být zneužíván, to je strašné samo o sobě. Umíte si ale představit, jaké by bylo předstoupit před veřejnost a oznámit, že vás vykastrovali? Tohle byste přátelům asi nevykládali, ani kdyby vás odjakživa považovali za podivína."

„Jakým směrem teď povedeme vyšetřování?" zeptal se detektiv O'Donovan. „Tipuju, že asi nevyběhneme na ulici a nezačneme zatýkat každého chlapa s pištivým hlasem a holou bradou, co?"

„Já vám řeknu, co uděláme: nejprve si musíme důkladně promyslet strategii," prohlásila Katie. „Koneckonců už neřešíme jen současný případ dvojnásobné vraždy, ale i šestnáct případů závažného ublížení na těle, třebaže k nim došlo před třiceti lety. Stephene, bohužel vás musím požádat, abyste nás opustil. Potřebujeme s Patrickem probrat jisté důvěrné věci, a ačkoli vám věřím…"

Stephen Keenan se jí zlehka uklonil. „Nic se neděje, komisařko, já vám rozumím. A slibuju, že o tom překladu pomlčím jako hrob."

„Ovšem že pomlčíte," poznamenala Katie. „Protože jinak vás dám zatknout. Odvedl jste ale skvělou práci a my vám za ni s radostí zaplatíme. Pošlete mi prosím fakturu."

Katie uspořádala v konferenční místnosti mimořádnou schůzku, na kterou svolala vrchního inspektora O'Driscolla, inspektora Fennessyho, sedm detektivů včetně O'Donovana a Horgana a patnáct uniformovaných strážníků. Scházel pouze strážmistr O'Rourke, kterému se nepodařilo zastihnout otce Loweryho na telefonu, a tak se po něm vyrazil poohlédnout do Rathbarry.

Stručně shrnula, co vydedukovali z překladu Stephena Keenana, a pak řekla: „Víme, že pachatel stále zadržuje otce O'Garu neboli Gerryho O'Dwyera. Jeho tělo se zatím nikde nenašlo, a proto musíme předpokládat, že je otec O'Gara pořád naživu, ačkoli ho bezpochyby mučí.

V žádném případě nesmíme vraha upozornit, že jsme odhalili jeho motiv. Jak už jsem říkala — podle mě si přeje, abychom ho časem dopadli, protože svou věc považuje za spravedlivou a touží nám přede všemi vysvětlit, proč se kněžím pomstil.

V jednom ohledu si ale můžeme oddechnout — zřejmě má v úmyslu zabít jen ty čtyři kněze, kteří v Sirotčinci svatého Josefa vedli sbor, nikoli všechny duchovní v Corku, kteří kdy čelili podezření ze sexuálního zneužívání. Já ovšem nehodlám dopustit, aby vrah zabil kohokoli dalšího, bez ohledu na to, co dotyčný spáchal. Nemáme ponětí, kde otce O'Garu drží — já se hlavně modlím, aby mu pachatel moc neubližoval. Zato ale víme, že otec ó Súllabháin se zdržuje v Duchovním centru svatého Dominika v Montenotte a rozjímá. Vyslala jsem tam šest policistů, aby ho čtyřiadvacet hodin denně hlídali, takže by měl být v bezpečí — prozatím.

Jakmile tu skončíme, osobně se do Montenotte rozjedu a otce ó Súllabháina vyslechnu. Musíme získat aspoň přibližnou představu o tom, co je vrah zač. Z deníku otce Heaneyho vyplývá, že on i ostatní kněží ty chlapce vykastrovali. Takový zážitek pro ně musel být neskutečně traumatický, pro ně pro všechny — chlapce i kněze bez rozdílu. Netvrďte mi, že si otec ó Súllabháin nevybavuje jejich jména, obzvlášť jména těch, kteří zákroku vzdorovali."

„Tomu vzdorovali snad všichni, nemyslíte?" prohodil detektiv Horgan. „Garantuju vám, že kdyby se někdo pokusil uříznout kulky mně, kvičel bych u toho jako podsvinče."

35

Jižně od městečka Clonakilty se na Croppy Road převrátil kamion s dobytkem a na silnici číslo N71 se táhla více než tříkilometrová kolona. Jako by to nebylo málo, začal se snášet hustý studený déšť.

Strážmistr O'Rourke předjížděl nekonečnou řadu aut vinoucí se po pravé straně, pak na něj však mávl strážník v nepromokavém plášti a naznačil mu, ať zastaví. Jimmy uviděl, že na vozovce leží špinavý starý náklaďák překocený na bok a přehrazuje silnici od jedné travnaté krajnice ke druhé. Zdálo se, že mu praskly obě přední pneumatiky — z ráfků visely gumové cáry, jako by řidič kamionu přejel pár čarodějnic. Okolo postávalo sedm až osm zmatených krav, které chvílemi cukaly hlavami, protože na ně dopadal hustý déšť.

Nejméně tři další krávy ležely v nepřirozených polohách na asfaltu a buď umíraly, nebo již měly nohy ve vzduchu. Vedle jedné z nich dřepěl vysoký muž ve žlutozeleném pršiplášti a hnědém plstěném klobouku. Vypadal jako střelec Irské republikánské armády z dvacátých let, nejspíš to ale byl místní veterinář. Stáli u něj tři policisté, s rukama založenýma na hrudi ho sledovali při práci a z čapek jim stékala dešťová voda.

Strážník v nepromokavém plášti zaklepal na okénko auta, v němž seděl strážmistr O'Rourke, a on je poslušně stáhl.

„Pane, otočte se prosím a vraťte se zpátky na konec řady. Není možné, abyste takhle předbíhal. Ostatní tu čekají skoro hodinu."

Jimmy O'Rourke mu ukázal odznak. „Řeším jistou bezodkladnou záležitost a musím urychleně projet."

„Je mi líto, strážmistře, ale nejde to. Ostatně to vidíte sám. Dokud nedorazí tažné vozidlo, nevymotají se odsud ani naše hlídková auta."

„Vážně? A kdy tu odtahovku čekáte?"

„Tvrdili, že přijedou za dvacet minut, ale člověk nikdy neví. Když jsme jim volali, zrovna uklízeli po nehodě v Rosscarbery."

Jimmy O'Rourke řekl: „Pracuju na závažném případu a opravdu nemám čas na rozdávání. Musím se okamžitě dostat na druhou stranu."

„Bohužel, pane, nemůžu pro vás nic udělat, je mi líto."

Jimmy O'Rourke otevřel dveře a vystoupil. Proběhl kolem policisty v nepromokavém plášti a namířil si to rovnou k uniformovanému strážmistrovi, který pozoroval, jak veterinář chytá krávu za zvednutou nohu a snaží se zjistit, jestli není zlomená. Ubohému zvířeti se u toho bolestí a šokem protáčely oči. Jimmy ukázal policistovi odznak a představil se: „Strážmistr O'Rourke, Cork."

Strážmistr se na odznak zběžně podíval a opět se odvrátil.

„Vida, tak přímo z Corku, jo? A co vás sem přivádí, navíc když je takhle hezky? Napadlo vás, že byste se od nás venkovských buranů mohl něčemu přiučit?"

„Pracuju na závažném případu."

„Jo? A jak moc závažném?"

„To je důvěrná informace."

„Důvěrná?"

„Správně. Musím vypátrat jednoho velice důležitého svědka, a to tak rychle, jak jen je v lidských silách. Tady váš kolega tvrdí, že nemůžu projet."

Uniformovaný strážmistr měl velkou hlavu, modré oči, zrzavé obočí a pleť oranžovou jako uzená kýta.

„Kdykoli jindy bych vám řekl, že to máte otočit k městu, dojet až k Wolfe Tone Street a odtamtud pokračovat po Western Road. Jenže Western Road je kvůli prasklému vodovodnímu potrubí zavřená, takže se zdá, že tu zkejsnete stejně jako my ostatní. Je mi líto."

„Pak si tedy musím vypůjčit to hlídkové auto, které parkuje na opačné straně kamionu."

„Cože? Si ze mě děláte srandu, ne?"

„Promiňte, strážmistře, ale myslím to smrtelně vážně."

Strážmistr zavrtěl hlavou. „To nepůjde. Ale mohl bych poslat některého ze svých lidí, aby vám dělal šoféra, co vy na to?"

„Bohužel, tohle vyšetřování je přísně tajné. Potřebuju mít auto jen pro sebe."

Strážmistr nepřestával vrtět hlavou. „To nejde, ani kdybych se rozkrájel."

Jimmy O'Rourke vytáhl z kapsy mobil a vyťukal Katiino číslo. Po několika vteřinách hovor přijala a na Jimmyho se utrhla: „Co se děje? Už jste našel otce Loweryho? Běží nám čas, do háje!"

Strážmistr O'Rourke ji informoval o převrženém náklaďáku s dobytkem a rozbitém vodovodním potrubí i o tom, že si chce vypůjčit policejní vozidlo. Nato telefon podal uniformovanému policistovi.

„Komisařka Maguirová. Do toho, povězte jí, že mi to auto nemůžete dát."

Strážmistr se jal úpěnlivě vysvětlovat, že je zcela nepřípustné, aby Jimmy O'Rourke s vozem odjel, protože jeho nepřítomnost by na stanici v Clonakilty mohla způsobit potíže při přepravě, a protože jakmile večer zavřou hospody a bary, budou policejní složky potřebovat na nahánění opilých řidičů každé vozidlo, které mají.

Bylo jasně vidět, že Katie ho v tu chvíli přerušila, protože pak říkal už jenom: „Jo, ale... jo, ale... jo, ale..." načež přikývl jednou, podruhé a nakonec prohlásil: „Tak teda dobrá. Dobrá, souhlas."

Zaklapl mobil a vrátil ho Jimmymu. Ústa měl našpulená, jako by kousl do něčeho odporného.

„Propánakrále," poznamenal. „Pro tu bych fakt dělat nechtěl. Fajn, tak si to auto vezměte. Ale ať je co nejdřív u nás na stanici, rozumíme si? Jakmile to tu dáme do pořádku, odvezeme vaše auto k nám, abyste si ho mohl vyzvednout. Sídlíme napůl cesty na McCurtain Hill — u lékárny Harrington's zahnete doleva."

Jimmy O'Rourke přelezl přes přední nárazník nabouraného kamionu a začal uhánět po krajnici porostlé dlouhou mokrou trávou a plevelem. Na druhé straně nákladního auta byly uprostřed silnice úhlopříčně zaparkovány tři hlídkové vozy — dva fordy focus a velký rodinný vůz renault. Když se Jimmy ocitl u nejbližšího auta, uslyšel ostrý zvuk jateční pistole — veterinář utratil jednu ze zraněných krav. Než se Jimmy stihl usadit na sedadlo řidiče, uslyšel další výstřel a potom ještě jeden.

Nastartoval, smykem auto otočil a rozjel se pryč. Stěrače pracovaly na nejvyšší rychlost — buch, buch, buch, buch. Znělo to jako tep člověka, který si uvědomuje, že je mu v patách jakási příšerná nestvůra, jíž však nikdy nedokáže uniknout.

Navzdory neutuchajícímu dešti mu cesta do Rathbarry trvala pouze čtvrt hodiny. Byla to malá, kopcovitá, malebná vesnička daleko od civilizace — tam, kde lišky dávají dobrou noc, řekli by pravděpodobně v Corku. Za svůj upravený vzhled a pohostinnost místních obyvatel získala několik ocenění, dnes odpoledne však byla téměř vylidněná.

Jimmy projel kolem *cáiteachu*, rozcestníku na návsi vyrobeného ze zvednutých srpů a obilných snopů, a zahnul ke kostelu svatého Michala. Před svatostánkem postávala u šedé kamenné zdi postarší žena, která měla kolem hlavy omotaný mokrý šedý šál, a vedle ní seděl zmáčený pes s šedou kudrnatou srstí.

Na druhém konci zdi parkovala dvě auta. Jedno z nich bylo nastartované a vypouštělo obláčky výfukových plynů. Strážmistr O'Rourke vystoupil z vypůjčeného policejního vozu, vyhrnul si límec až k uším a přikročil k ženě.

„Jakpak se máte, paní?" pozdravil.

Ženin obličej byl vrásčitý jako scvrklá brambora. Zdálo se, že si zapomněla vzít zubní náhradu, pokud se vůbec obtěžovala si ji pořídit. „Vypadáte, jako by vás honil nějakej čerchmant."

„Vlastně tu hledám jistého kněze."

„Tak kněžoura, jo? No ti jsou taky čerchmanti, jen co je pravda. Sháníte otce Fitzpatricka?"

„Otce Loweryho, přijel sem na návštěvu."

Stařena zavrtěla hlavou. „O tom sem jaktěživo neslyšela. Ale vsadím se s váma, že i ten je pořádnej čerchmant." Její pes se na ni zadíval zpoza promáčených chlupů, jako by to všechno slyšel už nejmíň milionkrát a ze všeho nejvíc si přál běžet domů, spořádat misku sucharů a uvelebit se v košíku vyloženém teplou dekou.

Strážmistr O'Rourke ženu i psa opustil a vyrazil po pěšince k hlavním dveřím kostela. Sotva však udělal pár kroků, dveře se otevřely a z budovy vyšel velký muž po padesátce, s cihlově rudým obličejem, písčitě žlutými vlasy a límečkem, který mu byl o dvě velikosti menší.

„Můžu vám být nějak nápomocný?" zeptal se a zamkl za sebou.

„To doufám. Hledám otce Loweryho. Bylo mi řečeno, že sem přijel na charitativní výprodej."

„No ano, přijel, jenže akce skončila už před obědem. Kdykoli uspořádáme venkovní výprodej, leje jako z konve. Někdy si až říkáme, jestli se nás od toho Pán nepokouší odradit."

„Takže otec Lowery odjel zpátky do Corku?"

„Ne, zatím ne. Přespává s otcem Fitzpatrickem u Svatého Jakuba v Ardfieldu. Vlastně bych řekl, že je pořád tady. Taxík pro něj přijel teprve před pěti minutami — ano, podívejte, to je on." Ukázal na auto s bafajícím výfukem. „Vidíte? Když si pospíšíte, ještě ho doženete."

Strážmistr O'Rourke poplácal zarudlého muže po rameni a řekl: „Mockrát děkuju." Rozběhl se po pěšince k parkovišti a pršiplášť za ním divoce vlál, sotva ale dospěl k bráně, taxi se rozjelo a vydalo se směrem k vesnici. Jimmy si všiml, že na zadním sedadle sedí bělovlasý muž s černým biretem, potom ale auto zahnulo za roh, zamířilo z kopce dolů a zmizelo z dohledu.

Okamžitě se rozběhl k hlídkovému vozu, a když se prohnal kolem staré ženy v mokrém šálu, zavolala na něj: „Čerchmanti! Všichni do jednoho! Zosobněný zlo je to!" Nastartoval motor, pustil spojku a vůz vystřelil kupředu, doprovázen sprškou rachotících oblázků. Nato Jimmy zatáhl ruční brzdu, smykem auto otočil a vyřítil se po stejné trase, jakou přijel — kolem rozcestníku na návsi a dolů z kopce. Chtěl taxík otce Loweryho dohnat, dřív než řidič dojede na hlavní silnici. Jestliže míří do Ardfieldu, zahne doleva a na následující odbočce doprava. Jízda na deset minut, možná ani to ne.

Když ale taxi dorazilo ke křižovatce se silnicí číslo R598, rozsvítil se mu pravý blinkr. Řidič počkal, až se kolem něj proplouží zemědělský traktor s přívěsem po okraj naloženým slámou, načež zahnul doprava a s halasným zaskřípáním pneumatik vyrazil pryč. Nejenom že se ubíral špatným směrem, ale na to, že převážel starého vetchého kněze, jel neuvážlivě rychle.

Strážmistr O'Rourke rovněž zabočil doprava a jal se auto pronásledovat. Původně měl v úmyslu zapnout výstražný maják a co nejrychleji taxi předjet, nyní si to však rozmyslel. Chtěl se dozvědět, kam otce Loweryho vezou. Třeba se s knězem spojil monsignore Kelly a vyzval ho, aby se nějakou dobu držel v ústraní. To by vysvětlovalo, proč se Jimmymu nepodařilo kontaktovat jej po telefonu — otec Lowery mobil nezvedal a onen huhňavý chlapec z kostela svatého Michala, který se dostavil k pevné lince, se Jimmymu dušoval, že nemůže duchovního najít, ať dělá co dělá.

Jestliže nesjedou ze silnice, budou pokračovat na jih k moři, kde se stočí na západ a pojedou podél pláže Long Strand. Na jejím konci se vydají zpět na sever, dokud se nenapojí na hlavní tah číslo N71, a to znamená, že otec Lowery nikam nedojede — ani do Skibbereenu na západě, a dokonce ani na východ do Corku.

Taxík zrychloval a zrychloval, až nakonec uháněl rychlostí přes sto dvanáct kilometrů v hodině a nechával za sebou dlouhou vlečku zvířeného prachu. Strážmistr O'Rourke se mu v patách držel jen s největšími obtížemi, zároveň však nechtěl, aby si řidič uvědomil, že ho pronásleduje policie. V půjčeném fordu focus s bílou kapotou a žlutomodrými kostkami už Jimmy nemohl být nápadnější, a tak teď proklínal osud, že ho přinutil nechat své vlastní neoznačené auto v zácpě na Croppy Road.

Po necelých dvou kilometrech řidič bez předchozího varování prudce zahnul doleva na úzkou cestičku, která vedla k pláži Castlefreke Warren. Když už nic jiného, aspoň Jimmy získal odpověď na svou otázku — k silnici N71 otec Lowery očividně nesměřoval.

Jimmy se přiblížil k zatáčce a zpomalil, aby řidiči poskytl dostatečný náskok. Jednalo se o odlehlou venkovskou cestu, a bylo tudíž velice nepravděpodobné, že by na ní panoval velký provoz, zejména v tomhle počasí.

Pořád nedokázal přijít na to, kam řidič jede. Jistě, i tudy bylo možné se dostat do Ardfieldu, to by si ale otec Lowery musel vyžádat třikrát delší vyhlídkovou trasu přes vesničky, kolem statků a parkovišť karavanů.

Cestičku tvořil jediný jízdní pruh, po jehož levé straně se rozkládal lesík u Castlefreke a po pravé bouřilo kovově modré moře. Na horizontu se v závoji deště rýsovala matně šedá silueta obřího ropného tankeru, který jako duch Lusitanie vyplouval k Atlantskému oceánu.

Strážmistr O'Rourke znovu upřel pohled na cestu před sebou, ale taxík byl pryč.

„Do prdele," zanadával Jimmy tiše. Silnička byla víceméně rovná a on viděl nejméně kilometr před sebe, jenže po taxíku nebylo nikde ani vidu. Jimmy sundal chodidlo z plynu, naklonil se přes volant a přimhouřil oči, jestli někde čirou náhodou nezahlédne nějakou odbočku. Kurva, pomyslel si. Jak jsem ho mohl ztratit? Přísahám Bohu, že jednu chvíli byl kousek ode mě, a hned nato je v trapu. Fakt jak nějaké podělané kouzlo.

Urazil dalších sedm set padesát metrů a zastavil u krajnice. Déšť polevoval, a tak Jimmy nastavil stěrače na nižší rychlost. Byl v pokušení zavolat na policejní stanici v Clonakilty a požádat tamní strážníky o nasměrování, jenže to by jim musel prozradit, kde je a co tam dělá, a Katie mu přísně zakázala komukoli sdělit, že chce s otcem Lowerym mluvit a proč.

Otočil auto a začal se s ním pomaloučku sunout zpět. Neujel však ani dvě stě metrů, když si všiml, že větvičky na keřích u cesty jsou čerstvě polámané a že v zablácené krajnici zejí hluboké stopy po pneumatikách. Řidič z nějakého důvodu sjel z cesty, zamířil s taxíkem rovnou do podrostu a mezi stromy.

Strážmistr O'Rourke urazil ještě pár metrů a potom hlídkový vůz zaparkoval na štěrkovém odstavném pruhu. Lesík, který se rozkládal pouhých třicet metrů od cesty, byl poměrně hustý — samé smrky, javory a borovice přímořské —, takže se řidič nemohl dostat daleko. Strážmistr O'Rourke přešel přes silničku, vstoupil na krajnici a začal se prodírat křovím směrem k lesu. Pravé předloktí si přidržoval u obličeje, aby se ochránil před keři ostružiníku, které bodaly jako plot z ostnatého drátu, i přesto se mu ale větvičky neustále zachytávaly o pršiplášť.

Vzduchem se linula omamná svěží vůně moře smíšená s pachem mokrého podrostu. Jimmy se přiblížil k lesíku a uviděl, že za bukem je schovaný zmizelý taxík. Nebyl sice zakrytý listím ani větvičkami, zaparkovali ho však tak, aby na něj ze silnice nikdo nedohlédl.

Jimmy auto obešel, aniž by se k němu přiblížil víc jak na dvacet metrů. Dveře na straně řidiče i vzadu vlevo byly otevřené dokořán a on uviděl, že v taxíku nikdo nesedí.

„K čertu, kam se otec Lowery a ten chlap poděli?" podivil se strážmistr O'Rourke. Sáhl pod pršiplášť a z ramenního pouzdra vytáhl automatickou pistoli SIG Sauer. Odjistil ji, uchopil zbraň oběma rukama a s mírně pokrčenými koleny přikročil k zadním dveřím taxíku, aniž by se byť na okamžik přestal rozhlížet, jestli ho někdo nepozoruje.

Zaslechl ostré zapraskání. Prudce se otočil a namířil před sebe. „Do háje." Hluk ztropily pouze dvě veverky, které pobíhaly po kmenech stromů nahoru a dolů a proháněly jedna druhou.

Jimmy nahlédl do taxíku. Na zadním sedadle ležel složený výtisk časopisu *Catholic Recorder* a otevřené pouzdro s brýlemi, ale po otci Lowerym nikde ani stopy. Když se strážmistr O'Rourke podíval na přední sedadlo, zmocnilo se jej podezření, že vlastně o žádný taxík nejde. Nebyla tam vysílačka, psací podložka ani vizitky, prostě nic, co by naznačovalo, že řidič auta tráví nekonečné hodiny ježděním po silnicích nebo čekáním na zákazníky — žádné balíčky křupek, noviny ani extra silné mentolky.

Co tedy v tom lese provádějí, otec Lowery a taxikář, který zjevně taxikářem vůbec není? Kruci, ani se mi to nechce domýšlet, otřásl se v duchu Jimmy a vypravil se hlouběji do lesa. Z korun stromů vysoko nad zemí padaly dešťové kapky a on při každém plácnutí div nenadskočil. Ačkoli ho Katie přísně nabádala, aby si podrobnosti o vyšetřování nechal pro sebe, nejspíš mu nezbude než se jejímu rozkazu vzepřít a požádat místní kolegy o pomoc.

Spatřil čarodějný kruh muchomůrek a obešel ho. Máma jeho mámy mu vždycky říkala, že čarodějné kruhy jsou branou do podsvětí. „Takže do nich radši nelez, Jimmíku, jinak se na sto let vytratíš, a až se vrátíš domů, zjistíš, že všichni tvoji blízcí jsou mrtví a pohřbení."

Vtom strážmistr O'Rourke uviděl na zemi černý biret s bambulkou. Přešel k němu a zvedl ho. Nemohlo o tom být pochyb — šlo o stejný biret, který měl na hlavě otec Lowery, když seděl v taxíku. Jimmy se rozhlédl, čapku v jedné ruce a zbraň v druhé. Ze stromů se vytrvale snášely dešťové kapky — někdy jedna po druhé, jindy s náhlým zašuměním několik najednou.

Všiml si, že napravo od něj se v zemi rozevírá široká prohlubeň plná listí a zlomených větviček, a pomalu k ní přistoupil. Přímo uprostřed díry ležel otec Lowery a ruce i nohy měl

273

doširoka roztažené, jako by se zřítil z výšky několika desítek metrů. Jimmy se pouze domníval, že jde o otce Loweryho, protože když se k němu přiblížil, uviděl, že kněz v podstatě nemá obličej. Někdo jej z bezprostřední blízkosti střelil brokovnicí do hlavy. Chyběla mu čelist, takže jazyk spočíval na krku jako nějaká naducaná, jasně fialová kravata, a z nosu zbývaly jen dvě úzké trojúhelníkovité štěrbiny. Oční bulvy vyletěly knězi z důlků, dosud připevněné k zrakovým nervům mu seděly na čele a upřeně na strážmistra O'Rourka civěly, jako by ho vyzývaly, ať je zatlačí zpět na místo.

„Ježíši," vydechl Jimmy a dvakrát se pokřižoval. Ten výjev jím natolik otřásl, že musel vynaložit veškeré síly, aby se nezhroutil na kolena. Sáhl do kapsy pro mobil a chtěl zavolat Katie, jenže neměl signál — kdepak, byl přece v lese u Castlefreke, na pobřeží Irského moře. Jimmy usoudil, že se bude muset vrátit k hlídkovému vozu a zavolat odtamtud. Kam se ale poděl ten taxikář — pokud to tedy vůbec taxikář je? Zastřelil otce Loweryho on, nebo je za knězovu smrt zodpovědný někdo jiný?

Zadýchaný strážmistr O'Rourke rychle zamířil k cestě a pod nohama mu šustilo spadané listí. Opuštěné taxi s otevřenými dveřmi doposud parkovalo pod bukem, Jimmy se mu ale zdaleka vyhnul. Podíval se doleva, doprava a pak za sebe, jestli taxikáře někde nespatří, ať už živého, nebo mrtvého, nikoho však nezahlédl. Zaposlouchal se do zvuků lesa, ale uslyšel pouze šumění dešťových kapek, dovádění veverek a vzdálené žalostné troubení ropného tankeru.

Jakmile však vyšel zpoza buku, uviděl, že mu v cestě stojí řidič taxíku a čeká na něj. Byl to podsaditý muž v hnědé tvídové čapce a černé nylonové bundě na zip. Dolní polovinu tváře mu zakrývala černá vlněná šála, takže byly vidět jen jeho oči.

V ruce držel brokovnici, jejíž hlaveň směřovala do vzduchu, jako by z ní před chvilkou střílel do korun stromů.

„Taky jste si mohl hledět svýho," prohlásil. Šála jeho slova ztlumila, z přízvuku však bylo patrné, že pochází z Corku.

Strážmistr O'Rourke na něj namířil pistoli. „Laskavě tu brokovnici zlomte, ano?"

„A proč bych to jako měl dělat?"

„Zlomte ji a položte na zem před sebe, hezky pomalu a opatrně. Potom dejte ruce nad hlavu a ustupte."

„Tak znova: proč bych to jako měl dělat?"

„Protože to říkám. Napočítám do tří, a pokud mě neposlechnete, budu střílet. Nehodlám vás trefit do ramene ani do nohou, nic takového. Střelím vás rovnou do toho vašeho zasraného srdce a zabiju vás, protože mám takový dojem, že pokud je podezřelý ozbrojený, nikdo se na mě zlobit nebude."

Taxikář na Jimmyho chvíli zíral, načež líně zavrtěl hlavou a obrátil se k němu zády. „Vy policajti jste k smíchu. Prej ,zabiju vás '. Takový drsňácký kecy."

„Otočte se!" křikl na něj strážmistr O'Rourke. „Slyšíte mě? Okamžitě se otočte!"

Taxikář nepřestával vrtět hlavou a strážmistr O'Rourke spustil: „Jedna... dvě..."

„Co přijde po ,dvě'?" prohodil taxikář. „Dvě a půl? Dvě a tři čtvrtě? Na to nemáte koule."

S těmi slovy klesl na kolena, při pádu se hbitě otočil a střelil strážmistra O'Rourka přímo do břicha. Jimmy sebou trhl a stejně jako otec Lowery se s rozpaženýma rukama zhroutil na záda. Výstřel nezaslechl, zato ale uslyšel, jak se lesem rozlehla ozvěna. Z korun stromů se vznesla hejna vyplašených ptáků.

Pokusil se vstát, ale nešlo to. Pistole mu vylétla z ruky, a když natočil hlavu, uviděl, že se povaluje v kupce listí kousek

275

od něj. Snažil se natáhnout ruku a uchopit svou zbraň, nic se však nestalo. Měl pocit, jako by celé jeho tělo zdřevěnělo — necítil paže ani nohy. S námahou zvedl hlavu a shlédl na své břicho. Předek pršipláště měl rozedraný na cáry, zpod nichž vykukovaly bledé smyčky lesklých střev.

Řidič přistoupil k Jimmymu a zamračeně se na něj zadíval. Přehodil si brokovnici přes rameno, shrnul si šálu z obličeje a strážmistr O'Rourke zpozoroval, že se v jeho očích zračí silné znepokojení.

„Tohle jsem fakt nechtěl," řekl taxikář. „Proč jste mě k tomu donutil?"

Strážmistr O'Rourke otevřel ústa, aby promluvil, jeho plíce však stávkovaly a odmítaly mu dodat vzduch. Připadal si, jako by se dusil.

„Ech," vydal ze sebe, jak se snažil nadechnout.

„Co to, poldo?"

„Ech."

„Já vám říkal, že jste si měl hledět svýho. Pletete se do věcí, o kterejch nic nevíte. No, já o nich vlastně taky nic nevím, jedno je ale jistý, a to že jste se připletl do cesty mocnejm lidem, kteří za žádnou cenu nepřipustí, aby si s nima někdo zahrával."

Strážmistr O'Rourke nedokázal nasát ani doušek kyslíku. Zahleděl se na složité obrazce větví, které se kolébaly vysoko nad jeho hlavou, a uvědomil si, že umírá. Nikdy ho nenapadlo, že to proběhne takhle: že bude ležet v lese na zádech. Měl dojem, že v prostoru mezi větvemi rozeznává tváře — vlastně ani ne tak tváře, jako spíš nepřítomnost tváří. Jedna z nich jako by na něj pomrkávala, ve skutečnosti to však byl jen list poletující ve větru.

Jimmy zalitoval, že u něj není Maeve v té své zamoučněné zástěře, že neklečí vedle něj a nedrží ho za ruku. V duchu si přál, aby s ní během všech těch let společného života býval měl větší trpělivost a častěji jí říkal, jak moc ji miluje.

„Bolí to?" zeptal se taxikář.

Strážmistr O'Rourke nepatrně zavrtěl hlavou.

„To mě překvapuje. Vždyť se z vás vnitřnosti jen řinou."

Chvíli Jimmyho pozoroval a soustředěně se hryzal do rtu, jako by se nemohl rozhodnout. Poté řekl: „Musím už jít. Je mi líto, ale nemůžu se tu dál poflakovat. Je možný, že tu ránu někdo slyšel."

Spustil brokovnici z ramene a přiložil ji strážmistru O'Rourkovi k obličeji. Puška se špičkou hlavně téměř dotýkala Jimmyho nosu a on ucítil nakyslý puch spáleného střelného prachu z patrony, která jej trefila do břicha. Proklínal se za to, že se nemůže nadechnout a poprosit taxikáře, aby ho nestřílel do tváře. Koneckonců viděl, co to udělalo s obličejem otce Loweryho, a pokud bude vypadat stejně jako on, pohřební zřízenci jej vystaví v zavřené rakvi a Maeve ho nebude moct políbit na rozloučenou.

„Fakt mě to mrzí, ale nemůžu vás tady jen tak nechat," vysvětlil řidič.

Ne, to asi nemůžete, pomyslel si strážmistr O'Rourke. Samotného jej udivovalo, jak věcný přístup k situaci zaujímá, přestože si je plně vědom, co se s ním v nadcházejících vteřinách stane.

Neslyšel první ani druhý výstřel, ve tváři však ucítil příval rozžhaveného vzduchu, jako by se přímo před ním rozrazila dvířka doruda rozpálené pece. A pak nic.

Taxikář chvilku postával na místě, jako by sám nevěděl, jestli udělal správnou věc. Hlava strážmistra O'Rourka se rozletěla na kusy a vršek jeho lebky přistál i s chomáčem vlasů mezi muchomůrkami, které se choulily u buku o tři metry dál.

Opět se rozpršelo a do listí zabubnoval déšť. Taxikář se vrátil k autu, nastoupil a uviděl, jak na něj ze zpětného zrcátka hledí jeho vlastní oči. Působily chladně a necitelně, on však věděl, že to není pravda. Hluboce se modlil, aby za své dnešní skutky obdržel slíbenou odměnu, jak zde na zemi, tak nahoře v nebi.

36

„Vydržte moment," řekla Katie, když jí detektiv O'Donovan otevřel dveře od auta. „Zkusím se spojit s Jimmym."

Detektiv O'Donovan trpělivě čekal a díval se, jak Katie do mobilu vyťukává číslo strážmistra O'Rourka. Nechápala, proč se jí Jimmy dosud neozval. Tohle se mu vůbec nepodobalo — kdykoli byl v terénu a něco vyšetřoval, pravidelně ji o všem informoval, až se na něj kolikrát musela zlobit, protože jí co půlhodinu volal, aby jí řekl, že vlastně nemá důvod volat.

Uslyšela vyzváněcí tón, ale strážmistr O'Rourke hovor nepřijal. Katie se mu pokusila dovolat podruhé, i tentokrát bezúspěšně. „Co se dá dělat," uzavřela nakonec. „Zkusím to později."

„Za Clonakilty ustavičně vypadává signál. Člověk by se z toho zvencnul," prohodil detektiv O'Donovan.

„Anebo právě vyslýchá otce Loweryho a nechce, abych ho vyrušovala. No co, teď na tom nezáleží — pojeďme si poslechnout, co otec ó Súllabháin uvede na svou obhajobu."

Přejeli přes řeku a nahoru přes Summerhill ke čtvrti Saint Luke's Cross, kde u hospody Henchy's zahnuli k Montenotte. Ocitli se v jedné z nejžádanějších corkských čtvrtí, plné vzrostlých stromů, kamenných zdí a panoramatických výhledů na řeku Lee, vzdálené letiště a kopce v dáli. Z těchto míst bylo s půlhodinovým předstihem vidět, že se bude měnit počasí. Duchovní centrum svatého Dominika sídlilo na vrcholku kopce v obyčejné kamenné budově s šedou břidlicovou střechou a bílými okenními rámy a bylo obklopené pečlivě udržovaným trávníkem a hustými záhony růží. Venku před domem parkovaly dva hlídkové vozy a u hlavních dveří si dva ozbrojení strážníci povídali s dominikánským mnichem.

Katie vystoupila z auta a zamířila k nim. Jakmile si jí policisté všimli, šťouchli do sebe a okamžitě se napřímili, kdežto dominikán si zničehonic vzpomněl, že má nějaké neodkladné vyřizování, a odběhl pryč.

„Dobré odpoledne, komisařko, jak se máte?" zeptal se jeden ze strážníků, hřmotný mladík s brunátnými tvářemi. Katie usoudila, že je z nich dvou ten smělejší.

„Skvěle, díky za optání," odvětila energicky. „Jdu si promluvit s otcem ó Súllabháinem."

„Když on rozjímá," namítl strážník.

„Já vím, že rozjímá, ale i přesto si s ním potřebuju popovídat."

„Jenže on je prý v izolaci a modlí se. Nikdo ho nemá vyrušovat."

„To se bohužel nedá nic dělat. Tohle vyšetřování je naléhavější než spása otcovy duše."

„Je v pokoji číslo 202," řekl strážník. „Ale jak říkám, modlí se a pochybuju, že s vámi bude chtít mluvit."

„Ale vy jste s ním mluvili, ne? Je si přece vědom, že jsme mu poskytli policejní ochranu."

„Ne tak docela, komisařko."

„Co tím myslíte, ‚ne tak docela'? Snad jste mu vysvětlil, co se děje?"

„To zrovna ne, komisařko. Abych k vám byl upřímný, ještě jsme ho neviděli."

„Vy jste se s ním ještě neviděli?" zafuněla Katie. „Sakra, tak vy ho tu hlídáte, ale neviděli jste ho?"

„No, jo, komisařko. Pardon, komisařko. Kontrolujeme ale každého, kdo chodí dovnitř i ven. Prověřili jsme i donášku chleba."

Katie se otočila k detektivu O'Donovanovi. „Prosím vás, Patricku, radši pojďme," řekla a vešla hlavními dveřmi do přijímací haly. Uvnitř to bylo slabě cítit pórkovou polévkou a zatuchlým odvarem z mečíku. V předsíni byla židle a stůl, ale neseděl tam nikdo, kdo by je uvítal. Na zdi však visela cedule, která je nasměrovala k výtahu.

Chodba byla dlouhá a tichá, lemovaná starobylými židlemi a odkládacími stolky, s bledě modrým kobercem a pastelově růžovými zdmi, které byly ověšeny mírumilovnými krajinkami a výjevy z Bible. Byla mezi nimi například malba zachycující Saulovo obrácení nebo obraz Krista, jak svým učedníkům myje nohy.

Katie a detektiv O'Donovan dorazili k výtahu, stiskli tlačítko a nastoupili. „No to mě podržte," nepřestávala Katie zuřit. „Tak oni ho ani neviděli."

Výtah protáhle zavyl, téměř jako Barney, když ho zamykala za kuchyňskými dveřmi. Zahleděla se na svůj odraz v zrcadle na protější straně. Měla opuchlé oči a vypadala ještě ztrhaněji než obvykle, pomyslela si však, že za to nejspíš může žárovka, která ji nemilosrdně osvětlovala jako lustr v kadeřnictví.

Vystoupali do druhého patra a šli chodbou až k pokoji číslo 202. Katie zaklepala.

„Otče ó Súllabháine?" Ticho. „Otče ó Súllabháine? Tady komisařka Maguirová z Garda Síochána."

Nikdo nezareagoval, a tak zaťukala podruhé. „Otče ó Súllabháine, já vím, že chcete mít klid a že se modlíte, je ale nezbytně nutné, abychom si promluvili. Jde o otce Heaneyho, otce Quinlana, otce O'Garu a o sbor od Svatého Josefa."

Vyčkávali, ale odpovědi se nedočkali. Katie pohlédla na detektiva O'Donovana, který pokrčil rameny a řekl: „Buď je hluchý, nebo zdrhá oknem."

Katie vzala za kliku. Dveře byly odemčené, a tak je bez váhání otevřela a zavolala: „Otče ó Súllabháine? Policejní komisařka Maguirová! Musím s vámi mluvit."

Vešla a její pozornost upoutalo olivově zelené křeslo, které leželo překocené na zemi. Rychle se kolem sebe rozhlédla a detektiv O'Donovan si stoupl těsně vedle ní. Místnost byla vymalovaná krémovou barvou a pokrytá tmavě zeleným kobercem. Na zdi visel jediný obrázek — reprodukce anděla, jak v Getsemanské zahradě utěšuje Krista. Po pravé straně pokoje bylo umyvadlo se zrcadlem. Katie se k němu přesunula a prohlédla si toaletní potřeby, které stály na poličce: pěna na holení Palmolive, zubní pasta Aquafresh, antiseptická mast Savlon a kuličkový deodorant pro muže Dove. V zeleném plastovém kelímku se o sebe opíral žlutý umělohmotný holicí strojek a roztřepený kartáček na zuby — jako dva opilci ve dveřích nějaké hospody na Patrick Street.

„Deodorant?" poznamenal detektiv O'Donovan, když jí nahlédl přes rameno. „Tomu říkám pokrok. Všichni duchovní, které jsem kdy potkal, smrděli potem a věčně jim páchlo z pusy. Třeba o otci Beckettovi jsme ve škole vtipkovali, že kdyby v nějaké místnosti strávil dostatečně dlouhou dobu, oloupal by se z toho jeho smradu nátěr."

Katie přešla k prostému stolu z borového dřeva a nahlédla do všech zásuvek. Ve dvou menších horních šuplících našla čisté bílé slipy, prázdné pouzdro na brýle, malou sadu na šití, pár kapesníků, tři tužkové baterie, nedojedenou tabulku hořké čokolády a nevelkou, bíle obalenou Bibli, která byla tak ohmataná, že ji pohromadě držela pouze žloutnoucí lepicí páska.

Tři spodní zásuvky obsahovaly veškeré oblečení, které si otec ó Súllabháin přivezl — černý a světlehnědý svetr, asi osm úhledně složených košil a spárované ponožky stočené do ruliček.

„Fajn," řekla Katie. „Věci tu očividně má, ale kde je?"

„Třeba si potřeboval ulevit."

„Ti dva idioti jsou prostě neuvěřitelní. Jasně jsem jejich strážmistrovi vysvětlila, že se bezprostředně po příjezdu mají s otcem ó Súllabháinem setkat a sdělit mu, že ho odteď budou čtyřiadvacet hodin denně hlídat minimálně dva ozbrojení policisté. Takový rozkaz by nepochopil akorát naprostý vůl."

„Jak jsem řekl — buď si otec ó Súllabháin potřeboval ulevit, ze svobodné vůle odsud odešel nebo sem někdo vtrhl a unesl ho."

„Z toho převráceného křesla mám pocit, že ho odvlekli proti jeho vůli. A postel není ustlaná, ačkoli je pět odpoledne. Jestliže ho ale doopravdy unesli, pak otázka zní: Kdy? Kdo a proč?"

„Mohl by to být ten náš starý známý," podotkl detektiv O'Donovan.

„Máte pravdu. Možná se dozvěděl, že jsme mu na stopě, a rozhodl se čtvrtý únos o několik dní urychlit."

„Nebo si myslí, že toho o něm víme víc než ve skutečnosti," řekl detektiv O'Donovan rozvážně. „Na druhou stranu o něm třeba fakt víme víc, než si sami uvědomujeme. To on ale netuší a my taky ne."

Katie na něj užasle zamrkala a pomyslela si: Jak mám na tohle asi odpovědět? On však zřejmě chápal, jak to myslí, a i ona víceméně chápala, jak to myslel, což bohatě stačilo.

„Řekněte těm dvěma telatům, ať se pustí do pročesávání budovy," řekla. „Chci, aby se podívali do každého pokoje bez ohledu na to, kdo v něm je a co tam dělá. A zavolejte posily z Mayfieldu, někdo musí prohledat pozemky. Já si půjdu promluvit s ředitelem."

Zamířili zpět do přízemí, tentokrát po schodišti zalévaném červenomodrými odlesky vysokého vitrážového okna, na němž byl zobrazen truchlivě působící svatý Dominik s pozvednutou rukou. Detektiv O'Donovan vyšel ven z budovy, aby si popovídal se dvěma uniformovanými policisty, a Katie se vydala hledat ředitelskou kancelář. Cestou nepotkala živou duši. V celém domě panovalo strašidelné ticho, jako by z něj byli všichni evakuováni.

Vtom spatřila dveře opatřené tabulkou s nápisem „Ředitelství: Benedict Tiernan". Zběžně zaklepala a vešla, aniž by počkala na vyzvání. Za stolem seděl vysoký plešatící muž v dominikánském hábitu a diktoval sekretářce. Z jeho vlasů zbývala jen šedivá řídká čupřina, která mu vybíhala do čela. Měl velký orlí nos a uhlově černé kruhy pod zapadlýma očima. Sluneční světlo, které dopadalo postranním oknem, propůjčovalo jeho nosním dírkám ostře šarlatovou barvu.

Sekretářku mu dělala malá tlustá žena v bledě zeleném propínacím svetru a kostkované sukni. V ruce držela psací blok a kousek nad ním pero, jako by čekala, až ředitel Katie oznámí, že je zaneprázdněný a nejprve musí dokončit diktát.

Benedict Tiernan se na Katie zadíval s neskrývanou nevolí v očích. „Komisařko Maguirová," pozdravil chraplavým, rozechvělým hlasem, který neustále měnil výšku. „Nepředpokládal jsem, že vás tu uvidím."

„Přijela jsem za otcem ó Súllabháinem," řekla. „Měla jsem dojem, že jsem se vyjádřila naprosto jasně, když jsem vám volala. Musím se s ním co nejdřív sejít."

„Ano, komisařko, vyjádřila jste se převelice jasně. Na druhou stranu jsem vám dal — dle mého názoru neméně jasně — na srozuměnou, že se otec ó Súllabháin stáhl do ústraní. Rozjímá, modlí se a my ho nesmíme rušit. Když jste řekla ‚co nejdřív‘, asi jsme se špatně pochopili. Myslel jsem, že si ho přejete vidět, jakmile skončí jeho zdejší pobyt, což by mělo být v neděli po obědě.“

„Bratře Tiernane, je skutečně nutné, abych si s ním promluvila teď hned. Závisí na tom život duchovního.“

Stručně vysvětlila, že na Patrick Street někdo srazil otce O'Garu a podle všeho jej i unesl.

„To je mi opravdu líto,“ řekl Benedict Tiernan a opřel si bříška prstů o sebe. „Požádala jste mě, abych vám dovolil rozmístit v budově hlídky, a já jsem s radostí souhlasil — nepohrdnu ničím, co přispěje k většímu bezpečí mému, našich zaměstnanců i otce ó Súllabháina. Rovněž chápu, že mi nemůžete detailně ozřejmit, z jakého důvodu otec ó Súllabháin potřebuje ochranu. Nejsem ale včerejší, komisařko. Uvědomuji si, co se ve světě za těmito zdmi děje.“

Zmlkl a opřel se, čímž unikl paprsku světla, který na něj až do toho okamžiku dopadal. Špička jeho nosu nabyla své obvyklé barvy, jako by někdo cvakl vypínačem.

„Nicméně dokud je otec ó Súllabháin zde u Svatého Dominika, těší se naší ochraně. Velice nám záleží na tom, aby újmy nedošlo nejenom jeho tělo, nýbrž i duch. Nemůžu vás k němu pustit, dokud sám dobrovolně nevyjde z ústraní. Umíte si představit, co by se stalo, kdyby Ježíš zničehonic přerušil půst na poušti a vrátil se dřív než po čtyřiceti dnech a nocích? Neměli bychom půst. Anebo jen velmi krátký půst.“

Do háje, zaklela v duchu Katie. A já si myslela, že O'Donovan vykládá nesmysly.

„Nařídila jsem, aby budova i pozemky byly důkladně prohledány,“ prohlásila. „Doufejme, že se otec ó Súllabháin jenom toulá někde v zahradě a hledá si koutek, kde by se mu dobře hloubalo."

Jedenáct uniformovaných strážníků pročesávalo dům i okolní pozemky přes půl hodiny. Pak se však jeden z nich dovlekl na parkoviště, kde čekala Katie s bratrem Tiernanem, a zavrtěl hlavou.

„Nikde po něm není ani stopy, komisařko. Dokonce jsme se mrkli i do kůlny."

Katie se kolem sebe rozhlédla a zoufale se kousla do rtu. „Nemůžu uvěřit, že ho nikdo nezahlédl odcházet."

Otec Tiernan pokrčil rameny. „Sama jste viděla, že Svatý Dominik je místo určené k rozjímání. Většina našich návštěvníků je pohroužená v modlitbách a plně zaujatá svými niternými démony. Nejspíš by si nevšimli, ani kdyby na ně zaklepal samotný papež."

Detektiv O'Donovan na Katie pohlédl a z výrazu jeho tváře bylo patrné, že to pokládá za „kupu hovadin". Katie s ním souhlasila, nahlas však nic neřekla a on také ne.

Když se bratr Tiernan vrátil dovnitř, Katie se otočila k detektivu O'Donovanovi a řekla: „Určitě jste vyslechli každého? Bratry? Kuchyňský personál? Všechny... jak jim jenom bratr Tiernan říkal... všechny ,návštěvníky'?"

„Všechny do posledního, komisařko. Viděli leda velké kulové."

V tu chvíli Katie zpozorovala, že zhruba sto metrů od nich se pohybuje zahradník v dlouhé hnědé zástěře a tlačí trakař do travnatého kopce.

„A co tamtoho? Zahradníka jste taky vyslechli? Je pravděpodobné, že strávil celý den venku."

Detektiv O'Donovan si poklepal na čelo. „Údajně je tak trochu mešuge. Sám jsem si s ním chtěl promluvit, ale jeden bratr mi řekl, že bych s ním akorát ztrácel čas."

„Dobrá," pokrčila Katie rameny a sledovala, jak se zahradník sune na vrchol kopce. Byl mladý — mohlo mu být něco málo přes dvacet — a rysy tváře připomínal permoníka. Malou hlavu měl zabalenou do zeleného zauzlovaného šátku, který mu dělal skřítkovské uši.

Katie beze slova opustila detektiva O'Donovana a namířila si to na opačný konec trávníku. Když k zahradníkovi došla, házel zrovna na kompost kupku zmuchlaného plevele a větviček. Nezdálo se, že by Katiin příchod zaznamenal. Šťouchl do kompostu vidlemi a párkrát do něj kopl, aby jej urovnal, načež se otočil a rozjel se s prázdným trakařem z kopce dolů. Katie s ním držela krok, šla ale kousek vedle něj, aby ho nezastrašila.

Čas od času se na ni kradmo podíval, nic však neříkal.

„Jak se jmenujete?"

Znovu na ni pohlédl a zamrkal.

„Svoje jméno mi snad prozradit můžete, ne? Já jsem Katie."

„Nemluv s cizíma lidma," odvětil podivně kdákavým hlasem, jako by opakoval rady, které slýchal od matky.

„Správně, jenže já nejsem cizí. Pracuju u policie jako detektiv."

„Vždyť jste paní."

„Ano, ale i paní můžou být detektivové. Koukal jste někdy v televizi na *Kriminálku Miami*? Tam mají spoustu detektivek. Paní bývají dobří detektivové, protože si neumějí hledět svého."

Zahradník pobaveně zakejhal a Katie usoudila, že je to dobré znamení. Když nic jiného, aspoň rozuměl, co mu říká. Ještě chvíli se ubírali z kopce a nastalé ticho přerušoval pouze zvuk trakaře. Zahradník se náhle zastavil a vyhrkl: „Tómas?", jako by se Katie na něco ptal.

„Tak se jmenujete? Tómas? To je moc hezké jméno. Víte, co znamená? Znamená ‚dvojče'."

Zahradník se zamračil. „Já jsem z dvojčat, ale bráška umřel, než se narodil. Já jsem v mámě žil, ale Brian byl mrtvej."

„To mě mrzí."

„To je dobrý. Stejně jsem si s ním furt hrál. Nikdo ho neviděl, ale já jo. Jsme dvojčata, tak proto. Pořád ho vidím, ale už si nehrajeme. Moc jsme vyrostli."

Katie řekla: „Určitě vídáte hodně věcí, kterých si ostatní nevšimnou."

„Jo," přitakal Tómas. „Ale oni nechtěj, abych o nich mluvil."

„Kdo nechce, abyste o nich mluvil?"

Zadíval se na budovu duchovního centra. „Bratři. Oni říkaj, že je bráška v nebi, takže není možný, abych ho viděl tady na zemi. Ale já přece vím, že je mrtvej. Nejsem blbej. Vím, že je mrtvej, ale pořád ho vidím. Vždycky stojí tamhle u altánku, hlavně když svítí sluníčko."

Uchopil nůžky a začal zastřihávat trávu kolem záhonu s růžemi. „Nejsem blbej," zopakoval. „Já poznám, kdo je živej, a kdo mrtvej. Já tady všechny znám, všechny bratry, úplně všechny. A znám i všechny uklízečky a všechny kuchaře a všechny ty lidi, co se sem choděj modlit. Vím, kdy přijdou a kdy zase odejdou. Nevím, jak se jmenujou, ale dávám jim vymyšlený jména. Třeba pan Smutnej plnovous nebo paní Twixová — ta když si myslí, že se nikdo nekouká, přijde do zahrady a sní si twixku."

Katie ho chvíli pozorovala při práci a pak prohodila: „Minulou neděli sem přijel jeden kněz. Jmenuje se otec ó Súllabháin a bydlí v pokoji číslo 202."

Zahradník se narovnal. Na pravé straně brady mu rostl blonďatý, znepokojivě dlouhý vous a Katie se podivila, proč si ho propánakrále neustřihne nebo nevytrhne.

„Toho myslím znám," řekl a zamrkal. „Ne moc vysokej, ale taky ne moc malej. Měl kulatou hlavu. Jako kopačák. Tak jsem ho pokřtil: otec Kopačák."

„A dneska jste ho potkal, toho otce Kopačáka? Třeba si vyrazil na procházku."

Zahradník zavrtěl hlavou. „Ne. Naposled jsem ho viděl v pondělí odpoledne ve čtvrt na tři. Šel do zahrady, dvacet dva minut seděl v altánku a potom se zase vrátil. Vypadal, jako že se modlí, protože měl skoro celou dobu zavřený oči a děsně rychle se probíral růžencem."

Zvedl levou ruku a vyhrnul si rukáv, aby Katie ukázal červené umělohmotné hodinky značky Swatch. „Já mám totiž hodinky."

„Takže dneska jste ho určitě neviděl? A co někoho cizího? Viděl jste někoho, koho neznáte? Někoho, kdo vám není povědomý?"

„Ty policajty. Jsou dva, že jo? Policajt Sem a policajt Tam, tak jim říkám, protože jeden druhýho neustále hledaj."

„Mně jste taky dal přezdívku?" zeptala se Katie.

Tómas se zatvářil zahanbeně a odvrátil od ní pohled. „Nedal, ne. Myslel jsem, že jste tu na návštěvě, a já většinou nedávám jména lidem, kteří přijdou akorát na návštěvu. To jste třeba vy, ten chlap, co je s váma, a ti tři, co přišli dneska ráno a hned zase zmizeli."

Najednou si prudce zakryl ústa rukou v šedé zahradnické rukavici a zděšeně se na Katie podíval, jako by jí právě prozradil něco, co si měl nechat pro sebe.

„Jací tři?" zajímala se Katie.

„Já vám to nesmím říct. Ježíši, fakt vám to nesmím říct."

„Co mi nesmíte říct? Proč? On vám to někdo zakázal?"

„Bratr Tiernan. Samotnej bratr Tiernan, on je ředitel. Jakmile ti tři chlapi odešli, otočil se a uviděl, že zastřihuju růžový keře. Přišel ke mně a řekl, ať nikomu nic neříkám. Vůbec nikomu. Že prej by mi stejně nevěřili, i kdybych to někomu řekl, jako nikdo nevěří, že vidím svýho brášku. A já vám to teď řekl."

Katie se ho konejšivě dotkla. „Nic se neděje, Tómasi. Já nejsem jen tak někdo. Jsem policistka. Mně to prozradit smíte. Vlastně je to vaše občanská povinnost. Možná dokonce dostanete odměnu."

„Ale co když to bratr Tiernan zjistí?" naléhal zahradník a působil stále rozrušeněji. Nervózně se tahal za rukavice, jako by ho už propouštěli a přikazovali mu, ať si je okamžitě sundá.

„Bratr Tiernan se to nedozví, pokud mu o tom nepovím, a já vám slibuju, že toho se bát vážně nemusíte. Rozumíte mi? Na mou duši, na psí uši, na kočičí svědomí. Všimla jsem si, že umíte opravdu pěkně popsat lidi — povězte mi, jak ti tři chlapi vypadali?"

Zahradník se nepřestával tahat za prsty rukavic a tvářil se zkormouceně. „Já je viděl akorát zezadu. Jeden z nich byl fakt velkej a měl žlutý kudrnatý vlasy a ten druhej nebyl tak velkej, ale furt spíš větší a měl tmavý vlasy. Třetího jsem skoro neviděl, protože dveře tý dodávky byly otevřený a on za nima byl schovanej."

„Oni přijeli dodávkou?"

Zahradník přikývl: „Přijeli dodávkou po příjezdovce a zacouvali s ní až ke vchodu. Otevřeli dveře a pak je zavřeli a odjeli."

„Jak ta dodávka vypadala, Tómasi?"

„Já bych vám to neměl říkat, jinak se mnou bude amen."

Katie sáhla do kapsy a vytáhla konopnou obálku s fotkou, na níž byla černá dodávka s biskupskou berlou na zadních dveřích. „Je to ona?"

Zahradník se mlčky podíval nejprve na snímek, potom na ni a začal přikyvovat tak zuřivě, až Katie dostala strach, že mu uletí hlava a přistane uprostřed růžových keřů.

Hbitě se vrátila k domu, kde už na ni čekal detektiv O'Donovan a tři uniformovaní strážníci.

„Takže?" zeptal se O'Donovan a ušklíbl se. „Dal vám pár dobrých tipů na pěstování banánů?"

„Jen se smějte," prohlásila Katie. „Ale pokud se chcete dozvědět pravdu, měl byste se vždycky zeptat největšího prosťáčka, na jakého narazíte. Duševně postižení nesledují vlastní zájmy, nesnaží se přikrášlit fakta, aby na vás zapůsobili, a pamatují si věci tak, jak se odehrály."

Odmlčela se a po chvíli rázně pokračovala: „Benedict Tiernan nám věší na nos bulíky, tím jsem si jistá. Dnes ráno sem přijel pachatel v té své černé dodávce a já se s vámi vsadím o cokoli na světě, že odvezl otce ó Súllabháina a že s ním bratr Tiernan zcela spolupracoval."

Detektiv O'Donovan užasle otevřel ústa a zase je zavřel. „To si snad děláte srandu."

„Ani trochu."

„Vy se hodláte spoléhat na to, co vám navykládal nějaký pošahaný zahradník?"

„Spoléhám na svou intuici, pokud to musíte vědět."

„Takže co uděláme? Zatkneme bratra Tiernana kvůli podezření z napomáhání únosu?"

„Bratra Tiernana teď necháme na pokoji a ze všeho nejdřív zjistíme, kdo řídí tu dodávku. Ozval se vám Jimmy? Touhle dobou už musel otce Loweryho určitě najít."

„Volal jsem mu na mobil, ale nezvedá to, ani otec Lowery ne. Brnknul jsem i do kostela svatého Michala v Rathbarry a taky nic."

Katie se podívala na hodinky. „Měl se mi dávno hlásit. No co, dáme mu ještě půl hodiny." Ohlédla se na budovu duchovního centra. „Posílají nás od čerta k ďáblu, Patricku, ale já vím, s kým si musíme popovídat."

37

Venku se pozvolna rozhostila tma, hortenzie však dál ťukaly do okenní tabulky, ťuk, ťuk, ťuk, jako duch, který dávno přestal doufat, že ho pustí dovnitř, navzdory tomu se však nemíní vzdát. *Smolíčku, pacholíčku, otevři nám svou světničku.*

Gerry otevřel oči. Sužovala ho příšerná bolest a nemohl uvěřit, že je dosud naživu. Musí přece být možné, aby člověk zemřel na utrpení, na utrpení a nic jiného. Bezpochyby existuje způsob, jak zemřít jenom proto, že si to přejete. „Dobrý Bože na nebesích, prosím tě, zastav mi srdce. Prosím tě, zastav je, ať tu nepředstavitelnou agonii nemusím déle snášet."

Ale ať Gerry naléhal sebeúpěnlivěji, Bůh se k němu jako vždy otočil zády a předstíral, že ho neslyší.

V pokoji bylo stále větší šero, až nakonec nastala téměř neproniknutelná tma. Gerry upadal do bezvědomí a opět se z něj probíral, jako když se plavec noří pod mořskou hladinu a zase se vrací na povrch. Pozvolna se ho zmocňoval pocit, jako by ta hladina byla v jednom ohni, politá žhnoucí ropou, a on se o ni s ohlušujícím jekotem spálil, kdykoli se k ní přiblížil.

Místnost náhle zaplavilo oslepující bílé světlo. Gerry se pokusil zvednout hlavu, aby se podíval, co se děje, neměl však sílu a šlachy na jeho krku byly příliš napjaté. „Prosím, Marie, Matko Boží, ať je to anděl, který si mě přišel odnést."

Pomoz mi, řekl v duchu. Nebyl to však žádný anděl, nýbrž Cípal s lucernou. Na hlavě měl svou obvyklou špičatou čepici a masku, kromě toho si ale oblékl i dlouhou červenou zástěru, která silně páchla po gumě. Předloktí měl obnažená a bylo vidět, že jsou do posledního centimetru potetovaná. Postavil se k posteli, dlouho u ní mlčky stál a průstřihy v masce si prohlížel Gerryho černorudou lebku i svraštělé pozůstatky jeho penisu, které připomínaly vyhořelou prskavku.

„To ale bylo pokání, viďte?" podotkl Cípal. „Učiněný hořící keř. Co myslíte, dospěl Pán k závěru, že už vám může odpustit?"

Gerry na něj zíral, ale veškeré jeho vjemy přebíjela usilovná snaha překonat bolest. Nedokázal ani logicky uvažovat, natož aby přemýšlel o tom, zda došel vykoupení.

Cípal mu přidržel lucernu u obličeje, aby Gerry na tváři ucítil žár a uslyšel její hadí syčení. „Já vám povím, co si myslím. Podle mě jste skoro v cíli, ale ne úplně, jako Ježíš, když nesl kříž na Golgotu. Stejně jako jemu zbývá i vám kus cesty. Jen se obávám, že tu není žádný Šimon Kyrenský, který by z vás to břímě sňal. Já sice nevěřím, že Kristus kříž upustil, v Novém zákoně nic takového nestojí, ale nestojí tam ani to, že kříž opravdu vláčel, třeba jen jediný centimetr. Předstírejme ale, že ho vážně nesl, protože vy svůj kříž ponesete bez ohledu na to, jak to bylo doopravdy."

„Jan devatenáct, verš sedmnáctý," zaskřehotal Gerry.

„No vida!" prohlásil Cípal vítězoslavně. „Já jsem věděl, že se ten kněz ve vás dřív nebo později projeví. Se zapíráním je konec, otče O'Garo! Pořád je tu ale šance, že se ohledně toho kříže mýlíte. Záleží na tom, jak z řečtiny přeložíte *opisthen*, což znamená buď ,za', nebo ,po'. Když Šimon kříž nesl, nesl ho *po* Ježíši, tedy po tom, co jej Kristus upustil? Anebo ho nesl *za* ním, to je vzadu?"

Cípal chvilku počkal, a když odpověď nepřišla, prohodil: „Upřímně řečeno, otče, vy vypadáte, jako že je vám to dočista u prdele. Tak abychom se dali do díla, ne? Doveďme vaše pokání k úžasnému závěru. Kluci, jste tam?"

294

Do pokoje vstoupil člověk v biskupské mitře a hned poté mu přes rameno nahlédla bílá bezvýrazná tvář muže v pierotské masce.

Proboha, pomyslel si Gerry. Co mi zase provedou? Vždyť umírám, tak proč mě prostě nenechají být? Šok, otrava krve, dehydratace nebo podchlazení — jedno z toho mě stoprocentně skolí. Anebo všechno dohromady. Další mučení nemá smysl. Prosím.

Cípal opatrně postavil lucernu na umělohmotnou kuchyňskou židli.

„Mimochodem," řekl a luskl prsty. „Bezpochyby vás potěší, že jsme chytili i toho čtvrtého. Otec Heaney, otec Quinlan, samozřejmě vy a teď máme i otce ó Súllabháina."

„On je tady?" zeptal se Gerry.

Cípal zavrtěl hlavou a jeho rouška se zhoupla ze strany na stranu. „Ale kdepak. Nepřipadalo mi vhodné vzít ho sem. Takový osud by se pro něj ani trochu nehodil. Abych byl upřímný, otče, já jsem ho odvézt nechtěl, aspoň zatím ne. Koneckonců jsme ještě neskončili s vámi. Přesto jsme si v rozporu s našimi záměry museli dojít pro čtvrtého z vás, díkybohu posledního. Ukázalo se, že policajti jsou důvtipnější, než jsme předpokládali, a tudíž jsme neměli na výběr a museli jsme zařídit, aby nám nepřekazili plány."

Vytáhl z kapsy řezbářský nůž, sehnul se a přeřízl černé nylonové pásky, jimiž byl Gerry připoutaný k čelu postele. Kněze zachvátila nepřekonatelná touha Cípala zardousit, v rukou však neměl cit, a bylo tedy zcela vyloučené, aby je třeba jen zvedl.

Cípal schoval nůž do kapsy a uchopil klubko lesklého ocelového drátu. „Poznáváte to? Struna do piana, tloušťka čtrnáct. Dostatečně tenká na to, abyste trpěl, ale zároveň ne dost na to, aby vám prořízla kůži. Někteří z té vaší bandy po ní rádi sahají, když dostanou chuť na trochu toho sebemrskačství. A proč ostatně ne? Vy zasraní úchyláci si zasloužíte každou ránu, která na vás dopadne."

Muž v pierotské masce předstoupil, popadl Gerryho za levou paži a překulil ho na pravý bok. Pevně jej sevřel, aby ho udržel na místě a zabránil mu vrátit se do původní polohy. Cípal mezitím za knězovými zády odmotal z cívky dlouhý kus struny a uštípl jej kleštěmi. Nato přitáhl Gerryho zápěstí k sobě a strunu kolem nich omotal, dokola a dokola, až Gerry nabyl přesvědčení, že mu chce ruce uříznout. Naštěstí byl natolik otupělý, že pro něj jakákoli další bolest nepředstavovala nic než kapku v moři. Cítil, jak mu ruce ledovatí, a to bylo tak všechno.

Jakmile měl zápěstí spoutaná, muž v pierotské masce ho opět pustil na postel. Pisklavě pod ním zavrzala, jako by na ní souložil párek milenců.

Muž v biskupské mitře roztáhl Gerrymu nohy, jak nejvíc to šlo, a Cípal mu připoutal kotníky k rámu lůžka. V dobách, kdy Gerry hrával ragby, míval nohy svalnaté a hezky tvarované, nyní však byly vyhublé, porostlé tmavými chlupy a bílé jako kuřecí nožky.

„Hotovo," oznámil Cípal a odhodil cívku stranou. „Hezky svázaný a připravený na kleštění. Nejdřív si ale poslechneme, jak umíte zpívat o milost."

Přešel ke kuchyňské židli a sebral ze sedáku sklenici plnou průzračného medu. Odšrouboval z ní víčko, ponořil do tekutiny polévkovou lžíci, vrátil se k posteli a podržel ji Gerrymu u rtů. Trocha medu ukápla knězi na bradu a stekla mu po krku.

„No jen do toho, otče O'Garo. Víte přece, jak prospívá hrtanu. Ani se nenadějete a budete zpívat sladčeji než Pavarotti. Jejda, já zapomněl, Pavarotti je po smrti. Ale to je jedno, brzy budete po smrti i vy."

„Mmmfff," zahuhňal Gerry a pevně stiskl rty.

„Spolkněte to," nařídil Cípal, Gerry však ne a ne otevřít ústa, a proto Cípal kývl na muže v pierotské masce, který knězi ucpal nos a znemožnil mu dýchat. Když se Gerry konečně podvolil, Cípal mu vrazil lžíci do úst tak tvrdě, že mu zlomil přední zub, a on spolu s medem spolkl i kus skloviny. Dusil se a dávil, kašlal a málem se pozvracel, ale Cípal ze sklenice ihned nabral druhou várku a vecpal ji Gerrymu mezi rty.

„Co vy na to?" řekl. „To přece nebylo těžké, ne? A teď si poslechneme, jak nám zazpíváte o odpuštění. Nikam nespěchejte, otče, jedna, dvě, tři a la-a-a-a-a!"

Gerry mohl jen kašlat a kašlat a kašlat, až se nakonec s hlučným zaskřehotáním začal dávit. „Ježíši," odfrkl si Cípal. „Ještě chvilku v tom pokračujte a pobliju se sám. Tohle jsem na mysli rozhodně neměl. Stál jsem o krásnou duchovní hudbu. Chtěl jsem si poslechnout píseň o vykoupení, ne jak házíte šavli."

Cípal otevřel ústa a začal zpívat prazvláštním vysokým hlasem — týmž, který Gerry slyšel v nahrávce „Růže z Allendale":

„Aleluja, Bůh s námi!
Naděje vzkříšena a smrt zmařena.
Hříšníci spaseni a zajatci volní.
Krásná to píseň vykoupení!"

Gerrymu se znovu obrátil žaludek, ale měl v něm pouze med, sliny a hlen, a tudíž se nemohl vyzvracet.

„Já to vzdávám," prohlásil Cípal. „Já to kurva vzdávám. Zapomeňme na hříšníky spasené i kámen odvalený a pusťme se do práce."

Z Gerryho penisu nezbývalo nic než zčernalý cár, který připomínal spálenou vyčiněnou kůži a byl obklopený různě velkými puchýři naplněnými čirou tekutinou. Jeho šourek byl sežehnut doruda, ale muži v pierotské masce se i přesto podařilo uchopit jej do levé ruky a sevřít, aby se varlata vyboulila. Gerrymu se zdálo, že zase vykřikl, ale nebyl si tím jistý. Všechno mu teď koneckonců připadalo jako jeden nepřetržitý výkřik. Dokonce i bílé světlo lucerny na něj působilo spíš jako skřek než světlo.

Muž v pierotské masce popadl *castratori* s ocelovými čepelemi a podal je muži v biskupské mitře, který nůžky přidržel knězi před obličejem a několikrát jimi šmikl, aby mu dal najevo, co si pro něj přichystali.

„Já vás znám, hajzlové," vydechl Gerry. „Vím, jak se jmenujete."

„A k čemu vám to je, otče O'Garo? Plánujete nás snad napráskat andělům?"

Gerry pohlédl na strop. Chladné ostré čepele jej škrábly po obou stranách šourku, načež se k sobě pozvolna přiblížily a on ucítil, jak přestřihávají každičký nerv, každičký kanálek, každičký milimetr masa. Překvapivě ostře u toho zaskřípaly, což jej rozrušilo víc než sebestrašnější bolest. Napadlo ho, že takhle to zní, když muži nenávratně berou jeho mužství.

Cípal odříznutá varlata chytil, dřív než stačila propadnout na podlahu. Zvedl je, aby na ně Gerry viděl, a překulil je mezi palcem a ukazováčkem.

„Co myslíte, otče, bude pro vás teď snazší uvidět Boha?" řekl, a ačkoli Gerry netušil, jak se za maskou tváří, z tónu jeho hlasu bylo jasně poznat, že se mu lascivně vysmívá.

Stále kněze popichoval, ale vtom mu najednou zazvonil mobil. Čistou rukou si sáhl pod zástěru, telefon vyndal a otevřel ho.

„Co se děje?" zeptal se. Zjevně se nepotřeboval podívat na displej, aby zjistil, kdo volá.

Poslouchal a pak řekl: „Ježíši. Kurva. No dobrá. Ježíši. Tohle nadělá slušný bordel, to teda jo."

Ukončil hovor a strčil si telefon zpátky do kapsy u kalhot. Poté na Gerryho shlédl a řekl: „Nemáme času nazbyt, otče. I když jak na vás koukám, pořádný otec by z vás beztoho už nikdy nebyl."

Gerrymu se zdálo, že ačkoli lucerna syčí stejně hlasitě jako dříve, její světlo pohasíná. Potop se, přikázal si. Potop se do toho moře, do té vítané temnoty a ochromujícího chladu. Potop se a víckrát se nevynořuj.

Když mu muž v biskupské mitře jemně pozvedl hlavu, aby mu Cípal mohl kolem krku omotat strunu od piana, Gerry to vůbec necítil.

38

Katie se vrátila domů, nakrmila Barneyho a vypustila ho na zahrádku za domem, aby si vyřídil své. Chtěla se také spojit s Johnem a zavolat do nemocnice, aby se zeptala, jestli se Siobhan daří lépe.

Siobhanin stav se příliš nezměnil — nebylo jí líp ani hůř, sestřička však tvrdila, že si doktoři dělají starosti kvůli jejímu nízkému krevnímu tlaku. John telefon nezvedal, ani mobil, ani pevnou linku, a proto mu Katie nechala na záznamníku vzkaz, ať se ozve a řekne jí, jak moc ji miluje. Otec O'Gara a otec ó Súllabháin se dosud pohřešovali a panovalo důvodné podezření, že je někdo unesl, takže by se s Johnem dnes večer stejně nemohla sejít.

Zrovna otvírala sáček s chlebem, aby si připravila šunkový sendvič, když jí zazvonil mobil.

„Šéfová? Tady Patrick. Právě mi volal inspektor Pearse z Clonakilty. Tvrdí, že mu dělá těžkou hlavu náš Jimmy O'Rourke."

„Cože? Proč? Místní strážníci přece vůbec nemají vědět, že tam je."

Detektiv O'Donovan jí připomněl, že silnici Croppy Road zablokoval převrácený kamion s dobytkem a strážmistr O'Rourke si od policie v Clonakilty musel vypůjčit hlídkový vůz. „Jeho toyota parkuje u nich na stanici, ale on si ji pořád nepřijel vyzvednout a tamní kluci nemají nejmenší ponětí, kam se poděl."

„Hlídková auta jsou snad vybavená GPS lokátorem, ne? Proč ho nezaměří?"

„Někdo lokátor nejspíš vyřadil z provozu. Jiná možnost je nenapadá."

„Řekl jste jim, že Jimmy byl na cestě do Rathbarry a s kým se tam měl setkat?"

„Ne, neřekl. Napadlo mě, že bude lepší, když to nejdřív proberu s vámi."

„To vás chválím, Patricku, ale laskavě se s inspektorem Pearsem znovu spojte a vysvětlete mu, z jakého důvodu Jimmy přes Clonakilty projížděl. Nemusíte mu vykládat, proč přesně chtěl otce Loweryho vyslechnout, stačí se zmínit, že jde o součást důležitého vyšetřování, kterým se momentálně zabýváme. A když už budete u toho, neuškodilo by, kdyby se vám povedlo vypátrat i otce Loweryho. Mohl byste prosím zavolat do jeho kanceláře na diecézi a ověřit si, jestli už se nevrátil do Corku?"

„Rozkaz, šéfová. Je tu ale ještě něco…"

„Kruci, radši si to nechte pro sebe. O další špatné zprávy fakt nestojím."

„Ona to není ani tak špatná zpráva, jako spíš menší komplikace. Zastavili jsme se v Sirotčinci svatého Josefa, abychom se podívali na jejich archiv z dob, kdy byl založený ten eunušský sbor, jenže jsme zjistili, že žádné záznamy neexistují. Z let 1966 až 1997 nemají absolutně nic. Sekretářka tvrdila, že když se hlavní budova v roce 1988 renovovala a oni se dočasně přestěhovali, byly veškeré záznamy zničeny při požáru, včetně prezenčních listin, výsledků lékařských vyšetření, rodných listů a fotek. Komplet to lehlo popelem."

„Tomu ani na vteřinu nevěřím."

„Dušovala se, že mluví pravdu. Jasně, můžeme si opatřit povolení k prohlídce a ten archiv prošmejdit, ale já pochybuju, že by to k něčemu bylo."

„Nějaké dokumenty prostě existovat musí. Zkuste sociálku nebo zdravotní úřad."

„Nebojte, komisařko, já se nevzdám, na to se můžete spolehnout."

„Dejte mi vědět, jak si vedete, Patricku. Situace je čím dál kritičtější. Pachatel se zmocnil dvou nových obětí a my netušíme, jak dlouho je hodlá nechat naživu."

Zatímco seděla na kuchyňské stoličce a večeřela, otevřela svůj laptop a vyhledala si informace o Corkské společnosti pro oběti sexuálních zločinů. Jejich webové stránky uváděly celkem dvě telefonní čísla: jedno do sídla na Oliver Plunkett Street přímo v centru města a druhé na pobočku v Glanmire, což byl shluk vesniček zhruba šest kilometrů na východ od Corku u ústí řeky Glashaboy. Katie zaujalo především druhé číslo, protože se vedle něj skvělo jméno ředitele společnosti, Paula McKeowna.

Zapila sendvič douškem perlivé minerální vody a odhodlala se Paulu McKeownovi zavolat. Telefon vyzváněl dlouho, aniž by jej kdokoli zvedl, nakonec se však ve sluchátku ozval mužský hlas: „Corkská společnost pro oběti sexuálních zločinů, kdo volá?"

„Mluvím s Paulem McKeownem?"

„Koho to zajímá?"

„Jsem komisařka Katie Maguirová z policejního ústředí na Anglesea Street. Vyšetřuju vraždy otců Heaneyho a Quinlana a napadlo mě, že bych vám položila pár otázek."

„Aha," řekl Paul McKeown a ona uslyšela, jak pravidelně oddechuje. „Popravdě řečeno nechápu, jak bych vám mohl pomoct, komisařko."

„Podle mě můžete víc, než si uvědomujete. Co kdybych obvolala několik lidí a večer se za vámi zastavila? Nezdržím vás."

„Dobrá. Moje žena má dnes čtenářský kroužek, takže by to asi šlo."

Katie se podívala na kuchyňské hodiny. Ukazovaly devět minut po sedmé. Den se rychle chýlil ke konci, i přesto se ale s každou uplynulou minutou více a více komplikoval. Zmocňoval se jí pocit, jako by měla spoustu odpovědí, ale žádné otázky, díky nimž by dávaly smysl.

Navíc postupně docházela k přesvědčení, že se při řešení případu spoléhá téměř výhradně na dohady. Bylo pravděpodobné, že otcové Heaney, Quinlan, O'Gara a ó Súllabháin úmyslně vykastrovali mladé chlapce ze Sirotčince svatého Josefa, aby sestavili nejlepší sbor v celém v Irsku. Očividně je k tomu motivovala touha potěšit Boha a přimět ho, aby se uvolil sestoupit na zem a v nějaké podobě se zjevit, ačkoli nebylo jasné, jak přesně k tomu mělo dojít. Třeba se kněží domnívali, že se to skutečně stane, Boha na vlastní oči spatří celý svět a spolu se Stvořitelem uvidí i nebe. Na druhou stranu možná věřili, že se to přihodí pouze v jejich myslích, jakési soukromé zjevení určené jenom jim.

Nechápala však, jakou roli v tom všem hraje monsignore Kelly. Měla silné podezření, že Kelly ví, kam se poděla ta dodávka s biskupskou berlou na zadních dveřích, a že má dokonce i poměrně dobrou představu o tom, kdo zavraždil otce Heaneyho a otce Quinlana. Přesto nedokázala rozluštit, proč se monsignore Kelly tolik snaží svalit vinu na Brendana Doodyho. A kam vůbec Brendan Doody zmizel, ať už živý, nebo mrtvý?

A kde je pro všechno na světě Jimmy O'Rourke? Katie si o něj začínala dělat velké starosti. Zavřela laptop, dojedla sendvič a odešla do předsíně, kde na sebe hodila pršiplášť. Přihnal se k ní Barney a vrtěl ocasem.

„Promiň, hochu. Procházka se nekoná. Vezmu tě ven, až se vrátím."

Z hloubi Barneyho hrdla se vydralo pronikavé zavytí. Katie svého irského setra k smrti milovala, přesto si čas od času říkala, jestli je vážně dobrý nápad mít doma tak nespoutané a mazlivé zvíře, když mu nemůže poskytnout dostatek pohybu a věnovat mu tolik pozornosti, kolik by si zasloužilo. Navíc to byl dárek od Johna... a co když se Katie rozhodne, že se za Johnem do Spojených států přece jenom nevypraví? V tom případě by jí Barney neustále připomínal, jak úžasné šance se vzdala a jak velkou lásku obětovala.

Přidřepla si k němu, podrbala ho na hlavě a zatahala za uši. Barney začenichal, vyplázl jazyk a začal vzrušeně pobíhat kolem dokola.

„Co bys na mém místě udělal ty, Barney? Zůstal bys, nebo bys jel?"

Pes naklonil hlavu na stranu a soucitně na paničku zaštěkal.

Když vyrazila k vesnici Sallybrook, bylo už po setmění. Levou stranu silnice lemovaly obří černé duby jako kaňky tuše a po pravé viděla Katie široký ohyb řeky Glashaboy, v níž se zrcadlila večerní obloha. Katie si odjakživa myslela, že na nočních řekách je cosi nesmírně tajemného. Žádný div, že se většina corkských sebevrahů vrhala právě do řek — věděli totiž, že voda s sebou odnese veškeré jejich zoufalství a nikomu o něm nepoví.

Paul McKeown bydlel ve velkém domě na svahu u klikaté silnice Glen Richmond. Bylo to poměrně nové, úhledné stavení se strmou asfaltovou příjezdovou cestou, čerstvě vybudovanou skalkou a dvojitou garáží s obílenými dveřmi. Katie vystoupila z auta, přešla k hlavním dveřím a stiskla tlačítko zvonku.

Zazněla melodie „Westminster Quarters", za vitrážovým oknem nad krytým vchodem se rozsvítilo světlo a ona uviděla, jak po schodišti schází postava, jejíž barva se v okénku postupně mění z červené na zelenou a ze zelené na žlutou.

Otevřely se dveře a Paul McKeown řekl: „Komisařka Maguirová?"

„Dobrý večer. Omlouvám se, že jsem vás přepadla takhle pozdě." Vypadal jako vystřižený z novinového snímku zachycujícího demonstraci před úřadem diecéze na Redemption Road. Byl vysoký, velmi vysoký — minimálně metr devadesát — a měl tmavě hnědé vlasy, které byly spíše vlnité než kudrnaté, jak se zdálo na fotografii, ale za to asi mohl celodenní déšť. Od pohledu se dalo říct, že je mu nejméně dvaačtyřicet. Vzhledem ke svému věku měl dost dlouhé vlasy, což hodně vypovídalo o jeho osobnosti: nekonformní, umělecky založený, trochu marnivý.

Byl mimořádně pohledný, takovým tím temným, mírně démonickým způsobem. Měl protáhlou tvář s rovným nosem, ostře vystouplými lícními kostmi a silnou hranatou bradou. Jeho šedomodré oči měly odstín zataženého odpoledního nebe. Byl oblečený do oslnivě bílé košile s vyhrnutými rukávy a indigově modrých džínů se splétaným opaskem z hnědé kůže.

„Pojďte dál," vyzval ji. Katie vstoupila a on ji zavedl do velkého obývacího pokoje s naleštěnou dubovou podlahou a nachově červenými koženými pohovkami. Místnost byla zařízena velice minimalisticky. Nad krbem visela velká, dvaačtyřicetipalcová plazmová televize, ale obrazy nebo fotografie tu nebyly žádné. V protějším rohu stála nazelenalá bronzová soška, která zpodobňovala anděla při modlitbě — s výjimkou půl tuctu bílých růží v čiré skleněné váze na konferenčním stolku šlo o jedinou ozdobu v pokoji.

„Posaďte se, prosím," vybídl Paul McKeown Katie. „Jak jsem říkal, když jste mi volala: opravdu si nemyslím, že bych vám mohl být jakkoli nápomocný."

Katie se usadila na jednu z kožených pohovek. „Nápomocný budete, pokud mi začnete říkat pravdu," odvětila a věnovala mu jeden ze svých proslavených odzbrojujících úsměvů. V očích se jí zatřpytilo.

„Začnu?" zopakoval Paul McKeown. „Zatím jsem ještě nic neřekl, tak jak bych vám mohl lhát?"

„Tvrdil jste, že vaše manželka odešla na schůzku čtenářského kroužku."

„No ano, to jsem opravdu tvrdil. A co má být? Chodí tam každé úterý."

„Vy žádnou ženu nemáte, pane McKeowne. Než jsem sem přijela, vyhledala jsem si vaše jméno v policejních záznamech. Taky je o vás článek na Wikipedii. Býval jste ženatý s Caoimhe ó Faoláinovou, tou básnířkou, která napsala *Květy z Cashel Beg*, ale před třemi lety jste se rozvedli."

Paul McKeown se zjevně ani trochu nestyděl, že ho Katie přistihla při lži. Lhostejně pokrčil rameny a prohlásil: „No co? Vždycky říkám, že jsem pořád ženatý, hlavně dámám. Asi by se to dalo označit za jakýsi obranný mechanismus. S identitou Paula McKeowna se totiž pojí jistý problém, a sice že ženy buďto projevují až chlípný zájem o to, co jsem si vytrpěl, anebo se domnívají, že mi na to pomůžou zapomenout — často oboje."

„Dobrá, protentokrát vám odpustím," prohodila Katie nepříliš vážně a pokračovala: „Z našeho hovoru víte, o čem si s vámi chci promluvit. Nutně potřebujeme najít někoho, kdo by nám pomohl dopadnout vraha otce Heaneyho a otce Quinlana. Momentálně je nám známo jen to, že pachatel v současnosti zadržuje dalšího kněze podezřelého ze zneužívání dětí: otce Gerryho O'Garu. Pachatel pravděpodobně unesl i čtvrtého duchovního, otce Michaela ó Súllabháina.

Musím vás upozornit, že všechno, co vám nyní prozradím, je v této fázi vyšetřování přísně tajné. Dostaly se nám do ruky deníky otce Heaneyho, v nichž se popisuje, jak tito čtyři kněží založili v Sirotčinci svatého Josefa církevní sbor."

„Mluvte," popohnal ji Paul McKeown a ona z tónu jeho hlasu vycítila, že ví nebo přinejmenším tuší, co přijde dál.

„Nebudu chodit kolem horké kaše. Ti čtyři kdysi evidentně usoudili, že zmíněný sbor dosáhne hudební dokonalosti pouze tehdy, pokud někteří, nebo dokonce všichni jeho členové budou vykastrováni, podobně jako zpěváci z Vatikánu šestnáctého století. A přesně to udělali. Vykastrovali je. Alespoň to otec Heaney píše ve svých denících, což ale zároveň znamená, že musíme být trochu obezřetní, co se týče pravdivosti těchto tvrzení. V těch sešitech se nachází i hromada nepříčetných žvástů o tom, jak stanout Bohu tváří v tvář, a že nebe je reálné místo. Je tudíž docela dobře možné, že se nejedná o nic jiného než o sadomasochistické představy krajně frustrovaného kněze. Po zralé úvaze se ale kloníme k závěru, že tomu tak není."

Paul McKeown se dlouze zamyslel, než odpověděl. Ruce měl zvednuté před obličejem a bříška prstů opíral o sebe, takže Katie neviděla, jak se tváří. Náhle se postavil a řekl: „Skočím vám pro skleničku, komisařko. Působíte na mě jako milovnice vodky."

„Děkuju. Dala bych si s největší chutí, ale bohužel jsem ve službě a mám v plánu pracovat celou noc až do rána."

„Určitě si nedáte? V tom případě vám musím vnutit aspoň šálek čaje nebo kafe. Anebo limonádu."

„Dobrá, něco mi doneste, cokoliv. Třeba oranžádu, pokud máte."

Odešel do kuchyně, a když se vrátil, držel v jedné ruce sklenici hořké citronády s ledem a plátkem citronu a v druhé ležák Satzenbrau, který upíjel přímo z lahve.

„I já jsem se doslechl, že se několik chlapců od Svatého Josefa v minulosti dostalo až příliš blízko k nůžkám," spustil, jakmile se opět posadil. „Roky o tom kolovaly nejrůznější historky a drby, ale nepřihlásil se nikdo, kdo by je potvrdil."

„Takže si myslíte, že jsou pravdivé?"

„V nejmenším o tom nepochybuju, komisařko. Domnívám se, že to zůstalo utajeno z nejrůznějších důvodů. Vyjádřím se takhle: Corkskou společnost pro oběti sexuálních zločinů jsem se rozhodl založit v létě 1998, když mi bylo dvacet devět. Ve škole jsem se stal obětí několikanásobného zneužívání, především ze strany jednoho kněze. To léto jsem čirou náhodou potkal tři nebo čtyři mladé muže, kteří měli podobnou zkušenost z jiných škol.

Ze začátku se nám na to téma nehovořilo snadno. Člověk o tom mluvit nechce, protože tak budí ze spánku nepříjemné vzpomínky, a navíc čím jste starší, tím míň chápete, proč jste to dopustila. I po všech těch letech se sám sebe občas ptám, jestli jsem si za to zčásti nemohl sám. Nejhorší je, že některé aspekty té zkušenosti byly kupodivu docela příjemné. Něco takového dokáže připustit jen velmi silná a vyrovnaná osobnost.

Založením Corkské společnosti pro oběti sexuálních zločinů jsme veřejně přiznali, že nás zneužívali kněží, kteří se o nás měli starat, a že otevřeně žádáme o pomoc a podporu, od sebe navzájem i od našich komunit. Právní pomoc, finanční, ale hlavně psychologickou. Kromě toho jsme uváděli konkrétní jména a vznášeli konkrétní obvinění proti konkrétním kněžím.

Nádavkem jsme požadovali, aby něčemu podobnému nebyl už nikdy nikdo podroben, už ani jeden chlapec nebo děvče."

Naklonil se blíž a v jeho očích se zračila ohromující vážnost. Katie si pomyslela, že za jiných okolností by byl výborný kněz, ten typ, jemuž se věřící bez námitek vyzpovídá i z nejhlubších pochyb. „Něco vám povím, komisařko — odpor, s nímž jsme se setkali… no, asi si umíte představit, co všechno církev podnikla, aby nás umlčela. Slíbili nám zevrubné a veřejné vyšetřování, dočkali jsme se ale jen tajných přezkoumání vedených představiteli diecéze a horečnatých pokusů o ututlání. Slíbili, že pachatelé budou potrestáni — zbaveni kněžského úřadu a propuštěni —, ve skutečnosti je ale přeložili na jiné farnosti, kde tito kněží přirozeně dál zneužívali své svěřence. Lidé od Garda Síochána nás ujišťovali, že se každým obviněním budou důkladně zabývat, a pokud se naše stížnosti ukážou být oprávněné a prokazatelné, přistoupí se k trestnímu stíhání. Ale nevyřešil se jediný případ.

K těm událostem došlo před lety, a nebylo tudíž možné zajistit forenzní důkazy. Žádné vzorky ochlupení nebo stopy zaschlého semene na cvičebních trenkách, které by se daly poslat na testy DNA. Většinou jsme neměli ani žádné svědky. Rozhodně ne někoho, kdo by se nebál nebo nestyděl ozvat."

Znovu se odmlčel a pak pokračoval: „Ano… o sboristech ze Sirotčince svatého Josefa jsme se doslechli spoustu neobvyklých příběhů. Jakmile do sboru vstoupili, směli se s ostatními dětmi stýkat pouze během vyučování a dostávalo se jim přednostního zacházení. Jedli lepší jídlo, měli vyhrazenou vlastní ložnici a nemuseli se účastnit her ani tělocviku.

Kolovalo o nich neskutečné množství klepů, jimiž se chovanci snažili vysvětlit, proč se s nimi zachází tak dobře. Některé se přibližovaly pravdě, jako třeba že jim kněží strkali do zadku velikonoční svíce, aby při zpěvu dosahovali větších výšek. Žádný ze sboristů se nám ale nikdy nesvěřil, co se mu doopravdy stalo, a když byl sbor rozpuštěn a oni dospěli, ani jeden nevznesl oficiální stížnost.

Věřte mi, že jsem se jich vyptával a pokoušel jsem se zjistit, jaká je pravda, ale všichni mlčeli jako hrob.

Církvi se i po všech těch letech dařilo vzbouzet v nich strach z Boha. A nevyhrožovali pouze posmrtným zatracením, to vám garantuju. Hrozili i tělesnou újmou, jim i jejich příbuzným. Asi víte, jakými gorilami se běžně obklopují zločinecké gangy v Corku, ale měla byste vidět, co za vazby zaměstnává církev. Vše samozřejmě proběhne velice diskrétně: zdrávas Maria, milosti plná, Pán s tebou, flák!"

Katie řekla: „No... až doteď se ti hoši od Svatého Josefa možná báli, ale my se domníváme, že nejméně jeden z nich teď došel k závěru, že je načase se dotyčným kněžím pomstít. Ze všeho nejvíc teď potřebuju jména, Paule."

„Je mi líto, vybavuju si akorát čtyři kluky a minimálně tři jsou po smrti."

„To mě překvapuje. Kastráti přece mají žít déle než průměrní muži."

„Ne, pokud spáchají sebevraždu."

„A co ten čtvrtý?"

„Netuším. Neozval se mi už celé roky."

„Jeho jméno mi snad prozradit můžete, ne?"

„Denis Sweeney. Zavolal mi těsně před Silvestrem 1999, oznámil mi, že si dva jeho kamarádi ze sboru u Svatého Josefa pustili v autě plyn, a zeptal se, jestli bych chtěl znát důvod. Domluvili jsme si schůzku v baru Long Valley na Winthrop Street, kde mi měl o všem povědět."

„A?"

„Dorazil jsem tam, ale on se neukázal. Od té doby jsem o něm neslyšel."

„Určitě si nevzpomínáte na nikoho dalšího?"

„Vybavuju si jistá dvojčata. Stydliví kluci, nikdy se s nikým nedávali do řeči. Mám dojem, že jejich příjmení bylo Phelan."

„To by se nám mohlo hodit," řekla Katie.

„Myslíte si, že pohřešovaní kněží budou zavražděni jako ti první dva?" zeptal se Paul McKeown.

„Umučeni a zavražděni. Ano, domnívám se, že je to silně pravděpodobné. Většinu z toho, co se otci Heaneymu a otci Quinlanovi přihodilo, jsme tisku vůbec nesdělili."

Paul McKeown řekl: „Jakou má cenu ztracená dětská nevinnost? Kolik by člověk měl zaplatit za to, že s rozmyslem připravil chlapce o šanci stát se mužem?"

Chvíli seděli v naprosté tichosti. Někde v dáli zaburácel blesk, nebo to bylo jen letadlo, které přistávalo na šestnáct kilometrů vzdáleném corkském letišti.

„Je mi líto, že jsem vám moc nepomohl, komisařko," ozval se Paul McKeown. „Ale přeptám se u známých. Třeba mají členové naší organizace lepší paměť než já."

„Mockrát děkuju. A říkejte mi Katie, jestli chcete. Když mi lidi říkají ‚komisařko', připadám si jako stará bába."

Paul McKeown vstal. „Děkuju, Katie. Stará bába rozhodně nejste — snad nevadí, že to říkám. Domníval jsem se, že vysoce postavená policistka bude mít kovově šedé vlasy a brýle s ocelovými obroučkami, ale když jsem vám otevřel, byl jsem vskutku příjemně překvapený."

Katie se mu chystala říct, ať si nevymýšlí, ale vtom jí zavibroval mobil. „Omluvte mě, prosím," řekla a přijala hovor.

„Komisařko? Tady znova Patrick."

„Co se zase děje? Netvrďte mi, že se pohřešuje další kněz."

„Ne, komisařko, právě naopak. V opuštěné hospodářské usedlosti asi dva kilometry na západ od Killeens vypukl požár. Hasiči nám zavolali s tím, že v troskách objevili mrtvé tělo svázané strunou. Z jejich popisu vyplývá, že by to mohl být otec O'Gara."

„A do prdele," zaklela Katie.

Paul McKeown se na ni tázavě zadíval a povytáhl obočí.

„Nejspíš si o tom přečtete v ranních novinách," prohlásila Katie. „Jak jsem říkala, mám takový pocit, že se dneska ani trochu nevyspím."

39

Pach vyhořelého domu ucítila dávno před tím, než k němu dojela — hořký, nepříjemný puch, který do jejího auta vnikal skrz průduchy na přístrojové desce. Projela zatáčkou úzké venkovské cesty a uviděla, že přibližně tři čtvrtě kilometru napravo od ní blikají modrá a oranžová světla a září reflektor.

Vjela na hrbolatou stezku vedoucí k chalupě. U ohořelého stavení, z nějž dosud stoupal kouř, úhlopříčně parkovaly hasičské vozy ze stanice v Ballyvolane a jeden červený džíp. Nedaleko stálo hlídkové vozidlo a auto detektiva O'Donovana.

Zaparkovala co nejblíže Patrickovu vozu, aby měla dodávka technického oddělení dostatek místa, až dorazí. Vystoupila a detektiv O'Donovan k ní zamířil. Byl neoholený a na sobě měl starou bundu z hnědé kůže a bledě modré džíny. Působil stejně vyčerpaně a nevyspale, jako se ona sama cítila.

„Tak vykládejte. Co se stalo?" zeptala se.

Otřel si hřbetem ruky nos. „Ten požár ohlásil řidič nákladáku, který kolem projížděl přibližně dvacet minut po desáté. Tvrdil, že plameny sahaly nejmíň patnáct metrů vysoko."

Postávali příliš blízko domu a Katie vhrkly z vanoucího dýmu slzy do očí. Detektiv O'Donovan ji zavedl k protější straně budovy, kde požární náčelník s ulízanými vlasy a špičatým nosem mluvil se třemi hasiči, kteří právě smotávali hadice. Náčelník Katie silně připomínal Bona ze skupiny U2 a brýle s jantarovými skly, které mu seděly na nose, ten dojem pouze umocňovaly.

„Á, proslulá komisařka Kathleen Maguirová," přivítal ji a vycenil zuby v širokém úsměvu. „Tuhle jsem o vás četl článek v *Echu*, o tom, jak jste zabásla ty rumunské pasáky. Gratuluju."

Katie se usmála na oplátku, na rozdíl od něj však mnohem upjatěji. „Údajně se tu našlo tělo."

„Leží uvnitř, v ložnici. Ten chlap je strašně ohořelý, ale neumřel kvůli tomuhle požáru, ani na otravu kouřem."

Katie si chalupu prohlédla. Stavení muselo být nejméně osmdesát nebo devadesát let staré, možná víc. Zdi byly postaveny z hrubého kamene, ohozené hustou směsí vápna a cementu a natřené narůžovo, nátěr však byl znetvořen šmouhami uhlově černých sazí. Celý dům působil dojmem, jako by v něm při požáru nespoutaně tančili rozradostnění čerti, kteří oslavovali jeho zánik, a po skončení si zapomněli vzít do pekla své stíny. Část střechy se zhroutila, kus komína však stále držel. Rostliny i plevel u zdí seschly. Okna byla kouřem obarvená dohněda a buď prasklá, nebo rovnou vysklená.

„Zdá se, že požár založili úmyslně," usoudila Katie. „Jako by někdo nalil kolem zdí urychlovač hoření a zapálil ho."

Náčelník podotkl: „Na vašem místě bych řekl to samé," jako by se zdráhal připustit, že má pravdu.

„Takže pachatel pravděpodobně neměl v úmyslu nechat ten barák lehnout popelem," pokračovala Katie. „V opačném případě by ho přece podpálili uvnitř, a ne venku. Zapálit vlhkou vnější zeď není zrovna snadné."

„Chcete se podívat na tu mrtvolu?" zeptal se náčelník mírně nedůtklivě.

„Proto jsem přijela," přitakala Katie a následovala ho do domu.

V kuchyni se zřítil strop a podlahu pokrývala zčernalá omítka a rozlámaná břidlice. Odevšad odkapávala voda a zdi byly žíhané šedí. Modrá světla hasicích vozů, které parkovaly venku, dovnitř vrhala trhané záblesky, takže to vypadalo, jako by procházeli filmem ze dvacátých let.

Požární náčelník překročil trám, který přehrazoval chodbu, a otočil se, aby Katie podal ruku a pomohl jí na druhou stranu. Nevěděla, jestli by ji to mělo potěšit, nebo urazit, přesto jeho nabídku přijala. Když jí však sáhl na záda a nasměroval ji do ložnice, konečně si uvědomila, co je důvodem jeho nezvyklého chování — líbila se mu.

Ložnice neutrpěla skoro žádné škody, okna ale jako všude jinde pukla žárem a zdi začernil kouř. Uprostřed místnosti trůnila holá kostra postele s kovovým rámem a na ní ležel mrtvý muž s rukama svázanýma za zády. Jeho kolena a kotníky byly spoutané tak těsně, že se mu vyboulily svaly.

„Co takhle si objekt nasvítit?" prohodil náčelník a nabídl Katie černou gumovou baterku. Vzala si ji, rozsvítila a namířila paprsek světla rovnou na obličej mrtvoly. Muž upíral nevidoucí oči nahoru ke stropu a jeho bělma byla poseta malinkými tečkami po petechiálním krvácení. Ačkoli měl po škrcení oteklou tvář a koutky úst svěšené v bizarní nápodobě nepředstavitelné agonie, Katie v něm i díky jeho zlomenému nosu poznala člověka z fotografií od Maureen O'Dwyerové.

Posvítila si baterkou na jeho lebku, od níž se ve svraštělých proužcích oddělovala černá a šarlatově rudá kůže, a poté kužel světla stočila ke genitáliím. Penis byl sežehnutý na uhel a z pramínků zaschlé krve na pravém stehně se zdálo, že pachatel provedl kastraci, mužovy nohy k sobě však byly svázané velmi pevně, takže si Katie nemohla být jistá.

„Kulky mi div nezalezly zpátky do těla, když jsem to uviděl, to vám povídám," ozval se náčelník.

„O tom nepochybuji," opáčila Katie, aniž by se na něj podívala. Přešla na druhou stranu postele a prohlédla si Gerryho

315

zblízka. Od hlavy až k patě byl pokrytý nespočtem modřin. Některé z nich měly karmínově rudou barvu, což naznačovalo hluboké zhmoždění měkkých tkání, kdežto jiné byly pouhé stopy po prstech, jak ho pachatel tahal, tlačil nebo vláčel po posteli.

Katie vyndala z kapsy pár latexových rukavic a navlékla si je. Velice opatrně položila dlaň pravé ruky na Gerryho břicho, kousek nad rozedřené zpuchřelé šrámy, kde dřív bývalo ochlupení. Měla pocit, že je břicho mírně hrbolaté, pachatel však Gerrymu uštědřil pořádný výprask, a případný hrbolek proto nepředstavoval nic zvláštního. Přinejmenším nezaznamenala, že by se uvnitř cokoli pohybovalo, kroutilo a zoufale si prokousávalo cestu na svobodu.

V tu chvíli dorazili technici v oblecích z tyveku a hlučně přelezli přes ohořelé trosky.

„Vida, vida, tak tu máme dalšího," vyjádřil se starší technik. Položil kufr na podlahu, podíval se na Gerryho znetvořené tělo a nezaujatě se zamračil, jako když si zákazník nedokáže vybrat z bohaté nabídky salátového baru. Mladší technik si dal záležet, aby se držel hezky opodál. „Do prdele," hlesl. „Kurva, ten je ale zřízený."

„Ráda bych, abyste tělo předali doktorce Collinsové tak, jak je," řekla Katie. „Nafotit si ho můžete, ale prosím, abyste nepřeřezávali ty struny a neodebírali vzorky kůže ani vlasů. Jsem přesvědčená, že se toho dozvíme víc, když ho v laboratoři přezkoumají netknutého. A navíc musíte zpracovat ještě tu postel a zbytek domu, takže o práci mít nouzi rozhodně nebudete."

„Skoč pro pytel na tělo, Eamonne," nařídil starší technik. Mladší muž s očividnou úlevou odběhl z místnosti a starší se vrátil k pozorné prohlídce Gerryho hlavy a krku.

„Neuškrtili ho stejným typem struny jako předchozí oběti," podotkl po chvíli. „Podle mě použili spíš něco ocelového než bronzového. Jelikož měly minulé vraždy hudební podtext, odvážím se tipovat, že se jednalo o strunu z piana. A koukněte na tu lžíci, kolem které ji omotali — i ta je jiná, má odlišný tvar." Naklonil hlavu na stranu, aby lépe viděl, aniž by se musel čehokoli dotknout. „Moment... ano, mám pravdu. Ta lžíce pochází z hotelu Jury's. Ty první dvě byly z hotelu Hayfield Manor."

Katie řekla: „Takže pachatel štípnul příbory ne z jednoho hotelu, ale ze dvou. To jsme se toho moc nedozvěděli." Pak si ale pomyslela: Pro koho by bylo snadné ukrást příbory z hotelu? Pro někoho, kdo tam pracuje, nejlépe v kuchyni nebo jako číšník. Na tom, že ty lžíce pocházejí ze dvou různých zařízení, za mák nesejde. V hotelích často najímají dočasné pracovní síly: číšníky, uklízečky i umývače nádobí.

V duchu si poznamenala, že má požádat detektiva Horgana, aby prověřil všechny pracovní agentury v Corku. Nebylo pravděpodobné, že to k něčemu povede, ale v minulosti uspěli i s daleko mizivějšími vyhlídkami.

„Je tu ještě jedna zajímavost," dodal starší technik. „Ty popáleniny na lebce a genitáliích byly zřejmě způsobeny jakousi hořlavou substancí. Za svou kariéru jsem narazil na několik obětí, které mučili letlampou nebo zapáleným benzinem, ale tyhle popáleniny se tomu vůbec nepodobají. Vyskytují se pouze v jedné oblasti a jsou zřetelně ohraničené, vidíte? Kdyby za ně mohla letlampa, byly by nerovnoměrné a nepravidelné. A tekutina, například benzin, solventní nafta nebo náplň do zapalovače, by oběti po zapálení stekla do tváře, po uších a ramenech až dolů na břicho a stehna. Koukněte, jak se z té rány po kastraci vyvalila krev a vytekla na stehno. Hořící benzin by udělal to samé."

„Co ho tedy podle vás popálilo?"

Technik se na tělo dlouze zadíval, než odpověděl. Katie musela uznat, že technikův postřeh je zjevně pravdivý. Lebka oběti byla sežehnuta téměř na kost, ale obličeje se plameny ani nedotkly. Přes čelo se táhla zřetelná čára, jako by měl Gerry na hlavě černorudý baret.

„Hm," řekl technik. „Hádám, že nějaký hořlavý gel. Něco středně lepkavého."

„Jako třeba napalm?"

„Ne, to si nemyslím. Napalm-B, který se používá dneska, je směsicí polystyrenu a benzenu, a jakmile vám přilne ke kůži, už se ho nezbavíte — spálí vás na kost. Nejsem si jistý, co způsobilo tyhle popáleniny. Nejspíš nějaká podomácku vyrobená látka. Až tělo převezete do laboratoře, nemělo by být těžké analyzovat její složení."

„Fajn, děkuju," řekla Katie. „Jakmile to půjde, pošlete mi forenzní nález i veškeré fotografie, které tu pořídíte."

„Ovšem. Asi by nebylo od věci dopadnout pachatele co nejdřív, co? Ať ten chlap provedl cokoli, takhle si zemřít nezasloužil. Musel si projít hotovým peklem."

Katie zůstala u doutnající chalupy, dokud technici mrtvolu neodvezli. Obloha byla stále světlejší a světlejší a snášela se z ní časně ranní sprška, která šustila v živých plotech a hasila poslední dohořívající krovy. Detektiv O'Donovan seděl vedle Katie na sedadle spolujezdce a zas a znovu se pokoušel dovolat strážmistru O'Rourkovi. Dosud se jim neozval a ani od strážníků v Clonakilty nedostali žádnou rozumnou odpověď.

„Vidláci zasraní," zanadával detektiv O'Donovan. „Tohle člověk nevymyslí. Jejich jediný psovod má běhavku. Pes je v pohodě, ale nikoho k sobě nepustí, takže prý musejí počkat, až přijede nová psí jednotka z Ballinspittlu."

S těmi slovy otevřel složku s doručenými esemeskami. Pomalu si je pročítal a pohyboval u toho rty, poté však telefon opět odložil a zavrtěl hlavou.

„Všechno v pořádku?" zeptala se Katie.

„Jistě. Akorát menší výměna názorů s mou drahou polovičkou."

„Ach tak. Doufám, že nejde o nic vážného."

„Chce, abychom se přestěhovali do Tipperary, odkud by to měla blíž k sestře. Její sestra má roztroušenou sklerózu a čtyři děti, kterým není ani sedm. Je mi jí líto, ale abych k vám byl upřímný, nemůžu ji vystát. Její manžel se před rokem odstěhoval a já mu to fakt nemám za zlé."

Katie mu položila ruku na rameno. Nenapadalo ji nic, co by řekla. Byla však vděčná za zjištění, že není jediná na světě, kdo se musí rozhodnout, jestli zůstane, nebo se vydá kamsi do neznáma.

40

Odjela zpět na Anglesea Street, odskočila si do dámské šatny a dala si krátkou vlažnou sprchu. Sušák byl rozbitý, a tak si jednoduše sčesala mokré vlasy dozadu a převlékla se do čistého: bílého spodního prádla, měkké šedě kostkované blůzy, černých punčoch a černé sukně ke kolenům.

Postavila se před zamlžené zrcadlo, opravila si líčení a konečně si i navzdory ohromující únavě zase připadala jako lidská bytost.

V kanceláři ji očekával vrchní inspektor O'Driscoll s kapučínem a sendvičem obloženým slaninou a vejci. Přinesl si sendvič i pro sebe a právě ho pojídal, každou chvíli jej však otevřel a zamračil se na něj, jako by nemohl zjistit, čím je vlastně plněný.

„Díky, šéfe," řekla Katie a usadila se za stůl. Čekala na ni hromádka oběžníků a vzkazů a vyžádané dokumenty k případu Codreanu, onoho ruského pasáckého gangu, který Katie rozbila.

„Pořád nemáme žádné zprávy o Jimmym," informoval ji Dermot O'Driscoll. „Dva svědci ho přibližně ve čtyři odpoledne viděli přijíždět ke kostelu svatého Michala, zrovna když otec Lowery nasedl do taxíku a odjel. Otec Lowery měl údajně namířeno do kostela svatého Jakuba v Ardfieldu a Jimmy se vypravil za ním. Potom už je nikdo nespatřil. Otec Lowery do Ardfieldu vůbec nedojel a neukázal se ani ve svém domě v Douglasu nebo v kanceláři na Redemption Road."

Znovu sendvič rozložil a podezřívavě do něj nahlédl. „Poslal jsem do Clonakilty tucet kluků, aby se připojili k pátrání.

Je jich tam už přes sto ze všech možných koutů — z Kinsale, Skibbereenu, Rosscarbery, dokonce i plný autobus policajtů z Limericku. Pokud Jimmyho brzy nenajdeme, asi povoláme i vrtulník."

Garda Síochána vlastnila dvě helikoptéry známé pod názvem „Letecká podpůrná jednotka". Byly uskladněné na základně Casement v Dublinu a nikdo je nesměl používat.

„Po otci ó Súllabháinovi taky nikde ani stopy," doplnila Katie.

„A co otec O'Gara nebo Gerry Dwyer nebo jakže se jmenuje?"

„Jeho tělo odvezli rovnou do patologické laboratoře. Zavolala jsem doktorce Collinsové a ta mi sdělila, že se do pitvy pustí hned odpoledne."

„Do prdele," zanadával Dermot O'Driscoll kamsi do prázdna. „Tenhle případ se každou minutou víc a víc komplikuľíruje." Zamyslel se a řekl: „Jak jste pochodila s tím chlapem z té sexuální společnosti? McKeown se jmenuje?"

„Správně, Paul McKeown. Mám dojem, že jsme si kápli do noty. Poskytl mi pár dobrých vodítek." Stručně shrnula, co jí Paul McKeown prozradil o sboru při Sirotčinci svatého Josefa a zvláštním zacházení, jehož se některým členům dostávalo ze strany otců Heaneyho, Quinlana, O'Gary a ó Súllabháina.

„Dneska pořádáme další tiskovku, co?" prohodila. „Napadlo mě, že by stálo za pokus vyzvat občany, aby se nám přihlásili, pokud do toho sboru patřili nebo si pamatují jména chlapců, kteří v něm zpívali. Hrozně ráda bych toho Denise Sweeneyho a dvojčata Phelanova vypátrala. Netvrďte mi, že si na ně nikdo nevzpomíná."

„Na vašem místě bych na to nesázel," řekl Dermot O'Driscoll. „Zdá se, že když přijde na přečiny duchovenstva, všichni zničehonic trpí hromadnou ztrátou paměti."

Dosud probírali, co prozradí novinářům, když se ve dveřích objevil inspektor Fennessy. Katie z jeho přepadlého výrazu okamžitě poznala, že nese špatné zprávy.

„Právě mi zavolal Andy Pearse z Clonakilty."

„Co se stalo? Už Jimmyho našli?"

„Oba dva — Jimmyho i otce Loweryho. Byli hluboko v lesích kus od R598, nedaleko Castlefreke Warren."

„Kristepane," vydechla Katie. „Mrtví?"

„Jo. Někdo je střelil brokovnicí do hlavy."

Katie se pokřižovala a bezděky se rozklepala, jako by kolem prošel duch. Každý policista se čas od času ocitne v úděsné, životu nebezpečné situaci. Vždyť jen minulý měsíc, když podnikli ten zátah na rumunský nevěstinec na Prince's Street, na ni jeden pasák zařval a z bezprostřední blízkosti jí na hlavu namířil revolver, třebaže se později ukázalo, že nebyl nabitý. Dávno ztratila přehled o tom, kolikrát se na ni zločinci vytasili s noži, baseballovými pálkami, montážními pákami, nebo dokonce křovinořezem. Kdykoli byl však někdo z jejich lidí zraněn nebo zabit, bylo to pro ni stejně bolestivé a neočekávané, jako by ji samotnou někdo bodl nebo postřelil.

Jimmy O'Rourke byl zkušený, moudrý a zábavný a ke Katie se vždycky choval jako starší bratr. Kromě toho byl jedním z mála detektivů, kterým nevadilo její povýšení — a pokud mu vadilo, nechal si to pro sebe.

„Pro lásku Boží, proč by Jimmyho někdo zabíjel?" žasl Dermot O'Driscoll a čelist se mu nevěřícně zachvěla. „Vždyť prováděl zcela rutinní vyšetřování. Nikoho se snad zatknout nepokoušel, ne?"

Katie pronesla vážným hlasem: „Podle mě nemá cenu, abychom se ptali, proč zabili Jimmyho."

„Co tím myslíte?"

„Správná otázka dle mého zní: proč by někdo zabíjel otce Loweryho?"

„Ví Bůh. Na kněze je zjevně vyhlášená lovná sezóna."

„Ne na ledajaké kněze. Když se diecéze zbavila té dodávky s biskupskými berlami na zadních dveřích, byl otec Lowery jediným člověkem na Redemption Road, který věděl, co se s ní stalo. Zodpovídal ostatně za dopravu, aspoň monsignore Kelly to tvrdí. Monsignore se dušoval, že nemá ponětí, kam se dodávka poděla, ale mě by v nejmenším nepřekvapilo, kdyby to nebyla tak docela pravda.

Pouze monsignore Kelly věděl, že jsme o otce Loweryho projevovali zájem a proč."

Dermot O'Driscoll přezíravě mávl rukou. „Ale prosím vás, Katie. Snad si nemyslíte, že s tím měl monsignore Kelly něco společného? Je to generální vikář, propánajána! A kdyby se na tom opravdu podílel, přece by nebyl tak šíleně neopatrný."

„Já vám nevím. Třeba panikaří. Až vyjde na světlo to s těmi kastracemi, snesou se na hlavu diecéze hromy a blesky, na to vemte jed. Ve srovnání s tím se budou skandály se sexuálním zneužíváním zdát jako děsná prkotina."

„Katie, hlavně se neunáhlujte. Na tohle musíte velice, velice opatrně. Poslední, o co byste stála, je rozházet si to u biskupa Mahoneyho."

„Koho zajímá nějaký biskup Mahoney?" odsekla. „Kdepak, my bychom se měli spíš snažit, aby vrahovi neprošla smrt našeho muže jenom proto, že nosí kolárek."

„Přesto si přeju, abyste na to šla v rukavičkách. Pokud začneme prohlašovat, že si vysoce postavený duchovní objednal vraždu kněze a detektiva... určitě si umíte představit, co za bengál bychom rozpoutali. Mě zalévá pot, jen když na to pomyslím."

„Jenže monsignore Kelly je jediný, kdo měl motiv," naléhala Katie. „A jestliže smrt otce Loweryho a strážmistra O'Rourka skutečně nařídil on, vyplývá z toho ještě něco. Monsignore Kelly ví, že dodávku řídí tentýž člověk, kterému ji otec Lowery daroval nebo prodal. Jinými slovy od samého začátku věděl, co je ten vrah kněží zač. Nechal otce Loweryho zastřelit, aby nám nemohl nic prozradit. Je ale možné, že o tom otec Lowery stačil říct Jimmymu, a tak dal monsignore Kelly zavraždit i jeho."

„Katie, přestaňte fantazírovat," řekl Dermot O'Driscoll. „Kdyby monsignore Kelly celou dobu věděl, kdo je vrah, proč by se s tím před námi tajil? Je to koneckonců svatý muž. Přece by nedopustil, aby pachatel po smrti otce Heaneyho pokračoval a zabil i otce Quinlana a otce O'Garu. Pokud by ho nemohl zastavit osobně, stoprocentně by nám prozradil, co je zač."

„Nikoli nezbytně," odvětila Katie. „Ne kdyby se pokoušel utajit i něco dalšího. Něco mnohem víc šokujícího než čtyři kněze, kteří uřízli koule šestnácti mladým chlapcům."

„Musím říct, že mě nenapadá nic, co by bylo víc šokující než tohle."

„Určitě jde o nějakou kamufláž. Cítím to."

„To mi povězte — jak voní kamufláž?"

Katie se na něj přísně podívala. „Jako kadidlo, takhle. Uvažujte — jak do toho všeho zapadá Brendan Doody? Nejprve se na něj monsignore snažil svalit vraždu otce Heaneyho a namluvit nám, že spáchal sebevraždu. Pak ale zemřel otec Quinlan a teď i otec O'Gara. Kdo zabil je? Třeba Brendan Doody žádnou sebevraždu nespáchal a vraždil on. Anebo je za ta úmrtí zodpovědný někdo dočista jiný — a kam se v tom případě poděl Brendan Doody?"

„Oficiálně po něm pořád pátráme," připomněl jí Dermot O'Driscoll.

„Touhle dobou se nejspíš dávno válí někde na dně bažiny v hrabství Mayo. Nebo se v přestrojení producíruje po Corku a může se potrhat smíchy nad naší blbostí."

„Co tedy hodláte udělat?" zeptal se Dermot O'Driscoll neklidně. „Vrátíte se zpátky na Redemption Road, abyste si s naším dobrým monsignorem popovídala?"

„Zatím ne," řekla Katie. „Ze všeho nejdřív se zastavím u Jimmyho doma a povím Maeve, co stalo."

„Samozřejmě."

„A potom mám v úmyslu dořešit vše ostatní, co je s tímhle pátráním spojené. Za monsignorem Kellym se nevypravím, dokud si nepřečtu pitevní nález otce O'Gary a nedozvím se veškeré podrobnosti o tom, jak zemřeli Jimmy a otec Lowery. Až se na Redemption Road vydám, chci mít o celé věci zevrubnější povědomí než samotný monsignore Kelly. My si teď sice říkáme, že jedná neopatrně a panikaří — a kdo ví, možná je to pravda —, nesmíme ale zapomínat, že je fakt mazaný, mazaný jako liška. Neumím si představit, že by takhle riskoval, kdyby nebyl přesvědčený, že se z toho zvládne vykecat."

Otočila se k inspektoru Fennessymu. „Liame, mohli byste s Patem McFaddenem zajet do Clonakilty a spojit se s inspektorem Pearsem? Opravdu mě zajímá, s čím přijdou kluci z technického — čím dřív budu mít všechny informace, tím líp. Chci vědět, kde Jimmyho zastřelili a čím, v jakou denní dobu i jak vypadá místo, kde ho našli. A pokud otce Loweryho spatřili naposled v taxíku, zjistěte, jak se ta taxislužba jmenuje a kdo ho vezl. Předpokládám, že inspektor Pearse už tohle všechno ví, ale pro jistotu to po něm překontrolujte, ano?"

Inspektor Fennessy řekl: „Rozkaz, šéfová," a odešel. Jakmile byl pryč, Katie a Dermot O'Driscoll se posadili a ve sdíleném smutku se na sebe zahleděli.

325

Vrchní inspektor O'Driscoll po chvíli vytáhl zpod jejího stolu šedý koš na papír a hodil do něj zbytky svého sendviče.

Katie vyrazila na Sidney Park a více než hodinu strávila v zatuchlém pokoji Maeve O'Rourkové. Maeve byla drobná půvabná žena s planoucími tvářemi a bílou hřívou roztřepených vlasů. Seděla v křesle, na sobě černý propínací svetr z Marks & Spencer a zelené šaty se vzorem listí, držela se za břicho, jako by ji přepadly náhlé zažívací potíže, a bez rozpaků nechávala potoky slz, aby se jí řinuly po jasně červených tvářích.

Na příborníku vedle misky svrasklých jablek stála zarámovaná fotografie strážmistra O'Rourka a na krbové římse byla druhá, zachycující Jimmyho a Maeve o jejich svatebním dnu. Jimmy na snímku přivíral oko před sluncem, takže to vypadalo, jako by pomrkával.

Aileen, nejmladší dcera O'Rourkových, zaskočila k sousedům a přivedla paní Shandovou. Krátce nato dorazil otec Murphy, nahrbený muž s obrovským břichem vyplňujícím téměř celou místnost, a další dvě sousedky, paní Feeneyová a paní Monaghanová, která na znamení úcty zatáhla závěsy. V pokoji se rozhostila naprostá tma a naplnilo jej tak usedavé vzlykání, až to Katie nakonec nevydržela, soucitně políbila Maeve O'Rourkovou na rozloučenou a slíbila, že jí zavolá, jakmile zjistí něco nového.

„Nechcete se zdržet na šálek čaje?" zeptala se Maeve O'Rourková a po tvářích se jí nepřestávaly koulet slzy jako hrachy.

„Někdy jindy," ubezpečila ji Katie.

Venku na schůdcích ji ovanul chladný jihozápadní vítr. Byla to nesmírná úleva, moci se opět nadechnout čerstvého vzduchu. Pozorovala, jak se podél řeky Lee rozprostírá Cork a po střechách se jako dozvuky nějakého zapomenutého dostihu tiše prohánějí stíny mraků. Nastoupila do auta, stáhla stínítko a v zrcátku uviděla, že i na jejích řasách se třpytí slzy. Nejspíš za ně však mohl kromě žalu i ostrý vítr.

Odjela zpět na ústředí, zaparkovala a vzala z přihrádky cédéčko *Elements*. Šedé vrány na střechách sledovaly, jak se ubírá k vchodu do budovy, a jejich černá křídla ve větru šuměla. Jedna z nich hlasitě, skřípavě zakrákala, ostatní však nevydaly ani hlásku, jako by jim dělalo větší radost vyčkávat a dívat se.

Katie si v automatu koupila kapučíno a odnesla si je do kanceláře. Sendvič se slaninou a vejci tam pořád byl, ale ji úplně přešla chuť, a tak ho vyhodila do koše k sendviči Dermota O'Driscolla.

Vytáhla cédéčko z krabičky a zasunula jej do přehrávače značky Bose, který stál na kartotéce. Ztlumila hlasitost téměř na minimum, ale i přesto měla dojem, jako by se celá kancelář rozezvučela stejnou tóninou, v níž čisté, vysoké hlasy sboristů ze Sirotčince svatého Josefa zpívaly skladbu „Gloria". Dokonce i okenní tabulky jako by prozpěvovaly.

Katie se posadila a vyndala ze spodní zásuvky svého stolu velký náčrtník. Otevřela ho a vylovila fialový fix z hrnku, který obdržela po absolvování policejní školy. Poté úhlednými tiskacími písmeny napsala na papír jména OTEC HEANEY, OTEC QUINLAN, OTEC O'GARA a OTEC Ó SÚLLABHÁIN.

Přestože se otec ó Súllabháin oficiálně dosud pohřešoval, Katie uvažovala dostatečně realisticky na to, aby si uvědomovala, že se jim ho s největší pravděpodobností nepodaří nalézt živého. Bylo jí jasné, že zatímco si píše jeho jméno, kněz pravděpodobně zakouší bolest přesahující lidské chápání.

Nato si zapsala MONSIGNORE KELLY a přidala jména všech, o nichž se domnívala, že jsou nějakým způsobem pod jeho vlivem: OTEC LENIHAN z kostela svatého Patricka, BRENDAN

DOODY (živý, nebo mrtvý??), CIARA CLAREOVÁ z *Catholic Recorderu* (milostný poměr??), BENEDICT TIERNAN z Duchovního centra svatého Dominika.

Potom si zaznamenala všechny otázky, na něž stále neměla odpověď. Ti čtyři kněží byli vybráni, aby v Sirotčinci svatého Josefa sestavili špičkový sbor. Povolal je záhadný prostředník jménem REVEREND BIS. Kdo ale byl reverend Bis a čími příkazy se řídil?

Hlavní myšlenkou sboru očividně bylo přimět Boha, aby se v tělesné či jiné podobě zjevil zde na zemi. Ale i kdyby to bylo proveditelné, proč by někdo po něčem takovém toužil? A bylo to opravdu proveditelné? Přihodilo se někdy v minulosti, že by se o to někdo pokusil? A uspěl?

Všichni kněží, jejichž těla se dosud našla, byli s neobyčejnou krutostí mučeni, vykastrováni a uškrceni. Katie usoudila, že pokud otec Heaney mluvil ve svých denících aspoň zčásti pravdu a pokud se nejednalo o žádné jeho erotické představy, je rozumné předpokládat, že vraždy mají na svědomí vykastrovaní sboristé od Svatého Josefa, kteří se rozhodli pomstít za to, co si v raném mládí vytrpěli. Co jsou ale ti kastráti zač a kolik se jich spojilo, aby potrestali duchovní, jež je připravili o mužství?

Monsignore Kelly dělal, co bylo v jeho silách, aby Katiino vyšetřování zhatil, a nedalo se tudíž vyloučit, že nařídil i smrt otce Loweryho a strážmistra O'Rourka. Katie však neměla jediný důkaz, který by tu teorii podporoval — aspoň zatím ne. Proč by se k tomu uchyloval? Jaké tajemství se snažil ochránit, pokud vůbec nějaké?

Na druhou stranu měl možná vrchní inspektor O'Driscoll pravdu a Katiino podezření vůči monsignoru Kellymu nevypovídalo o ničem jiném než o její osobní nelibosti.

Katie zvedla krabičku od cédéčka a vytáhla z ní brožurku. Uvádělo se v ní, že sbor při Sirotčinci svatého Josefa byl založen v roce 1981 a rozpuštěn roku 1985. Během pouhých čtyř let své existence si vysloužil pověst „nejsladšího a nejlibozvučnějšího dětského sboru, jaký se kdy v Irsku nebo kdekoli jinde objevil".

Sboristé ale vystupovali překvapivě zřídka a omezovali se výhradně na kostely, přestože se jim dostávalo nadšené chvály, kdekoli se objevili. Jejich čtyři sbormistři tvrdili, že zpěv chlapců je určen k „uctívání Pána, nikoli k zábavě" a že „příliš četné vystupování by ohrozilo výjimečnou čistotu jejich hlasů".

Za svou kariéru pořídili jednu jedinou nahrávku, která vznikla v katedrále svaté Marie a Anny — právě tento soubor církevních písní vybraných tak, aby zastupovaly čtyři prvky (elementy) Bohem stvořeného světa: oheň, vodu, vzduch a zemi. Původní pásky byly ztraceny nebo archivovány, a to až do roku 2010, kdy se „zázračně nalezly" a byly zveřejněny coby „projev náboženské úcty".

Brožurka se ani slovem nezmiňovala, že by se za vydáním desky *Elements* mohla skrývat i touha svézt se na vlně obliby, jíž se duchovní hudba nedávno začala těšit, a čerpat z vyplývajících zisků. Hudební soubory jako The Priests, The Benedictine Nuns nebo Cistercian Monks of Stift Heiligenkreuz vydělávaly neskutečné množství peněz.

Katie se zmocňovalo silné tušení, že klíč k vraždám se schovává zde, v této nahrávce, ale pořád tak docela nechápala, co oním klíčem je. Možná si přeživší členové sboru všimli, jaký komerční úspěch album sklidilo, rozhodli se ukončit své dobrovolné mlčení a domáhat se podílu na autorském honoráři. Třeba představitelé diecéze jejich požadavky odmítli s tím, že výnos půjde na charitativní účely, anebo bývalým sboristům nedali tolik, kolik si podle vlastního mínění zasloužili.

Třeba to ale s penězi nemělo nic společného. Možná jim ta deska jednoduše připomněla ono nesnesitelné utrpení, jímž si jako malí chlapci prošli, a vzbudila v nich přání potrestat jejich čtyři sbormistry za to, co jim provedli.

To však nevysvětlovalo, jakou roli v celé tragédii hraje monsignore Kelly. Katie bylo jasné, proč se ten skandál tolik snaží potlačit, ale nejúčinněji by toho bezpochyby dosáhl, kdyby jí ihned po smrti otce Heaneyho pomohl vrahy co nejrychleji identifikovat, dřív než udeřili znovu a umučili dalšího ze zbývajících tří duchovních.

Pořád si zamračeně čmárala do notesu, když se ozvalo zaklepání a zakašlání, čímž detektivové O'Donovan a Horgan ohlásili svůj příchod do kanceláře.

„Vypadá to, že jsme udělali menší pokrok, komisařko!" prohlásil detektiv O'Donovan a vítězoslavně na ni mávl poznámkovým blokem.

„No sláva. Pokrok potřebujeme jako sůl."

„Řekla jste, ať prověříme všechny online obchody s hudebními nástroji, a přesně to jsme udělali. V Galway má sídlo internetová společnost, která prodává gaelské harfy a nejrůznější doplňky k nim i k jiným hudebním nástrojům — John Bestwick's Music Stores. A to byste nevěřila: jednou z jejich nejnovějších zakázek byla objednávka na strunu do harfy pro pátou, šestou a sedmou oktávu. Zadala ji malá hudební skupina jménem Fidelio, kterou si můžete najmout, aby vystupovala u vás na svatbě, křtu, pohřbu nebo banketu.

A to není všechno. Členové Fidelia si u nich před nedávnem koupili i struny do piana, hned několik a v různých tloušťkách. A teď přijde to nejlepší: oni si objednali i nylonovou šňůrku a včelí vosk, kterými se připevňují nové strojky do fagotů."

Detektiv Horgan dodal: „Ten soubor sídlí tady v Corku, aspoň se to píše na jeho webových stránkách. Je na nich uvedený e-mail, poštovní adresa žádná, ale najdete tam spoustu informací včetně toho, jak členy kontaktovat, pokud sháníte kapelu na svatbu své dcery nebo potřebujete někoho, kdo by vám uškrtil faráře — záleží, co z toho zrovna preferujete."

Jeho závěrečnou poznámku Katie přešla a řekla: „Dobrá, ukažte mi to."

Detektiv Horgan se natáhl přes stůl a dvěma prsty vyťukal do příkazového řádku webovou adresu. Na monitoru se okamžitě objevila stránka hudebního tělesa Fidelio se zlatým pozadím a fialovými písmeny v záhlaví. Hlásala: Fidelio — náboženská hudba pro vaše zvláštní příležitosti. Pod nápisem byla fotografie z kostela, který zalévalo sluneční světlo dopadající vitrážovými okny. V popředí postávali tři muži v tmavých trojdílných oblecích s rukama sepnutýma u rozkroku. Všichni do jednoho byli podsadití až robustní a navzdory svým pobožným úsměvům vypadali spíš jako vyhazovači než jako chóristé. Vedle nich stála pěkná mladá dívka v přiléhavých bledě tyrkysových šatech a v ruce držela housle.

„Věřili byste tomu?" prohlásila Katie a zavrtěla hlavou. Muž uprostřed byl ze všech nejvyšší, měl plavé kudrnaté vlasy a obličej, který vzhledem k jeho výšce působil až znepokojivě dětsky. „Jak že paní Rooneyová vylíčila toho chlapa, kterého zahlédla v Ballyhooly? ‚Úplně jako cherubín.'"

Muži po stranách byli o něco menší a ne tolik ramenatí, nejzajímavější však na nich bylo, jak moc jsou si podobní. Oba měli vypoulené hnědé oči, špičatý nos a nadučané tváře, jako by si do úst nacpali plnou hrst sušenek. Rovněž jim oběma ustupovala brada, kterou obrůstal náznak strniska.

„Asi dvojčata," podotkl detektiv O'Donovan.

„Souhlasím," přitakala Katie. „Rozhodně jsou to dvojčata. Píše se tu někde, jak se jmenují?"

Detektiv Horgan sjel až na samý konec stránky, kde byly uvedeny údaje o složení skupiny. *Zpěv*: Denis Todd, Charles Wolf, Sean Whelan a Sinéad O'Sheaová. *Gaelská harfa*: Denis Todd. *Piano*: Charles Wolf. *Flétna a další dechové nástroje*: Sean Whelan. *Housle*: Sinéad O'Sheaová.

„Tomu říkám do očí bijící pseudonymy," poznamenala Katie.

„Pseudonymy?" podivil se detektiv O'Donovan. „Moment, vy si myslíte, že nejde o pravá jména?"

„Taky by mě to nenapadlo, kdyby mi Paul McKeown neřekl o těch sboristech od Svatého Josefa, s nimiž se znal: Denisovi Sweeneym a dvojčatech Phelanových. Prý jsou to jediní přeživší členové, o kterých ví."

„Pořád nechápu."

„Je to jednoduché. Denis Todd jako Sweeney Todd, ďábelský holič z Fleet Street — Denis Sweeney. Potom si vezměme Charlese Wolfa neboli ‚vlka'. V gaelštině se ‚vlk' řekne ‚ó Faoláin' a poangličtěná verze ‚ó Faoláin' zní ‚Phelan'. A nakonec Whelan, což je, jak jistě sám víte, stejné jméno jako Phelan. Sweeney a dvojčata Phelanova, zrovna jak mi říkal Paul McKeown."

„To bylo vážně senzační, komisařko," připustil detektiv Horgan. „Nepřekvapuje mě, že vás povýšili."

„Tu stránku jste vypátrali vy, ne já. Oběma vám gratuluju."

„Takže co podnikneme teď?" zeptal se detektiv O'Donovan. „Půjdeme ty tři vyčmuchat a čapneme je za flígr?"

„Ano, a to hned. Jejich adresu lze zjistit u poskytovatele webhostingových služeb, ne? S trochou štěstí se do otce ó Súllabháina ještě nepustili — přinejmenším zabít a vykastrovat ho snad nestihli."

41

Pět minut po třetí odpoledne se v centru města na obou koncích Marlborough Street, nepříliš široké pěší zóny mezi Patrick Street a Oliver Plunkett Street, objevila čtyři hlídková auta s vypnutými sirénami i majáky. Kolemjdoucí se přitiskli ke zdem nebo se schovali ve vchodu do hospody O'Donovan's a pozorovali, jak z vozů vyskakuje pět detektivů a jedenáct uniformovaných strážníků a vyráží úzké dveře vedle kadeřnictví Hotlox. Neozýval se žádný křik, pouze nepravidelné dunění bot na holém schodišti.

Uvnitř domu panovalo šero a páchlo to tam vlhkem a popelnicemi nakupenými ve vestibulu. Ve druhém podlaží nalevo se nacházel malý bar jménem Dorothy's, jehož jedinými hosty byli v tuto denní hodinu tři postarší muži usazení nad poloprázdnými sklenicemi ležáku Murphy's a žena s hřívou jasně rudých vlasů, která měla hlavu položenou na stole a spala, tvář zažloutlou jako malba od Toulouse-Lautreca.

Naproti baru byly hnědé lakované dveře a vedle nich dřevěný malovaný štítek s nápisem: *Náboženský sbor Fidelio. Po zazvonění vstupte.*

Detektiv O'Donovan se s nějakým zvoněním neobtěžoval. Vzal za kliku, a když zjistil, že je zamčeno, otočil se a kývl na statného policistu s desetikilovým, načerveno natřeným beranidlem, které policie používala k vyrážení malých dveří v těsných chodbách. Zazněly tři ohlušující údery, načež se zámek rozlomil, rám dveří se rozštěpil a dveře se se zachvěním otevřely. Rusovláska v baru Dorothy's zvedla hlavu ze stolu a zaječela: „Co se to tu kurva děje? Do prdele, to se slušný lidi nemůžou ani pořádně vyspat?"

Detektiv O'Donovan tasil zbraň a vešel jako první, následován detektivem Horganem a Katie. Kancelář náboženského sboru Fidelio byla tmavá a opuštěná a opuštěností i páchla — dala se v ní vytušit nakyslá beznaděj, jaká je cítit výhradně ve vlhkých domech. Na zdi visel natržený plakát zachycující Denise Sweeneyho a dvojčata Phelanova v černých oblecích, jak se ze všech sil snaží působit oduševněle. Pod oknem stála zelená kovová kartotéka s vytaženými prázdnými zásuvkami a na zemi ležela překocená pohovka s elastickým hnědým potahem.

„Do háje," zaklela Katie, zastrčila zbraň do pouzdra a přešla z jednoho konce místnosti na druhý. Usoudila, že tady důkazy rozhodně nenajde — nikde žádná struna z harfy nebo piana, žádná nylonová pouta, oblečení ani krev.

„Skočte do baru a zeptejte se těch lidí, kdy odsud naposledy viděli někoho odcházet," nařídila detektivu Horganovi. „Vypadají ale úplně ztřískaní, takže pochybuju, že vůbec vědí, co je za den, natož kdy sem kdo chodí."

„Podle mě tu ti chlapi z Fidelia už dost dlouho nebyli," poznamenal detektiv O'Donovan. „Ale než jsme se sem rozjeli, kouknul jsem na jejich stránky a zjistil jsem, že pořád přijímají rezervace."

„Možná přijímají, což ale nutně neznamená, že se na objednaných akcích hodlají ukázat."

„Takže co teď?" zeptal se detektiv O'Donovan.

Katie otevřela ústa, aby mu odpověděla, ale její mobil náhle přehrál první tři takty z „Fields of Athenry".

„Komisařka Maguirová? U telefonu Ciara Clareová z *Catholic Recorderu*."

„Promiňte, Ciaro, ale momentálně se až po uši topím v práci. Brnkněte mi později, ano?"

„Když ono se to týká monsignora!"

„Co tím myslíte?"

„Měli jsme se sejít v Greene's na oběd, jenže nedorazil. Zavolala jsem mu na mobil, ale má ho vypnutý, a tak jsem se obrátila na jeho sekretářku a ta mi pověděla, že ráno odešel z kanceláře s nějakým cizím mužem a neřekl jí, kdy bude zpátky."

„No tak prošvihl schůzku, to je toho. Nic, kvůli čemu byste se musela znepokojovat."

„Jde o ty kněze, co pořád umírají. On si kvůli tomu dělá hrozné starosti. Neustále mě prosí, abych to nějak udržela pod pokličkou, ale to je naprosto vyloučené. Nemůžu přece ututlat zprávu, která každý večer běží na RTÉ, *Sky News* a vůbec všude!"

Katie prohodila: „Co vám o těch mrtvých kněžích pověděl? Řekl vám aspoň něco?"

„Akorát že diecéze i ti zavraždění duchovní udělali cosi, co udělat neměli, a že s tím dávno skončili, ale že se to najednou znovu vynořilo a nedá mu to spát."

„Kde jste?" zeptala se Katie.

„V redakci na Grand Parade."

„Dobrá, přijeďte do kanceláře monsignora Kellyho, jak nejrychleji můžete. Potrvá asi dvacet minut, než tu skončím, ale počkejte na mě. Pokud by se vám monsignore Kelly mezitím ozval, dejte mi samozřejmě okamžitě vědět."

„Ovšem. A... je mi to líto."

„Co je vám líto?"

„Tak nějak všechno. A nejvíc lituju sebe samotnou. Neměla jsem ponětí, do čeho se pouštím."

Detektiv Horgan vyšel z baru Dorothy's na protějším konci chodby a zamával si před obličejem rukou. „Doprčic, tam to smrdí jak v chlívku!"

„Co jste zjistil?" zajímala se Katie.

„Že naši milí sboristi sem poslední dobou moc nechodili. Ti ožralové odvedle si toho všimli, protože když Fidelio cvičí, je to prý v baru hodně slyšet. Podle barmana je ten jejich zpěv vážně povznášející. Včera večer se tu ale někdy kolem jedenácté zastavili a co pět minut lítali po schodech nahoru a dolů. Očividně měli naspěch."

„Takže tu kancelář vybílili teprve včera," vyvodil detektiv O'Donovan.

„Možná tušili, že jsme jim v patách," přitakala Katie. „Anebo... co já vím. Třeba mají na programu i něco jiného. Koneckonců jim do spárů padl už i otec ó Súllabháin, jejich sbormistr a poslední z kněží, kteří je znetvořili. Bůh ví, co mu míní provést. Dobrá," uzavřela. „Patricku, pojedete se mnou na Redemption Road. Michaeli, mohl byste to tady dotáhnout do konce? Popovídejte si s barmanem z hospody O'Donovan's a vyslechněte i místní štamgasty. A taky ty holky z kadeřnictví. Člověk nikdy neví. Třeba zahlédly něco, co by nám mohlo pomoct."

Tou dobou už většina policistů účastnících se zátahu bezcílně postávala na Marlborough Street a nezávazně klábosila. Katie jednomu z nich pokynula a řekla: „Hej, vy, jak se jmenujete?"

„O'Dowd, komisařko."

„Fajn, O'Dowde, vezmete si dva strážníky a pojedete s námi na úřad diecéze na Redemption Road, a pokud to bude potřeba, budete nás doprovázet, kamkoli jinam se vypravíme. Mám takový pocit, že bez posil se dneska neobejdeme."

„Snad nevadí, že se ptám, komisařko, ale komu přesně jdeme po krku?"

„Kdybych věděla, O'Dowde, tak vám to povím, čestné slovo."

Když dorazili na Redemption Road, Ciara Clareová už na ně čekala. Na sobě měla červené bolerko a přiléhavé šaty z jasně červeného manšestru, které si zjevně oblékla na oběd s monsignorem Kellym v restauraci Greene's. Tvářila se velmi zneklidněně a na jejích rudě nalíčených rtech se skvěly stopy po zubech. Zatímco stoupali k budově diecéze, Katie vzhlédla a všimla si, že obloha výhružně temní, ačkoli jsou teprve čtyři odpoledne. Zvedal se prudší vítr než obvykle — typicky svěží ledový vichr, který vždy předcházel divoké bouři.

Nejprve si promluvila se sekretářkou monsignora Kellyho, onou jeptiškou se špičatým nosem a drobounkými ústy. Sestra byla stejně nervózní jako Ciara a ustavičně si mačkala rukávy, jako by z nich ždímala vodu.

„Tumáte," řekla, podala Katie monsignorův diář a začala ze sebe v jediném spěšném přívalu chrlit slova, jako by se zpaměti naučila, co chce říct, a bála se, že to zapomene. „O půl jedné měl domluvený oběd v Greene's na McCurtain Street, s Patrickem Mulliganem z Církevního fondu pro zahraniční misie. Pak se sem měl vrátit, protože ho ve tři čtvrtě na čtyři čekala schůzka diskusní skupiny s biskupem a laickými dobrovolníky. Mělo se na ní probrat, jestli by nebylo dobré změnit ve venkovských oblastech dobu konání mší, aby se vykompenzoval rostoucí nedostatek kněží."

„V Greene's se ale neukázal, co?" prohodila Katie.

Jeptiška se pootočila k Ciaře Clareové a s očima plnýma zášti řekla: „Ne. Aspoň to tvrdí slečna Clareová."

„Odešel odsud ve společnosti jistého muže, je to tak?"

„Ano, zhruba deset minut před polednem."

„Můžete mi ho popsat?"

„Byl vysoký. Velký. Měl kudrnaté vlasy. Oblečený byl do černého svetru a černých kalhot, které byly trochu krátké, takže mu plandaly u kotníků. Měl malinko bříško."

„Nepředstavil se? Monsignore Kelly vám jeho jméno nesdělil?"

Jeptiška zavrtěla hlavou. „Nikdy předtím jsem ho neviděla, ale monsignore Kelly zjevně věděl, kdo to je, protože okamžitě vyšel z kanceláře a odkráčel s ním."

„Mluvili spolu?"

Jeptiška opět zavrtěla hlavou. „Od té chvíle se mi neozval a na mobilu se mi ho nedaří zastihnout. To jednání o mších na venkově bylo odloženo na zítřek, až se monsignore zase objeví, živý a zdravý, dá-li Bůh."

Dvakrát se pokřižovala a našpulila ústa ještě víc než obvykle.

„A co ten chlapík, s nímž měl jít do Greene's na oběd?" zeptala se Katie.

„Patrick Mulligan? Netuším." Odmlčela se a po pár vteřinách dodala: „O tomhle toho ví slečna Clareová víc než já."

„Copak vám pan Mulligan nezavolal s tím, že monsignore nedorazil?"

Jeptiška znovu pohlédla směrem k Ciaře. „Ne, nezavolal. Nedokážu si to vysvětlit jinak, než že si spletl datum."

„Výborně," řekla Katie. „Patricku, jděte prosím prohledat monsignorův stůl, jestli v něm nenajdete nějaký vzkaz."

„To vám nemůžu dovolit," zhrozila se jeptiška. „Monsignorův stůl… je soukromá věc. Tajná. Osobní."

„Žádné strachy," zazubil se detektiv O'Donovan. „Jestli narazím na nějaký pornočasopis, nechám si to pro sebe."

42

Katie odvedla Ciaru ven a sedla si s ní do auta. Nebe bylo téměř černé, pouze na severozápadě se nad kopci táhl osamělý stříbřitý proužek světla.

„Podle mě bude nejlepší, když mi vysvětlíte, jak to vlastně mezi vámi a monsignorem Kellym je," prohodila Katie.

Ciara se od ní odvrátila a zadívala se z okna na straně spolujezdce. Stromy lemující příjezdovou cestu se ve větru divoce kymácely, jako by chtěly samy sebe vyrvat z kořenů. „Upřímně řečeno nevím, odkud začít. Jednou mě z redakce poslali, abych s monsignorem udělala rozhovor o jeho oblíbeném tématu: zapojování laiků do církevních záležitostí. Neustále v téhle věci cituje Ježíše: ,Jděte i vy na mou vinici.'"

„Zní to, jako by monsignore zašel i na vaši vinici, Ciaro."

Zrudla a začala kroutit velkým stříbrným krucifixem posetým rubínově červenými sklíčky, který jí padal do výstřihu.

„Došlo k tomu skoro náhodou. Na církevní konferenci v Limericku jsme spali v hotelu a on omylem přišel do mého pokoje. Údajně si spletl číslo. Potom ale řekl, že Pán čísla našich pokojů bezpochyby zaměnil, aby nás svedl dohromady. Že jsem prý Pánovo dílo a že si Bůh určitě přeje, aby oslavoval mou krásu."

Katie chápavě pokyvovala hlavou, současně si však myslela: Tuhle hlášku by našemu generálnímu vikáři záviděl i kdejaký profesionální svůdník. A co je ještě horší, ta husa mu na to naletěla.

„To bylo poprvé, co mě za krasavici prohlásil muž, kterého jsem si opravdu vážila. Věděla jsem, že mi nelže, protože dělal všechno možné, aby mi odolal. Na vlastní oči jsem viděla, jakou ho to stojí námahu."

Ovšem že ho to stálo námahu, pomyslela si Katie. Kněz si musí nejdřív rozepnout třiatřicet knoflíků, než ze sebe může shodit sutanu.

„Povězte mi o těch zavražděných kněžích," vybídla ji, jak nejjemněji dovedla. „Tvrdila jste, že si kvůli nim monsignore Kelly dělá starosti."

„Jednou ráno jsem se zastavila u něj v kanceláři a viděla jsem, že je v šoku a hrozně bledý. A tím myslím mrtvolně bledý, bílý jako stěna. Napadlo mě, jestli náhodou není nemocný, ale on mi řekl, že mu někdo telefonoval — někdo, kdo se mu hodně dlouho neozval — a že se schyluje ke strašným potížím. Zeptala jsem se ho, o co jde, ale on mi odmítl cokoli vysvětlit, protože jsem prý moc mladá a neporozuměla bych tomu."

„Takže netušíte, o jaké ,strašné potíže' se jednalo?"

Ciara nepouštěla krucifix z rukou a nepřestávala jím kroutit. Katie měla sto chutí ji plesknout a vyštěknout, ať toho sakra nechá, věděla ale, že by tím reportérku vytrhla ze zpovědní nálady, a poslední, o co v tuto chvíli stála, bylo si ji znepřátelit.

„Řekl jenom, že ho kdosi vydírá a snaží se ho přinutit k něčemu naprosto nemožnému. Zkusil těm lidem vyjít vstříc a dohodnout se s nimi na kompromisu. Nabídl jim peníze — spoustu peněz —, ale oni neprojevili zájem."

„Takhle se vyjádřil? Tvrdil, že je to ,naprosto nemožné'? Ne že to udělat nechce nebo z nějakého důvodu nemůže či nedokáže, ale že je to ,nemožné'?"

Ciara přikývla. „Stále dokola opakoval: ,Je to nemožné. Nejde to. Je to nemožné.' Jako bych měla vědět, o čem mluví, jenže já jsem to nevěděla a on mi nic neobjasnil.

A opakoval ještě něco: „Jsem v pasti. Jsem ztracen. Ať udělám cokoli, dopadne to špatně.‘“

„Ale vy jste netušila, co měl na mysli?“

„Ne, ale byla jsem si celkem jistá, že to nějak souvisí s těmi zavražděnými kněžími. Když se našla mrtvola otce Heaneyho, monsignore Kelly mi zavolal a poprosil mě, ať se vypravím do Ballyhooly a udělám všechno, co je v mé moci, abych tu zprávu zahrála do autu. Byl vzteky bez sebe, když se z ní na RTÉ a pak v *Independentu* vyklubala událost dne. Jeho nálada se ale brzy změnila. Později téhož dne byl zničehonic mnohem optimističtější, jako by se mu podařilo vyřešit nějaký zapeklitý problém. Jenže když otce Quinlana našli na tom stožáru, monsignorovo rozpoložení se zase zhoršilo a tak to od té doby zůstalo — spíš se zdá, že je na tom hůř a hůř.“

V autě se rozhostilo dlouhé ticho a potom Katie řekla: „Naznačil vám monsignore Kelly, co by ti vrahové mohli být zač? Myslíte si, že ví, kdo jsou? Nebo že má aspoň podezření?“

„Nic mi nenaznačil. Jsou to ale nějací kluci, které ve škole zneužívali duchovní, že? Rozhodli se pomstít, viďte?“

Katie její teorii ani nepotvrdila, ani nevyvrátila. Znovu se odmlčela a poslouchala, jak se její auto otřásá ve stále prudším větru a na střechu dopadají první kapky. Ve zpětném zrcátku viděla, že vzdálený horizont křižují blesky jako křivé chůdy. Bez starosti, cirkus tu bude, než se nadějete. Klauni si pro vás jdou, pomyslela si Katie

„Nevadí, když vám položím několik osobních otázek?“ zeptala se. Do nosu ji bil Ciařin parfém — silný, svůdný, s hutným přídechem hyacintu a pižma, prostě dokonalá volba pro oběd s alfa samcem, obzvlášť s alfa samcem navlečeným do sutany s třiatřiceti knoflíky. Ten parfém byl nejspíš značky Guerlain nebo nějaké podobné. Ideální volání do zbraně.

„Chcete se zeptat, co je mezi mnou a Kevinem?"

„Ano. Zajímalo by mě, jestli spolu spíte. Rozumíte, jako milenci?"

Nastalo dlouhé mlčení, špetka kroucení krucifixem a pak konečně: „Někdy."

„Ale ne tak často, jak byste ráda?"

„Má moc práce. A přirozeně to není snadné. Však víte — nikdo nás spolu nesmí vidět."

„Jak to tedy zpravidla probíhá — orál u něj v kanceláři, jako tuhle?"

Ciara se zarděla, ale Katie měla bohaté zkušenosti s vyslýcháním žen, od nichž se potřebovala dozvědět podrobnosti o jejich sexuálních eskapádách, a to už z doby, kdy coby mladá policistka hlídkovala o sobotních večerech na corkských ulicích. Dobře věděla, jak zoufale si většina z nich touží popovídat, pokud možno s jinou ženou.

„Snad jste nečekala, že odejde od duchovenstva a ožení se s vámi?"

„Pochopitelně že ne. Něco takového bych po něm nikdy nemohla chtít. A navíc je to svatý muž. Je svému poslání zcela oddaný."

„Nepřipadáte si kvůli tomu trochu odstrčená? Vždyť vy za ním přijdete, slušně řečeno mu věnujete absolutní pozornost a on tam zatím stojí a myslí na Panenku Marii."

„On tvrdí, že když před ním klečím, je to stejné jako klečet při modlitbě, protože uctívám jeho tělo, které bylo zrovna jako to moje stvořeno Bohem."

A co se stane, když polkneš? Transsubstanciace? zauvažovala Katie, přestože by ji v životě nenapadlo vyslovit tu myšlenku nahlas. Připadala si jako bezbožný rouhač, už jen když ji napadla.

Její důvěrné otázky a náboženský cynismus však splnily svůj účel. Povedlo se jí získat doznání, že monsignore Kelly nehorázně zneužil svého postavení generálního vikáře, aby vymámil sexuální služby na naivní reportérce. Ciara se později nejspíš pokusí zapírat, ale až se posadí na svědeckou lavici a složí přísahu před soudem, nebude mít na výběr.

Vystoupily z auta a Katie uslyšela první zaburácení hromu. Ciara se k ní otočila, vlasy bičované větrem, a řekla: „Najdete ho, viďte?"

„Ovšem že ho najdeme."

„A to, co jsem vám prozradila... však víte... to o našem vztahu..."

Aha, tak takhle se tomu říká, když ženská olizuje zakrslému flanďákovi klacek, pomyslela si Katie. Vztah.

„Samozřejmě," ubezpečila ji, ačkoli si sama nebyla jistá, k čemu se tím slovem zavazuje.

Ciara se vydala přes parkoviště ke svému autu, bledě zelenému nissanu micra, a přesně v tom okamžiku Katie zazvonil mobil.

„Katie? Tady sestra Monahanová z nemocnice. S radostí vám oznamuju, že vaše sestra se před chvílí probrala z kómatu."

„Panebože," hlesla Katie. Přitiskla si ruku k ústům a propukla v pláč.

„Je při sobě, i když..." spustila sestra Monahanová, ale náhle přímo nad Katiinou hlavou zaburácel blesk a pohltil vše, co jí chtěla zdravotnice sdělit.

43

Zatlačila do nemocničních dveří, zavřela deštník a prudce jím zatřásla. Zrovna procházela recepcí, když se za ní znenadání ozval hlas: „Katie! Počkej na mě!"

Byl to Michael. Na sobě měl pytlovitý gabardénový plášť s pevně utaženým opaskem a v ruce nesl umělohmotnou nákupní tašku z Tesca.

„Michaeli! Co se děje? Už ses byl na Siobhan podívat?"

„Ještě ne. Vlastně jsem tu na tebe čekal."

„A proč, prosím tě? Poslyš, musím jít za ní. To víš, že se probrala k vědomí?"

„Jo, řekli mi o tom. Ale abych byl upřímný, hrozně se před ní stydím."

Katie došla k výtahu a stiskla tlačítko. Nedaleko stál malý hoch, kradmo po ní i po Michaelovi pokukoval a pozorně poslouchal, co si říkají, jako by byli postavy v nějaké divadelní hře.

„Mazej odsud, mrňousi," vyzval ho Michael, ale chlapec se ani nehnul. Dveře výtahu se otevřely, Katie nastoupila a Michael ji následoval. Zvedl nákupní tašku do vzduchu, aby na ni viděla, a ona si všimla, že je sáček posetý dešťovými kapkami a očividně obsahuje něco těžkého.

„Ráno jsem se hrabal pod dřezem a hledal jsem kohoutek, kterým bych vypnul vodu, protože nám praskl radiátor. Jenže místo toho jsem narazil na tohle. Bylo to schované za utěrkami, houbičkami a ostatními věcmi do kuchyně. Kladivo."

„Kde se pod tvým dřezem vzalo kladivo?"

„Taky jsem se divil, takže jsem ho vyndal, pořádně jsem si ho prohlídl a zjistil jsem, že na něm jsou vlasy a něco, co vypadá jako krev."

Sáhl do tašky, aby náčiní vytáhl a ukázal jí je, ale ona zavrtěla hlavou a řekla: „Ne, nech ho uvnitř. Takhle je kontaminované až až."

Michaelovi vhrkly do očí slzy. „Udělala to Nola. Určitě za to může ona. Jenom ona by se dokázala tak strašně rozzuřit a jít na Siobhan s kladivem, jenom ona by byla dostatečně pitomá na to, aby ho neumyté schovala pod dřezem. Do prdele, jak já si přeju, abych tu svini nikdy nepotkal."

Vyjeli do třetího poschodí, Katie vylovila z kapsy mobil a zavolala na ústředí. „Pošlete O'Donovana do fakultní nemocnice, ano? Jsem u své sestry na jednotce intenzivní péče."

Natáhla se, vzala Michaelovi nákupní tašku z ruky a jemně řekla: „Počkej tady na chodbě, jo? Za minutku tě zavolám, ať Siobhan taky můžeš navštívit, pokud ti to tedy sestřičky dovolí. Mezitím tu ale vydrž. Za to, k čemu došlo, nejsi ani trochu zodpovědný a neměl by ses obviňovat. Udělals dobře, žes mi to kladivo přinesl."

Katie hovořila klidně a téměř nepohybovala ústy, jako by byla břichomluvec, ve skutečnosti však viděla rudě a lomcoval jí nepříčetný vztek. Nejenom na Nolu, která jí málem zabila sestru, ale taky na Michaela, který pletl hlavu dvěma ženám zároveň, a nakonec i na Siobhan za to, že ji kdy napadlo chodit s takovým idiotem.

Michael přistoupil k dlouhé řadě umělohmotných židliček a se svěšenou hlavou se na jednu z nich sesunul. Katie chvilku stála vedle něj a poté se chodbou vydala k pokoji své sestry.

Siobhan měla doširoka otevřené oči a záda podložená polštáři. Hlavu měla ovázanou a na monitoru se zobrazovaly její životní funkce. Když ale Katie vstoupila do pokoje, zmohla se na zesláblý zmatený úsměv.

Jedna sestřička jí měřila krevní tlak a druhá zapisovala zjištěné hodnoty. Katie položila Michaelovu nákupní tašku na židli a přešla na druhou stranu postele, aby Siobhan objala. „Neumíš si představit, jak jsem ráda, že jsi vzhůru! Jak se vede, zlato?"

Siobhan zakroutila hlavou a cosi neslyšně zakňourala, jako jehně zamotané do ostnatého drátu. Sestra, která jí měřila tlak, řekla: „Bohužel není schopná mluvit."

„Ale časem mluvit bude, viďte?"

„Na to vám bohužel neodpovím. Budete se muset obrátit na pana Hahqa. Absolvovala další dvě tomografická vyšetření, která potvrdila mírné zlepšení, ale na nějaká definitivní tvrzení je příliš brzy."

Katie se ke své sestře znovu otočila, uchopila ji za ruce a usmála se. Ano, vypadala jako Siobhan, třebaže její obličej byl opuchlejší než jindy. V její tváři se však nezračilo nic, co by Katie připomínalo Siobhaninu pohotovost a lišáckou osobnost. Spokojeně se na Katie usmívala, působila ale tak unaveně, že jí klidně mohlo být přes osmdesát.

„Potřebuje něco? Mám jí něco donést?" zeptala se Katie.

„Momentálně nic. Stále ji krmíme kapačkami, ale předpokládáme, že ji do dvou dní odpojíme. Číst zatím nemůže, protože nedokáže zaostřit. My jsme hlavně rády, že vás poznala."

Katie seděla u Siobhanina lůžka, dokud na dveře pokoje nezaťukali detektiv O'Donovan a dva uniformovaní strážníci. Michael se sklopenou hlavou dosud poslušně vyčkával na chodbě. Katie vzala nákupní tašku a předala ji detektivu O'Donovanovi.

Ukázala směrem k Michaelovi. „Odvezte ho na stanici a sepište s ním hlášení. Ať vám vlastními slovy vylíčí pozadí té události — svůj vztah se Siobhan, jak se rozešli a on se oženil s Nolou, ale pak spolu zase začali chodit. Jo a fofrem pošlete tohle kladivo klukům z technického." Odmlčela se a potom zavolala: „Michaeli?"

Michael zvedl hlavu. Zřídkakdy se stávalo, že by na Katie někdo působil takto zranitelně. „Copak?"

„Kde Nola pracuje? Pořád v Penney's?"

„Ne, v Debenham's, v oddělení kosmetiky. Krucinál, já ji až do smrti nechci vidět."

Katie kývla na detektiva O'Donovana. „Zajeďte tam a zavezte ji na ústředí. Zatýkám ji pro pokus o vraždu."

„Rozkaz, šéfová."

Než se vrátila na Anglesea Street, zastavila se dole v patologické laboratoři. Tělo otce O'Gary už dorazilo z Killeens a nyní leželo na pitevním stole z nerezové oceli, kolem kterého kroužila doktorka Collinsová. Pohupovala se v kolenou, mávala digitálním fotoaparátem a ze všech možných úhlů si mrtvolu fotila.

Katie prošla mezi zahalenými těly spočívajícími na pojízdných lůžkách po obou stranách laboratoře a soustředěně upírala oči přímo před sebe, aby odolala pokušení ověřit si, že se žádné z nich nehýbe.

Doktorka Collinsová ji uviděla přicházet a narovnala se. „Á, Katie. Zrovna jsem skončila s první várkou fotek."

Ustoupila a odložila fotoaparát. „A teď je načase konečně přeříznout ty struny a podívat se, jak konkrétně se na tom nebožákovi podepsali."

„Ježíši, ten ale musel šíleně trpět," potřásla Katie hlavou při pohledu na sežehnuté a zbité tělo otce O'Gary.

„Upálení je nejbolestivější smrt na světě," vysvětlila doktorka Collinsová. „Je mi jasné, že se to běžně říká, ale tuhle teorii podporují i neurologická zjištění."

„Říká'? Copak někdo z osobní zkušenosti ví, jaké to je?" Doktorka Collinsová přikročila ke stolku s nástroji a uchopila kleště s ostrou špičkou. „Pozná se to podle toho, že oběti během upalování málokdy křičí. Vezměte si třeba ta videa, na kterých buddhističtí mniši páchají sebevraždu. Bolest je natolik strašlivá, že člověka ani nenapadne křičet."

Přestřihla struny, jimiž měl otec O'Gara svázaná zápěstí, přidržela si je před očima a zamžourala na ně. „Ten váš technik měl zřejmě pravdu. Opravdu to vypadá jako struna z piana."

Chytila otce O'Garu za ruce, spustila mu je k bokům a jeho ramena i lokty při tom pohybu zakřupaly, jako když se pojídá pečené kuře. Překulila kněze na záda a přeštípla strunu, která mu poutala kotníky.

V tu chvíli zazvonil Katie mobil. Pohlédla na displej a uviděla, že jí volá inspektor Fennessy.

„Liame? O co jde?"

„Před pěti minutami nás zkontaktoval svědek, který tu černou dodávku s biskupskou berlou zahlédl na Carrigrohane Road, necelý kilometr západně od Ballincolligu."

„Kam měla namířeno?"

„Na západ. Ještě stihneme postavit zátarasy na N22 u Clodaghu. Evidentně nejela nijak rychle."

„Ne, žádné zátarasy. Zkuste ji dohnat a sledovat. Zajímá mě, kam ti tři z Fidelia jedou. Z nějakého důvodu jim absolutně nesejde na tom, že je jejich auto hrozně nápadné, co? Člověk by si myslel, že budou mít rozum a použijí dodávku bez jakýchkoli zvláštních znaků, ale oni ne."

Doktorka Collinsová zápasila s tlustou strunou, jíž měl otec O'Gara spoutaná kolena; byla kolem nich omotaná nejméně dvacetkrát a spletená dohromady. Patoložka kroutila kleštěmi ze strany na stranu, až se struna nakonec přece jenom neochotně poddala a s tichým cinknutím praskla.

„Rozkaz, šéfová," řekl inspektor Fennessy. „Pověsíme se na ni, ale budeme si držet odstup."

Náhle však Katie cosi napadlo: Ono je jim vážně úplně jedno, že jezdí tou nejkřiklavější dodávkou v celém Corku, co? Ale proč je jim to jedno? Unesli a pravděpodobně zabili všechny čtyři kněze, kteří je v sirotčinci vykastrovali, a nádavkem se zmocnili i monsignora Kellyho. Bezpochyby si uvědomují, že kvůli nim pročesáváme hrabství z jednoho konce na druhý.

A vtom pochopila. Kurva, pomyslela si a zakřičela: „Zastavte ji!"

„Cože?" podivila se doktorka Collinsová a vzhlédla od pitevního stolu.

„Ne, vás ne, doktorko," ubezpečila ji Katie. „Liame, zastavte tu dodávku a řidiče zatkněte, ať je to kdokoli."

„Vždyť jste chtěla, abychom ji sledovali a zjistili, kam jede."

„Ona nikam nejede. Je to vějička, o tom teď už ani na vteřinu nepochybuju."

„Co že je?"

„Vějička. Oni se tou dodávkou přece vůbec netajili: ani když házeli tělo otce Heaneyho do Blackwateru, ani když přejeli otce O'Garu na Patrick Street nebo když si dojeli ke Svatému Dominikovi pro otce ó Súllabháina. A co my víme, třeba v ní odvezli i mrtvolu otce Quinlana k Sirotčinci svatého Josefa a nikdo je nezahlédl jen náhodou nebo si akorát nevzpomněl, že je viděl."

„Mně se to nějak nezdá, komisařko. Samozřejmě existuje možnost, že jsou chytří jako vy, ale pravděpodobnější je, že jsou prostě neopatrní nebo rovnou tupí jako poleno."

„Neřekla bych, Liame. Ti chlapi jednají s rozmyslem a mají plán, tím jsem si jistá. Zřejmě jim nevadí, když je dopadneme po jeho dokončení, ale prozatím touží zůstat na svobodě. Zadržte tu dodávku, jak nejrychleji dovedete. Vsadím se s vámi o dvacet eur, že v ní bude sedět leda řidič, který by nepoznal kastráta od kastanět."

„Šéfová jste vy, šéfová."

Zavřela telefon a obrátila se k doktorce Collinsové. „Jak to jde?"

Doktorka Collinsová se zatnutými zuby svírala kleště a natahovala struny střídavě tím či oním směrem, dokud nepraskly.

„Za chvilku budu mít hotovo. Ten, kdo ho takhle svázal, měl rozhodně zájem na tom, aby mu nohy držely u sebe."

Katie opět zazvonil mobil. Tentokrát volal John. Zněl unaveně a podrážděně.

„Uvidím tě ještě někdy?" postěžoval si. „Pozítří nejspíš odlétám, zlato. Mně je jasné, že nevíš, kam dřív skočit, ale fakt se musíme nějak dohodnout."

„Zavolám ti, miláčku, slibuju. Jakmile bude po všem, tak ti brnknu, sejdeme se a já ti splním i ty nejdivočejší sny. To myslím smrtelně vážně."

„Připadá mi, jako bych tě neviděl celou věčnost."

„Já vím, protože to cítím stejně."

Zatímco s ním mluvila, upřeně doktorku Collinsovou sledovala při práci. Patoložka přeštípla poslední strunu, jíž měl otec O'Gara svázané nohy, položila knězi ruce na kolena a začala mu násilím rozevírat stehna. Musela u toho zatnout zuby a vynaložit veškerou sílu, protože od jeho smrti neuplynulo ani čtyřiadvacet hodin a stadium posmrtné ztuhlosti stále nepominulo.

John řekl: „Co myslíš, mohli bychom se večer sejít? Aspoň na půl hodiny?"

„Fakt netuším, Johne. Vynasnažím se, vážně se pokusím. Později ti zavolám. Jo a mimochodem, asi bych ti to neměla prozrazovat, ale podle všeho jsme dopadli tu osobu, která zaútočila na Siobhan."

„Páni, to je fakt bezva. Kdo to byl? Nesnažil se zabít tebe, viď že ne?"

„Ze začátku jsem byla přesvědčená, že po mně někdo jde, ale ukázalo se, že to nebyl on, nýbrž ona. Michaelova manželka Nola. Víš, kterého Michaela mám na mysli, ne? Siobhanina bývalého přítele. Tedy, ne tak docela bývalého, a právě z toho důvodu ji Nola chtěla zabít."

„Ježíši. Vy Maguirové vedete hrozně komplikované životy. Ale zkus se se mnou dneska sejít, jo? Aspoň na šálek kafe. Potřebuju tě obejmout a ucítit, jak voníš."

„Udělám, co budu moct, miláčku, slibuju."

Doktorce Collinsové se podařilo rozevřít kolena otce O'Gary přibližně na šířku dvaceti centimetrů. Sevřela je pevněji, jako když se páčidlem otevírají dveře výtahu, ale jakmile je ještě malinko roztáhla, Katie zpozorovala, že kolem knězových stehen těsně nad koleny jsou dosud omotané dvě struny. Doktorka Collinsová se je nenamáhala přestřihnout, protože na sebe nebyly napojené, a tudíž jí nebránily v práci. Avšak nyní, když se knězovy nohy roztahovaly stále víc a víc, Katie spatřila, že každá smyčka je napojena na jeden ze dvou napjatých drátků, které vybíhají po stehnech nahoru a ztrácejí se v temné měkké díře po šourku. Podobné dráty už jednou viděla, přirozeně ne u mrtvoly vykastrovaného muže, nýbrž jako

351

součást nastražené bomby, která byla připevněna nikoli k tělu, ale ke dveřím dodávky. Jakmile se dveře otevřely, drátky zatáhly za spínače uzavírající elektrický obvod a výbušnina explodovala.

Katie neřekla ani slovo — křik by doktorku Collinsovou vyděsil natolik, že by se o nohy kněze O'Gary plnou vahou opřela. Místo toho rychle obešla pitevní stůl, zezadu doktorku Collinsovou popadla za obě zápěstí a trhla sebou vzad, takže se propletené zhroutily k zemi.

„Co si sakra myslíte, že vyvádíte?" obořila se na ni doktorka Collinsová a z tónu jejího hlasu bylo zjevné, že neschází mnoho a začne křičet. Katie ji místo odpovědi chytila za rukáv laboratorního pláště a začala ji po podlaze vláčet pryč. Katie vysílením lapala po dechu a podpatky zarývala do vinylových dlaždic, jak se usilovně pokoušela zapřít. Jakmile byly od pitevního stolu dostatečně daleko, postavila se Katie na nohy, zvedla patoložku a zakřičela na ni: „Utíkejte! Má v sobě bombu!"

Doběhly na opačný konec laboratoře, vrazily do dvoukřídlých dveří a skočily ven na chodbu. Doktorka Collinsová se zastavila a nahlédla okénkem zpět, ale Katie ji opět chytila za rukáv a zakřičela: „Ven! Honem! Pryč z budovy! Jak nejdál se dostaneme!"

„Krucinál, to snad nemyslíte vážně!" vyjekla doktorka Collinsová. „Bomba? To jako fakt?"

„Hlavně nezastavujte," nařídila jí Katie. Rozběhly se chodbou k nemocniční recepci a jejich podpatky bušily o dlážděnou podlahu. Katie vytáhla z kapsy mobil, odhodlaná ihned zavolat jednotku na likvidaci výbušnin, jenže sotva dorazily k recepci, zaslechly hluboké tupé zadunění explodující bomby a ucítily, jak se zem pod jejich chodidly chvěje jako při zemětřesení. Dvoukřídlé dveře se na okamžik rozlétly dokořán a z laboratoře se na chodbu vyřinula záplava trosek: sklo, kov, dokonce i kus opěrky.

Recepční vyskočila od stolu a vykřikla: „Prokrista, co to bylo?"

„Zavolejte bezpečáky," řekla jí Katie. „Povězte jim, ať tohle křídlo bezodkladně evakuují, a pak odsud sama utečte."

Počkala s doktorkou Collinsovou, než recepční sežene nemocniční ochranku. Po celé budově ječely požární hlásiče a Katie zaslechla zmatený křik a horečnatý dusot. Zatelefonovala na Anglesea Street a oznámila službu konajícímu policistovi, ať zkontaktuje hasiče a pyrotechniky, a hned poté vyťukala číslo vrchního inspektora O'Driscolla, který kupodivu nebyl na obědě.

„Oni nastražili bombu do mrtvoly otce O'Gary? Kurva, no to je k nevíře! Do prdele, proč to udělali?"

„Ze stejného důvodu, z jakého se ve městě promenují v té své křiklavé dodávce. Zkoušejí odvrátit naši pozornost od toho, k čemu se chystají doopravdy."

„Vy a ten váš instinkt, Katie. Podle mého je to akorát banda vymaštěných pošuků. Každopádně na sebe dávejte pozor, dokud nepřijedou pyrotechnici."

„O Jimmym O'Rourkovi žádné nové zprávy nemáte, co?"

„Vůbec žádné. Někdy během dne dovezou jeho tělo do nemocnice."

„Fajn. Dobrá, tak já počkám, dokud se mi neozvete." Katie zavřela mobil a oslovila doktorku Collinsovou: „Jdu zpátky, abych se mrkla na tělo. Chcete jít se mnou? Nemusíte, je to riskantní."

„Ne, já půjdu," prohlásila patoložka. „Není pravděpodobné, že by do jednoho těla umístili dvě nálože. Aspoň jsem nic podobného za celou svou praxi nezažila. A i kdyby tam dvě nálože byly, vybuchly by zároveň. Jedna by spustila druhou."

Katie se zašklebila a řekla: „Výborně. Ale radši se modleme k Bohu, abyste měla pravdu."

Zatlačily do dvoukřídlých dveří a s největší opatrností vstoupily do laboratoře. Výbuch strhl skoro všechna zakrytá těla z pojízdných lůžek a odhodil je na podlahu, kde nyní v úděsné parodii ragbyového mlýnu ležela jedno přes druhé. Samotná lůžka silou exploze odjela do protějšího rohu a tři nebo čtyři z nich se převrátila.

Pitevnu halila oblaka kouře, ve vzduchu však nebyly cítit chemikálie, ale jen odporný pach sežehnutého lidského masa. Katie na základě toho usoudila, že mrtvola otce O'Gary byla napěchovaná plastickou trhavinou typu Semtex nebo C-4, která je vysoce tvárná a nezanechává po sobě žádný zápach.

Katie vyrazila k pitevnímu stolu po podlaze poseté troskami a pod botami jí zakřupalo rozbité sklo. Mrtvola otce O'Gary byla tak dokonale rozmetána na kousky, že Katie zprvu nechápala, na co se vlastně dívá. Prostřední část těla se při výbuchu rozletěla dokořán. Žebra byla rozevřená jako vějíř a jedna z knězových nohou trčela v umyvadle na opačné straně laboratoře. Po druhé nikde ani vidu.

Nejpodivnější na tom všem však byly průsvitné béžové cáry nad pitevním stolem, na němž ležely pozůstatky otce O'Gary. Cáry se zachytily o fluorescenční osvětlovací tělesa a vytvořily širokou pavučinu spletenou z lidských vnitřností. Katie si rázem představila, jak po stropě uhání obří béžový pavouk za svou kořistí a dlouhé provazce pojivových tkání se při každém nárazu jeho nohou zlehka zachvívají.

Membrány ozařovalo světlo dopadající střešními okny a Katie uviděla, jak se v nich větví cévy. Doktorka Collinsová natáhla ruku v latexové rukavici a jemně za útroby zatahala.

Část se jich smekla a sklouzla dolů, ale většina zůstala neoddělitelně zamotaná do svetel. „Koukněte na to," řekla patoložka a vnitřnosti rozhoupala. „Něco takového jsem v životě neviděla. Osm a půl metru lidských střev. Veškerý obsah jedné břišní dutiny."

Katie však byla příliš zaujatá onou zčernalou pecí, jež kdysi bývala trupem otce O'Gary. Rozeznala v ní zbytky něčeho, co vypadalo jako kovový spínač, a dva zmatněné a pokroucené drátky, které posloužily jako spoušťěc. S touto metodou výroby bomb byla důvěrně obeznámena, a proto nepochybovala, že se zakrátko dozví, kdo trhavinu do mrtvoly umístil. Bohatě postačí, když si v klidu popovídá se svým starým přítelem Eugenem Ó Béarou, který se svými styky s příslušníky Irské republikánské armády nikdy otevřeně nevytahoval, poněvadž nemusel. Všichni věděli, co jsou jeho nejlepší kamarádi zač.

Otočila se k patoložce a chtěla na ni promluvit, když si náhle všimla, že si doktorka Collinsová mezitím zcela neočekávaně stáhla latexové rukavice, sundala si brýle a přitiskla si ruku k ústům a nosu. Oči se jí zalévaly slzami. Katie k ní přistoupila a sáhla jí na rameno.

„Jste v šoku," zhodnotila. „Já jsem taky trochu vyvedená z míry. Pojďte, asi bude nejlepší, když odsud vypadneme."

44

Počkaly před nemocnicí, dokud se neobjevil vrchní inspektor O'Driscoll, po němž zakrátko následovala jednotka pro likvidaci výbušnin, dva specialisté na ohledání místa činu a devět uniformovaných strážníků spolu s reportéry většiny corkských médií. Na parkovišti se tlačily khaki pickupy, land rovery, policejní dodávky a auta s pohonem všech kol.

Vrchní inspektor O'Driscoll se šel do laboratoře podívat osobně, aby se o rozsahu škod přesvědčil na vlastní oči, a když opět vyšel ven, tváře se mu chvěly úžasem.

„Kdyby ti chudáci nebyli po smrti, byl by to fakt děsný masakr."

„Vrátím se na ústředí a sepíšu hlášení," oznámila Katie.

„Ne, to teda nevrátíte. Pojedete domů, odpočinete si a dáte si něco k snědku. Nechci vás vidět dřív než zítra ráno. Tady nic nenaděláte, a co se našeho dobrého monsignora Kellyho týče, toho si vzal na starosti Liam Fennessy."

„Je mi výborně," odporovala Katie.

„Ne, není. Utrpěla jste těžký šok a pomalu vás nejde rozeznat od těch mrtvol tam uvnitř, jak jste bledá. Krucinál, vždyť já mám dojem, že se každou chvíli zhroutíte. Nemůžete být na třech místech najednou."

„Fajn," ustoupila Katie. Otočila se k doktorce Collinsové a řekla: „Nechcete zaskočit ke mně domů? Cestou bych se ale musela zastavit u otce, pokud vám to nevadí. Musím mu sdělit novinky o sestře. Abych byla upřímná, uvítala bych společnost."

„Klidně, proč ne?" řekla doktorka Collinsová. „Ten hotelový pokoj mi beztak začíná lézt na mozek."

Katie si pomyslela, že její otec působí ještě křehčeji než při jejich posledním setkání. Když jí otevřel dveře, měl přes ramena přehozený řídce pletený šedý šál a jeho kruhy pod očima se zdály tmavší než kdy před tím.

Řekla mu, že Siobhan je při vědomí, nechala si však pro sebe, že zatím nemluví a nedá se předpovědět, jestli její duševní schopnosti nebudou trvale poznamenány. Neprozradila mu ani to, že za útok je zodpovědná Michaelova manželka Nola. To mohlo počkat do doby, než žalobce Nolu obviní a soud usvědčí.

„No, to je vážně úleva, že se Siobhan konečně probudila," prohlásil její otec. „Někteří lidi zůstanou v kómatu celé roky, a když se z něj proberou, zjistí, že všichni jejich přátelé zestárli a svět kolem nich se změnil k nepoznání."

„Jedl jsi něco?" zeptala se Katie.

„Ailish mi tu nechala bramborový koláč. Ohřeju si ho, až budu mít hlad."

„Tak na to prosím tě nezapomeň."

Dlouze na ni mlčky zíral, jako by se v ní pokoušel zahlédnout její matku.

„A jinak se ti daří dobře?" zajímala se Katie.

Přikývl. „Jsem v pohodě, zlatíčko. Ale víš, co se říká... Nejlepší způsob, jak se vyhnout prožitým tragédiím, je nedopustit, aby se přihodily znovu."

Na chvíli se odmlčel a pak řekl: „A jak pokračuje vyšetřování těch vražd? Dneska ráno o tom mluvili v televizních zprávách. Prý jste našli dalšího mrtvého kněze, nějakého otce O'Garu. Jsem si jistý, že jsem se s ním kdysi znával. Otec O'Gara..."

Doktorka Collinsová seděla blízko u krbu, i přesto se však při těch slovech prudce otřásla, jako by ji ovanul průvan. „Ach, Bože," vydechla a víc říkat nemusela, protože Katie věděla naprosto přesně, co se jí vybavuje před očima.

Katie otce co nejstručněji informovala, jak se pátrání vyvíjí. „Pořád hledáme ty tři chlapy z Fidelia. Nemůžeme s jistotou potvrdit, že monsignora Kellyho a otce ó Súllabháina unesli právě oni, ale nenapadá nás nikdo jiný, kdo by pro to měl motiv."

Katiin otec prohlásil: „Za tím vším stojí církev, dej na má slova. Zkušenost mi říká, že církev udělá všechno, aby ochránila svoje lidi. Nezastaví se ani před obětováním nevinných, pokud je to nutné. Jednou jsem musel řešit vraždu dvou dětí v Blackpoolu — dvě holčičky, věk devět a jedenáct, obě uškrcené — a do dnešního dne jsem přesvědčený, že hodlaly rodičům prozradit, co jim jejich kněz prováděl. Jenže než se k tomu dostaly, byly umlčeny. To jako ‚umlčeny'."

Přitáhl si šál těsněji k tělu. „Forenzní nález se nějakým záhadným způsobem ztratil a mně se nepodařilo sehnat jediného důvěryhodného svědka. Přesto mi bylo jasné, kdo to má na svědomí. Teď už je po smrti, takže nemá smysl se tím dál zabývat, ale podle mě tehdy měl být potrestaný."

Katie řekla: „Ze všeho nejvíc potřebuju zjistit, jaká je pravá totožnost toho záhadného reverenda Bis. Pokud na to přijdu, tak se s trochou štěstí dozvím, koho zastupoval, když ty čtyři kněze přiměl k založení sboru u Svatého Josefa."

„Znova si projdi důkazy," poradil jí otec. „Já ti to říkám neustále. Ďábel je v detailech."

„Tolik těch důkazů zase nemám, s výjimkou deníků otce Heaneyho, které klidně můžou být celé vyfabulované, šňůrky do fagotu a sbírky strun do harfy a piana. Jo a potkana. A rozbušku."

358

„No jo, moc toho není, uznávám. Stejně si to ale projdi, a až skončíš, začni znova od začátku. Pokud máš nějaké svědky, dotírej na ně a dotírej, dokud nevezmou nohy na ramena, jakmile tě uvidí. V dnešní době je to samé honem, honem, co nejdřív případ uzavřít, aby to vypadalo dobře v médiích, a především neudělalo díru do rozpočtu.“

Katie na znamení porážky zvedla ruce. „Jak myslíte, strážmistře. V kufříku mám překlad deníků otce Heaneyho a veškeré poznámky, které mi lidi z týmu hodili na laptop. Jakmile si dám pořádného panáka, něco k snědku a budu mít naspáno pár hodin, zase se na ně podívám. A pak ještě jednou. Spokojený?“

Otec se na ni nepřítomně usmál a Katie se zmocnilo neblahé tušení, že už nebude žít dlouho. Pohlédla na doktorku Collinsovou a pomyslela si, že i ona ten dojem smrtelnosti vycítila, jako kdyby kolem pootevřených dveří do obývacího pokoje prošla Smrtka, nahlédla dovnitř, spatřila Katiina otce, jak sedí u krbu, a řekla: S truchlením pro svou ženu se nenamáhej, starý brachu, zanedlouho se s ní opět shledáš.

Než odešly, doktorka Collinsová se omluvila a odskočila si na toaletu. Zatímco byla pryč, Katiin otec si poposedl v křesle a vzal dceřinu ruku do své. „Pověz mi, už ses rozmyslela?“

„Co jsem si měla rozmyslet? To jako tu věc s Johnem?“

„Je to hodný kluk, Katie, a já vidím, jak moc tě miluje. Něco ti poradím: na takovou lásku natrefí člověk málokdy, pokud vůbec, a když ji najde, neměl by si ji nechat proklouznout mezi prsty.“

Katie mlčela, ale otec ji chytil pevněji a pokračoval: „Já vím, co si myslíš. Myslíš si, že musíš pečovat o Siobhan a o mě a že na tobě závisí blaho celého Corku a každého, kdo v něm žije. Máš ale svůj vlastní život, Katie. O Siobhan se postará Michael, o mě Ailish a Cork už si nějak poradí.“

„Podle tebe bych fakt měla odjet?"

Opět jí věnoval ten vzdálený úsměv. „To je na tobě, děvče. Já ti akorát připomínám, že život máš jen jeden. Vezmi si třeba mě — já už nikdy neobejmu tvou mámu a dennodenně brečím, že jsem o ni přišel. Ale oplakávat lásku, kterou jsi kdysi měla, je jedna věc. Mnohem horší je brečet pro lásku, kterou jsi nikdy neměla."

Jakmile přijela s doktorkou Collinsovou domů, rozsvítila stolní lampičky, zatáhla závěsy a zapnula ústřední topení. Barney se mohl pominout radostí, že ji vidí, skákal a bušil ocasem o nábytek. Katie ho kuchyňskými dveřmi vypustila na dvorek za domem a vrátila se do obývacího pokoje.

„Skleničku?"

„Ano, děkuju. Nejlépe brandy."

„Tady je. Sundejte si boty a odpočiňte si," řekla Katie, nalila doktorce Collinsové brandy a sobě vodku. Společně se bok po boku usadily na pohovce a obě zároveň vydechly úlevou.

„*Sláinte*," připila doktorka Collinsová a pozvedla sklenku.

„*Fad saol agat*," odvětila Katie. „Ať máte dlouhý život."

„To byl ale šílený den," poznamenala doktorka Collinsová.

„Ale co si stěžuju, pro vás to muselo být daleko horší, když vám zabili strážmistra a musíte řešit všechny ty vraždy."

„Zažila jsem lepší dny, to nepopřu. Snad nezním moc cynicky."

Doktorka Collinsová na ni pohlédla: „Chcete něco vědět? Vy nejste jako ostatní policistky, s kterými jsem v minulosti pracovala. Minimálně těm na vysokých pozicích se vůbec nepodobáte. U nich jsem vždycky měla dojem, jako by se ustavičně snažily prosadit, protože jsou ženy. Chovaly se jako muži víc než muži samotní.

Ale vy... nevím, jak bych to vyjádřila. Jak jsem říkala předtím, jste velice silná, ale současně jste sama sebou. Právě vaše ženskost vám dodává sílu."

Katie se na ni opatrně usmála. „Nemáte chuť na něco k jídlu?" navrhla. „Můžeme si objednat pizzu. Anebo mám v lednici trošku studeného kuřete, pokud dáváte přednost salátu."

„Nerada bych, abyste si myslela, že po vás jedu," vyhrkla doktorka Collinsová.

„Upřímně řečeno si to myslím, ale nevadí mi to. Vlastně jsem tím polichocená."

Doktorka Collinsová zuřivě zamrkala. „Ach. Jejda, chápu. Promiňte."

„Skutečně si s tím nemusíte dělat těžkou hlavu. Vážně mi to lichotí. Uznávám, že když jsem vás vyzvedávala na letišti, připadala jste mi malinko jako semetrika, ale obdivuju to, co děláte, a i osobně jsem si vás oblíbila. Takže jsem polichocena, když mi složíte poklonu."

Doktorka Collinsová se kousla do rtu a v jejím pohledu se zračilo tolik příběhů, tolik zklamání.

„Výborně," řekla nakonec a po chvíli dodala: „Co takhle kuřecí sendvič?"

Když se Katie najedla, únava z ní jako zázrakem spadla, a tak zatímco se doktorka Collinsová sprchovala, Katie vytáhla z kufříku překlad deníků otce Heaneyho, uvelebila se s velkým panákem vodky na pohovce a pustila se do čtení, stránku za stránkou.

Barney ležel nepříjemně blízko u ní a hlavu měl položenou na jejím chodidle, jedno oko otevřené a druhé zavřené. Kdykoli se v domě nacházel někdo cizí, choval se podezřívavě a ochranářsky.

Katie si po otcově nabádání připadala neomluvitelně nedbalá, protože pravda byla, že si deníky dosud nepřečetla, ne řádku po řádce. Vyslechla si pouze shrnutí Stephena Keenana a zběžně prolétla několik stránek, aby o kněžově rukopisu získala obecné povědomí. Věděla, že Patrick O'Donovan si ho přečetl pozorněji, nedalo se však vyloučit, že na něj nepohlížel ze stejné perspektivy jako ona.

Podle poznámky, kterou Stephen Keenan připojil na okraj, napsal otec Heaney do záhlaví první strany každého notesu *„Vita Brevis"* neboli „Život je krátký" a „třikrát tu frázi silně podtrhl, jako by na ni kladl velký důraz". Následně v sešitu popisoval svou učitelskou kariéru u Svatého Antonína v Douglasu úspěch, který slavil jako tamní sbormistr — obzvlášť toho úžasného dne roku 1979, kdy jeho sbor zazpíval papeži Janu Pavlovi II. Teprve na straně čtyřicet tři se pustil do líčení onoho tajného setkání v Montenotte, během nějž ho reverend Bis požádal, aby v Sirotčinci svatého Josefa sestavil nový chlapecký sbor.

„Rev. Bis prohlásil, že se nade vši pochybnost bude jednat o nejlíbeznější chlapecký chór v církevní historii. Zeptal jsem se ho tedy, jak bude možné porovnat jej se sbory z šestnáctého století, jejichž krásný zpěv známe (přirozeně) pouze z doslechu.

Rev. Bis mě ujistil, že o nadřazenosti tohoto sboru budeme mít empirický důkaz. Mělo jít o chór, který potěší uši Boží. A Bůh nám oplatí tím, že se zjeví v celé své kráse a jeho roucho se zaleskne v pozemském slunci."

Katie pár stránek přeskočila. Stephen Keenan se zmínil o tom, že otec Heaney v deníku používal obskurní přezdívky, hříčky a anagramy, aby zatajil totožnost většiny jmenovaných. Nad luštěním mnoha z nich překladatel strávil nekonečné hodiny a některá jména se mu dešifrovat vůbec nepodařilo. Otec O'Gara se například v latinské verzi jmenoval *Procul Rana*, což volně přeloženo znamená „daleká žába". Stephen Keenan si po čase uvědomil, že jde o přesmyčku anglické verze toho spojení, „a far frog", a ve skutečnosti se jím myslí „Fr. O'Gara". Když si s Katie o překladu povídal, opakovaně se zmiňoval o jistém „reverendu Bis". Ona si nicméně všimla, že otec Heaney v textu bez výjimky užívá výrazu „Rev. Bis". Třeba si jen něco nalhávám, pomyslela si, ale působí to na mě jako anagram od *brevis*, „krátký". Otec Heaney deníky koneckonců uvedl slovy *Vita Brevis* a podtrhl je.

Jak to mohlo Stephenu Keenanovi uniknout? Pro jeho analytickou mysl to nejspíš bylo příliš očividné, ale „krátký" nebo „prťous" mohla docela dobře být přezdívka onoho „posla", prostředníka, který otce Heaneyho pověřil sestavením sboru, obzvlášť pokud by ten muž byl nápadně malý a těšil se významnému postavení v církevní hierarchii.

A kdo tomu popisu odpovídal lépe než ctihodný reverend monsignore Kevin Kelly, generální vikář?

Katie otevřela laptop a zapnula ho. Uběhlo jen pár minut, než vyhledala historii diecéze Cork a Ross spolu se seznamem duchovních, kteří během uplynulých třiceti let pracovali pro úřad biskupa a v kanceláři tajemníka diecéze. V říjnu roku 1980 byl do biskupského úřadu mezi jinými přijat i reverend Kevin Kelly, který na sebe upozornil již za studií v celostátním kněžském semináři Saint Patrick's College v Maynoothu. Nebylo zřejmé, jakou pozici na úřadu zastával, zdálo se ale, že na svůj věk až nezvykle úzce spolupracoval s tehdejším biskupem, Conorem Kerriganem.

Katie narazila i na řadu novinových snímků biskupa Kerrigana při důležitých diecézních akcích a slavnostních mších.

Téměř na každém z nich stál po jeho boku mladý reverend Kelly. Na některých fotkách měli hlavy blízko u sebe a zjevně si sdělovali cosi důvěrného.

Katie si vzpomněla, že na vrcholu své kariéry vystupoval biskup Kerrigan jako nekompromisní fundamentalista — odpůrce potratů, eutanazie a ochrany proti početí, nezlomně přesvědčený o transsubstanciaci a existenci andělů. S oblibou říkával: „Nezapomínejte, že milost člověka volá, aby se svým Stvořitelem uzavřel dohodu."

Ke konci života však téměř nevycházel na veřejnost a neudílel žádné rozhovory. Oficiální vysvětlení znělo, že onemocněl rakovinou slinivky.

Vtom do obývacího pokoje vstoupila doktorka Collinsová, oblečená do Katiina bílého froté županu a s vlasy zamotanými do turbanu. Barney okamžitě začenichal, zvedl hlavu a jemně zaštěkal.

„Co sprcha, dobrá?" zeptala se Katie.

„Přímo božská," odvětila doktorka Collinsová a otřela si zamlžené brýle do ručníku. Podívala se na Katie přimhouřenýma očima a z jejího výrazu bylo zřejmé, že by si koupel bývala užila ještě víc, kdyby se jí účastnila i ona.

„Tak to abych se taky osprchovala," řekla Katie. „Pojď, Barney, máš vzadu na dvorku nějakou práci. Dáte si další skleničku? Nebo pozdní večeři?"

Doktorka Collinsová zavrtěla hlavou. „Zatím nic nepotřebuju. Jak pokračuje četba těch deníků?"

„Je toho hodně, ale podle mě se v nich jasně naznačuje, že ty čtyři kněze oslovil monsignore Kelly, který jednal jménem biskupa Kerrigana."

„A co z toho plyne?"

„Prozatím nic, co bychom dávno nevěděli."

Doktorka Collinsová přikročila k pohovce, a když si sedala vedle Katie, rozevřel se jí župan a odhalil bledé stehno. Katie ihned odložila překlad, zavřela laptop a vstala.

„Nic si neodpírejte a chovejte se jako doma," prohlásila.

Doktorka Collinsová přikývla, jako by chtěla říct: Kéž by.

45

Katie vypustila Barneyho kuchyňskými dveřmi ven, přesunula se do ložnice a svlékla se. Zabalená do ručníku prošla po chodbě do koupelny a příští tři nebo čtyři minuty strávila nehnutě pod sprchou, než se začala mýt. Zaklonila hlavu a se zavřenýma očima na sebe nechala prýštit teplou vodu. Krátce před smrtí nainstaloval její manžel Paul do sprchy zesilovač tlaku — odjakživa se pokládal za zručného kutila —, ale kdykoli Katie pustila vodu, začalo se ozývat ohlušující vibrování.

Právě kvůli tomu nezaslechla domovní zvonek a přeslechla i doktorku Collinsovou, která na ni zavolala: „Někdo je u dveří, Katie! Mám jít otevřít?" Kdyby ji slyšela, řekla by jí, ať v žádném případě neotvírá, protože nikoho nečeká.

Vzpomínala, co jí otec řekl o Johnovi a jakou radu jí dal. Věděla, že má pravdu a pravá láska je nepopsatelně vzácná. Na druhou stranu se však neskutečně nadřela, než se vypracovala na místo komisařky, a byla své práci i detektivnímu týmu natolik oddaná, že by si připadala jako pozůstalá, kdyby se je rozhodla opustit. Bolelo by ji to, moc by ji to bolelo a uškodila by tím i svému týmu. A pak tu samozřejmě byla Siobhan a otec.

Zrovna si mydlila ramena, když se z chodby ozvala hlasitá rána — tak hlasitá, že Katie leknutím nadskočila. Okamžitě pochopila, co se děje, a zastavila sprchu.

Zůstala bez hnutí stát, a zatímco z hlavice padaly kapky a poslední zbytky vody se s klokotáním hrnuly do odtoku, soustředěně napínala uši. Nevydala ani hlásku. V předsíni kdosi vystřelil z brokovnice a doktorka Collinsová to nebyla, což mohlo znamenat jediné: v domě se nachází vetřelec.

Katie s nejvyšší opatrností otevřela dveře sprchového koutu a znovu se zaposlouchala. Zprvu nic neslyšela, potom však zaznamenala suché zakašlání a kroky v obývacím pokoji. Překvapilo ji, že se z dvorku neozývá Barneyho štěkání, její pes ale nejspíš měl moc práce s hledáním rejsků a očicháváním uschlého listí u plotu.

Vystoupila ze sprchy a natáhla se pro ručník, sotva po něm ale sáhla, sklouzl z držáku a spadl za hnědý pletený koš na prádlo. Chystala se pro něj sehnout a zvednout ho, ale v tu chvíli zase uslyšela to suché zakašlání a následně tupý úder, jako by hlaveň brokovnice zavadila o konferenční stolek nebo opěradlo křesla.

Odkradla se ke dveřím z koupelny a polehounku stiskla kliku. O centimetr pootevřela, a když vyhlédla na chodbu, uviděla na podlaze pravou ruku doktorky Collinsové a zakrvácený bílý rukáv svého froté županu.

Ježíši, pomyslela si Katie. Prokrista, pane na nebi, ona je postřelená! Nehýbe se!

Obezřetně rozšířila štěrbinu, aby dohlédla až do pokoje. Jelikož dveře z koupelny svíraly s dveřmi do obývacího pokoje ostrý úhel, viděla pouze na jedno křeslo, lampu a část okna. I přesto však zpozorovala, že se na závěsech pohybuje stín, jako by se tam někdo pohupoval ze strany na stranu.

Opatrně z koupelny vyklouzla. Hlavní dveře byly dokořán otevřené a z ulice vanul silný vítr. Za stromy poblikávala světla pouličních lamp a voda v přístavu se třpytila. Doktorka Collinsová ležela na zádech s rukama za hlavou a v její hrudi zela díra o velikosti Barneyho červené misky na jídlo. Žena upírala oči ke stropu a ústa měla otevřená, jako by chtěla cosi vykřiknout. Katiin bílý župan se jí vyhrnul až k pasu.

Katie se zády ke zdi odplížila do ložnice. Její oblečení se povalovalo na posteli, ale pro ně si nepřišla. Šlo jí o ploché pouzdro, které leželo na prádelníku po levé straně dveří, pouzdro s poniklovaným revolverem Smith & Wesson ráže 38.

Zvedla je a jemně zbraň vysunula. Z obývacího pokoje zaznělo další bouchnutí a zakašlání a vtom do chodby vkročil muž v tmavě zeleném svetru a černých džínech. V levé ruce držel dvouhlavňovou brokovnici a ve druhé deníky otce Heaneyho.

Katie revolver odjistila a oběma rukama ho na něj namířila.

„Pusťte to!" křikla a ve svém hlase uslyšela ječivý podtón.

Muž sebou cukl a škubl pravým loktem, takže mu deníky upadly na podlahu. Pokusil se otočit a namířit na Katie pušku, byl však nešikovný a hlavní se zachytil o radiátor u protější zdi. Katie nezaváhala a dvakrát ho střelila do hrudi.

Zapotácel se a upustil brokovnici. Snažil se udržet rovnováhu, ale zakopl o tělo doktorky Collinsové, nohy mu vylétly do vzduchu jako houpacímu koni a on se ztěžka zhroutil na podlahu. Levou rukou zašátral po zbrani, ale Katie ji popadla a odhodila do chodby, aby na ni nedosáhl.

„Kurva, vy jste mě postřelila!" zasténal. Podíval se na svůj hrudník a na svetru spatřil dvě tmavé skvrny. Z jedné se řinula bublající krev, což znamenalo, že ho Katie trefila do plic.

Nehnutě na něj zírala a stále mu revolverem mířila do obličeje. Muž měl uhlově černé, nakřivo zastřižené vlasy, které vypadaly, jako by si je upravoval sám. Byl průměrně vysoký, oplácaný a měl kulatý obličej s nosem připomínajícím růžovou fazoli.

Katie řekla: „Já vás znám. Máte sice jinou barvu vlasů, ale jste to vy. Co sakra děláte v mém domě?"

„Kurva, vy jste mě postřelila," zopakoval.

„A vy jste postřelil tu ženu," utrhla se na něj Katie. „Zabil jste ji."

„Potřebuju sanitku," zaprosil a jeho hlas se pozvolna měnil ve slabé pisklavé chroptění. „Vždyť vykrvácím."

„Jmenujete se Brendan Doody, že?" řekla Katie.

„Kurva, vy jste mě postřelila. Já umírám."

„Jste Brendan Doody, viďte? Viděla jsem vás na fotce. Obarvil jste si vlasy na černo, ale mě neoblafnete. A teď mi povězte, co krucinál vyvádíte v mém domě, a ještě k tomu s brokovnicí!"

Zamířila k hlavním dveřím, aby je zavřela.

„Oni mi to nařídili," řekl Brendan Doody.

„Kdo vám to nařídil?"

„To vám nesmím říct. On by mě oddělal."

„Stejně brzo umřete, tak je to snad jedno, ne?"

Z koutku úst mu vytekl pramínek krve a on zakašlal. „Potřebuju sanitku. Já se tady topím. Topím se ve vlastní krvi."

„Kdo vás sem poslal, Brendane?"

Brendan Doody se třikrát klokotavě nadechl a pak zasípal: „Monsignore. Řekl mi, že vás mám zastřelit, hned jak otevřete dveře. Jenže jste to nebyla vy."

„Zastřelil jste i otce Loweryho a strážmistra O'Rourka?"

Rozhostilo se dlouhé napjaté ticho a potom Brendan Doody odvětil: „O'Rourke? Tak se jmenoval? Mrzí mě to. Prosím. Já jsem nevěděl, jak se jmenuje. Neměl nás sledovat. Prosím. Vždyť já umírám."

„Proč jste to udělal, Brendane?"

„Monsignore tvrdil, že musím."

„Prozradil vám proč?"

„Prej když to neudělám, zavolá policajty a řekne jim, že jsem otce Heaneyho zabil já a že budu až do smrti zavřenej v lochu.“

„Vy jste ale otce Heaneyho nezabil, viďte?“

Brendan Doody zavrtěl hlavou a začal kašlat krev. „Napsal jsem, že jsem ho oddělal, ale nebyla to pravda.“

„Ale co vás k tomu přivedlo?“

„Monsignore řekl, že musím pomoct biskupovi, protože je ve strašným průšvihu, a že právě biskup zařídil, aby mě jako malýho vzali pod střechu a postarali se o mě. Nadiktoval mi dopis, ve kterým jsem se přiznával, že jsem zabil otce Heaneyho, a pak jsem měl napsat, že zabiju i sebe, ale to jsem udělat nemusel. Jeden kněz mi sehnal pokoj v Grawn a já jsem si musel obarvit vlasy a všem vykládat, že se jmenuju Tommy Murphy.“

To všechno ze sebe vychrlil v jednom nepřetržitém, stěží srozumitelném zamumlání. V jeho očích se zračila panika a Katie poznala, že je ochotný prozradit jí úplně všechno, jen když zavolá doktora a zachrání mu život.

„Biskup?“ vyptávala se dál. „Jaký průšvih měl na mysli?“

„Prosím,“ naléhal. „Netuším, o jakým průšvihu mluvil, fakt nemám páru.“

„Vydržte chvilku. Kterého biskupa myslíte? Do kostela svatého Patrika vás přece jako chráněnce vzali dávno před jmenováním biskupa Mahoneyho. Snad nemyslíte biskupa Kerrigana?“

Brendan Doody přikývl. Oči se mu protáčely a dech se krátil.

„Ale biskup Kerrigan je už léta mrtvý,“ tlačila na něj Katie. „Tak jak by asi mohl být v průšvihu?“

„Není mrtvý,“ řekl Brendan Doody.

„On není mrtvý? A kam se tedy poděl?“

„Dripsey. Velkej barák. Nedaleko památníku. Dělal jsem tam výzdobu.“

„Takže ho najdu v Dripsey?"

Brendan Doody opět přikývl. „Mám se za ním rozjet. Sejít se s monsignorem. Říkal, že nastal čas."

„Nastal čas? Čas na co?"

„Prosím."

Hlavou udeřil o koberec a jeho oči se přivřely. Stále však dýchal, a když si vedle něj Katie klekla, podařilo se jí nahmatat mu na krku puls. Opatrně obešla mrtvolu doktorky Collinsové a přemístila se do obývacího pokoje, aby zavolala záchrannou službu. Poté zatelefonovala na policejní ústředí a požádala recepční, ať ji přepojí na Liama Fennessyho.

„Liame?" Pověděla inspektoru Fennessymu, co se přihodilo, a on řekl prostě jen: „Ježíši!"

„Brendan Doody tvrdí, že biskup Kerrigan je živý a zdravý a že bydlí v Dripsey, nedaleko Godfrey's Cross."

„Cože? To přece není možné!"

„Říká to. Kromě toho tvrdí, že za ním měl přijet, jakmile mě zastřelí, a sejít se s monsignorem Kellym. Že prý nastal čas, jenže nevím na co. Ale pokud monsignore Kelly vyrazil do Dripsey, je vysoká pravděpodobnost, že se tam vypravili i ti chlapi z Fidelia. Moc bych se divila, kdyby ho tam nezavezli osobně."

„To je neuvěřitelné. Co chcete, abych podnikl?"

„Přesuňte svůj tým do Dripsey a zkuste ten dům najít. Hádám, že vám s tím místní pomůžou. Je tam akorát pošta a několik hospod, z nichž jedna je zavřená."

„A co máme udělat, až ten barák vypátráme?"

„Vůbec nic. Počkejte, dokud nedorazím, a hlídejte, kdo vchází dovnitř a vychází ven. Musím tu zůstat, dokud nepřijedou záchranáři, kluci z technického a posily, ale jakmile to tady převezmou, vydám se za vámi."

Vrátila se do chodby. Brendan Doody byl pořád naživu, Katie si však nebyla jistá, jak dlouho ještě vydrží. Postavila se k němu a zadívala se na něj. Poprvé v životě vůbec nelitovala, že musela na někoho vystřelit, ani toho, že Brendana Doodyho nejprve vyslýchala, než mu zavolala sanitku. Koneckonců chladnokrevně zastřelil Jimmyho O'Rourka, doktorku Collinsovou a otce Loweryho. Nijak jej neomlouvalo, že je duševně opožděný a citově zranitelný ani že ho monsignore Kelly využíval pro své zvrácené účely.

Všimla si, že venku před domem blikají modré majáky. Teprve když překročila doktorku Collinsovou a spatřila v zrcadle v předsíni svůj odraz, uvědomila si, že je dosud úplně nahá.

372

46

Než dorazila do cíle, bylo skoro dvacet minut po jedenácté. Dripsey byla malá vesnička v kopcovitém terénu, která se rozkládala zhruba dvacet kilometrů západně od Corku u přítoku řeky Lee. Právě ten osadě propůjčil její jméno: *Druipseach*, „blátivá řeka".

Z nebe se snášelo jemné mrholení, které připomínalo spíš závoj z mokrého šifonu než déšť. V oknech hospody Weigh Inn se stále svítilo, Lee Valley Inn však byla ponořena do hluboké tmy. Katie projela levotočivou zatáčkou, čímž zjevně opustila centrum místního společenského života, a zamířila ke Godfrey's Cross.

Právě zde překazily britské vojenské jednotky v roce 1921 útok Irské republikánské armády, poté co jim místní žena dala tip. Později tu byl na počest zajatých, zraněných či popravených obětí této teroristické organizace vztyčen památník.

Katie zahnula na parkoviště u památníku a všimla si, že na protějším konci parkují pod převislými stromy čtyři hlídkové vozy a dvě policejní dodávky.

Jakmile vystoupila z auta, přihnal se k ní inspektor Fennessy v černém pršiplášti s vyhrnutým límcem, doprovázený uniformovaným strážmistrem. Liam vypadal vyčerpaně a nervózně jako uštvaný ředitel základní školy.

„Najít ten dům nebylo nijak těžké. Všichni ve Weigh Inn věděli, o jakém baráku mluvím, ale domnívají se, že v něm bydlí nějaký spisovatel na penzi. Nikdo z nich nemá ponětí, že je to ve skutečnosti biskup Kerrigan."

Katie si zapnula plášť. „Vzhledem k tomu, že se biskup Kerrigan měl už před lety odebrat ke svému Stvořiteli, mě to ani trochu nepřekvapuje. Vygooglila jsem si ho, a pokud je to vážně on, musí mu být nejmíň sedmaosmdesát."

„Zběžně jsme obhlédli terén," řekl inspektor Fennessy. „Na příjezdovce parkují tři auta: šedá dodávka ford transit a dva sedany — toyota a opel. Dva moji muži nespouštějí z toho baráku oči a asi před pěti minutami mi nahlásili, že v přízemí, na schodišti a ve dvou pokojích v prvním patře se pořád svítí, ale uvnitř prý nikoho nezahlédli."

Katie přikývla a prohlásila: „Výborně. Za normálních okolností bych řekla, ať počkáme minimálně do rozbřesku, je ale pravděpodobné, že v tom domě drží otce ó Súllabháina a mučí ho, takže nemáme na výběr a musíme okamžitě vtrhnout dovnitř. Možná je tam i monsignore Kelly, nemáme ale ponětí, jestli přišel dobrovolně, nebo ne."

„Jak zní plán?" zeptal se inspektor Fennessy.

„Plán zní tak, že se vydáme na místo určení, přehradíme únikové cesty a ze všech stran dům obklíčíme. Dáme jim šanci, aby nenásilně otevřeli, a pokud to neudělají, budeme muset vyrazit dveře."

„Takže nic zvlášť komplikovaného, co?" podotkl inspektor Fennessy a v jeho hlase zazněl takřka nepostřehnutelný náznak sarkasmu. Odjakživa patřil mezi rafinovanější členy Katina týmu, kteří zločince chytají pomocí důmyslných léček, odposlouchávacích zařízení, napíchnutých telefonů a falešných textových zpráv. Vyrážení dveří nebylo jeho styl.

Svolali policisty k pomníku — celkem jich bylo čtyřiadvacet — a Katie jim vysvětlila, co po nich požaduje.

„Ti muži jsou násilničtí, nepředvídatelní sadisti a my zatím nemáme jasnou představu, o co jim vlastně jde. Proto se musíme co nejrychleji dostat dovnitř a všechny přítomné ihned pozatýkat bez ohledu na to, o koho se jedná. Tím, kdo je pachatel a kdo oběť, se můžeme zabývat, jakmile budou pod zámkem.

Domníváme se, že jsou s nimi i biskup Conor Kerrigan a monsignore Kevin Kelly, generální vikář. Zadržte je spolu s ostatními, stejně rychle a nekompromisně. Nedejte se obměkčit, ať budou tvrdit cokoli — i kdyby vám vyhrožovali exkomunikací."

Muži se zatvářili natolik pochmurně, že radši rychle dodala: „To s tou exkomunikací byl vtip."

„Aha," řekl jeden strážník, ale nikdo se nezasmál.

Strážmistr policisty rozdělil do dvou skupin — sedm jich poslal k zadní části domu, po čtyřech si vzalo na starost obě strany a zbylých jedenáct bylo nasazeno k hlavním dveřím, aby jimi pronikli dovnitř, ať už na vyzvání, nebo silou.

Vypravili se zpátky k autům, když inspektoru Fennessymu náhle zazvonil mobil. Zvedl ho a řekl: „Jo. Jo. No to je tedy něco."

„Copak se děje?" zeptala se Katie.

Inspektor Fennessy telefon zase zaklapl. „Na parkovišti před hospodou nedaleko Macroomu našli tu dodávku s biskupskou berlou na zadních dveřích. Byla prázdná a zčásti vypálená. Váš instinkt evidentně zafungoval, komisařko. Omlouvám se, že jsem o něm kdy pochyboval."

Katie mu položila ruku na rameno a usmála se. „Netrapte se tím," řekla. „Jsem příliš utahaná, než abych vám to otloukala o hlavu."

Nasedla do auta, zařadila se do konvoje za inspektora Fennessyho a všichni společně vyjeli z parkoviště u památníku. Inspektor Fennessy zabočil u křížku doleva a vydal se po klikaté neosvětlené silničce, která by je zavedla až k břehu řeky Lee, kdyby po ní pokračovali příštích osm kilometrů. Po necelém kilometru však Liam zahnul doprava mezi dva kamenné sloupky a projel zrezavělou železnou branou, která vypadala, jako by ji už několik desetiletí nikdo nezavřel.

Drncali po úzké štěrkové příjezdové cestě mezi přerostlými keři, jejichž větve jim z obou stran šlehaly do karoserií. Jemně pršelo a Katiiny stěrače na čelním skle jednotvárně, gumově skřípaly. Začínala si připadat víc než jen tělesně unavená: byla vyčerpaná i duševně, až jí bylo skoro do breku.

Po pěti stech metrech se mezi stromy objevil velký dům z šedého kamene. Byla to jedna z těch velkolepých budov z devatenáctého století, které se stavívaly pro vlastníky dripseyské papírny — budova s mansardovou střechou, shluky oranžových komínů a širokým krytým vchodem se zakroucenými sloupky. Jakmile zastavili těsně před domem, vynořili se ze stínů nalevo od nich dva strážníci a běželi se k nim přidat.

„Pořád se odsud nehnuli," řekl jeden z hlídkujících policistů. „Závěsy v hale jsou roztažené, ale pokud tam někdo je, stoprocentně leží na podlaze."

„Pojďme prostě dovnitř," prohlásila Katie. Hbitě s inspektorem Fennessym vyběhla po schodech, následovaná oním uniformovaným strážmistrem a třemi policisty, z nichž jeden nesl beranidlo. Zbylí strážníci se rozdělili a rozběhli se okolo domu, aby pokryli zbývající východy.

Hlavní dveře byly z tvrdého dubu, ošlehané větrem do barvy bledé šedi. Klepátko z tepaného železa mělo tvar skřetí hlavy, která na příchozí vrhala znepokojivě lišácký úsměv, téměř jako by přesně věděla, co tu Katie pohledává.

Katie uchopila klepadlo a třikrát jím udeřila, jak nejtvrději dovedla.

„Policie!" vykřikla. „Otevřete!"

Několik vteřin počkala, a když se nedočkala odpovědi, zabouchala znovu. Opět žádná reakce. Katie ustoupila a vytáhla z pouzdra zbraň.

„To bychom tedy měli. Vyrazte je."

Policista vyzbrojený beranidlem bez zaváhání předstoupil a vší silou jím udeřil do dveřní výplně. Jednalo se o bytelnou zbraň o váze patnácti kilogramů, a dveře se tudíž okamžitě rozletěly. Katie se přikrčila, vstoupila do haly a inspektor Fennessy ji spolu s ostatními policisty následoval.

„Policie!" zopakovala. „Vyjděte ven a ukažte se!"

Zamířila z haly k pootevřeným dveřím do obývacího pokoje. Inspektor Fennessy se k ní připojil a kopnutím je rozrazil dokořán. Katie na něj kývla a on rychle nahlédl dovnitř.

„Je tam někdo?" zeptala se.

„Neřekl bych."

Oba se vrhli do pokoje se zbraněmi namířenými před sebe, nikoho však nezpozorovali.

„Prohledejte zbytek domu, honem!" nařídila Katie. Tři strážníci vyběhli po schodech nahoru a další dva se jali prohledávat kuchyň, jídelnu a šatnu v přízemí. Několik následujících minut se po celé budově rozléhal zvuk zabouchávaných dveří a spěšných kroků.

Nakonec do místnosti vešel onen strážmistr a pozvedl ruce.

„Nikdo není doma," ohlásil.

„Kam se sakra poděli?" podivila se Katie. „Vždyť tu mají dodávku i auta. Netvrďte mi, že odešli pěšky. Kam by se asi vypravili?"

Zamířili ven. Déšť postupně sílil a Katie z dáli uslyšela burácení hromu. Ideální počasí pro takhle katastrofální noc, pomyslela si.

Vydala se k pravé straně domu, kde na mokré kamenné terase stála pergola obrostlá zanedbanými a z větší části uschlými růžemi. Inspektor Fennessy ke Katie přistoupil a zeptal se: „Co teď?"

„Nemám nejmenší tušení, Liame. Prohledáme dům, jestli po sobě náhodou nezanechali něco, co by nám napovědělo, kam mají namířeno a jak se tam hodlají dostat. Třeba je nějaký komplic vyzvedl a odvezl, dřív než jsme přijeli. V tom případě ale můžou být naprosto kdekoli. Touhle dobou už jsou nejspíš na půli cesty do Mayo."

Prošla pergolou zpátky k domu. Zahradu obestírala černočerná tma, kterou narušovala pouze osamocená záře kuchyňského okna. Katie se zastavila a chvilku poslouchala, jak skrze listy dopadá na zem déšť a v dálce zaznívá občasné dunění hromů.

„Fajn," řekla po čase, spíš sobě než Liamovi. „Pro dnešek asi padla. Prozatím k domu postavíme hlídku. Ráno sem zase přijedeme a důkladně to tu prohledáme."

Otočila se k odchodu, ale vtom zaslechla vysoké, pronikavé, téměř nadpozemské zakvílení. Hned nato se opět rozhostilo ticho a v okolí biskupova obydlí se znovu ozýval jen šum deště, rozhovory policistů a zvuk prudce zavíraných dveří od auta.

„Slyšel jste to?" obrátila se na Liama.

„Co jestli jsem slyšel?"

„To zaúpění. Jako by někdo brečel."

Inspektor Fennessy se na pár vteřin zaposlouchal. „Ne," prohlásil netrpělivě. „Slyším úplné houby. A upřímně řečeno začínám být mokrý jako myš, komisařko."

Ozvalo se další zaburácení, ale potom ten falzet uslyšela podruhé. „Teď!" zvolala vítězoslavně. „Teď jste to přece musel slyšet!"

„To bude liška," prohodil inspektor Fennessy. „Lišky vydávají fůru podivných zvuků, hlavně když na to vlítnou. Jako holky z Montenotte."

Udělal několik kroků směrem k domu, v tu chvíli se však pronikavé kvílení ozvalo znovu a tentokrát nepominulo, naopak zesilovalo a znělo stále líbezněji a melodičtěji. Katie a inspektor Fennessy se na sebe podívali.

„Ještě jsem nenarazila na lišku, která by uměla zazpívat ,Gloria'," podotkla Katie.

„Musím uznat, že já taky ne. To jsou oni, že jo? Ti hajzlové z Fidelia. Do prdele, oni zpívají."

„Pšt," varovala ho Katie a přiložila si dlaň k uchu. „Tušíte, odkud to přichází?"

Zhruba půl minuty potichu vyčkávali. Zpěv ,Gloria' pokračoval, třebaže ve větru střídavě zesiloval a utichal a chvílemi jej zcela pohlcovalo hřmění. Nakonec inspektor Fennessy ukázal do tmy a řekl: „Podle mě odtamtud. Zpoza těch stromů."

„Myslím, že máte pravdu. Zavolejte strážmistra O'Briena, ano? Půjdeme se tam podívat."

Inspektor Fennessy odběhl, aby strážmistru O'Brienovi sdělil, čeho se právě stali svědky. Katie mezitím seběhla po kamenných schůdcích z verandy na trávník, který se svažoval severozápadním směrem a u úpatí byl ohraničený hloučkem vzrostlých dubů. Katie se vydala z prudkého svahu, a jak se přibližovala k dubům, slyšela zpěv čím dál zřetelněji. Nemohlo být pochyb o tom, že se skutečně line odkudsi zpoza stromů. *A capella*, jako při bohoslužbě, ale libozvučnější než všechny písně, jaké kdy slyšela. Díky šumění deště a vzdálenému hukotu hromů působil zpěv ještě kouzelněji.

379

V lesíku panovala hustá tma a Katie musela našlapovat nesmírně opatrně, aby nenadělala příliš mnoho hluku. Když však pronikla hlouběji, uviděla, že mezi stromy svítí jasné světlo, a rázem se jí šlo lépe. Ohlédla se. Kopec za ní křižovalo nejméně patnáct paprsků baterek.

Srdceryvně krásný zpěv ne a ne utichnout. Katie dospěla k okraji stromů, schovala se za dubem hustě porostlým břečťanem a vyhlédla mezerou v listí ven.

Za lesíkem se rozkládalo travnaté pole a na něm byla do země zabodnuta stanová tyčka se zavěšenou lucernou. Okolo ní postávali tři lidé oblečení do roztodivných kostýmů. Všichni tři na sobě měli bílé hábity, ale pokrývky jejich hlav se nepřehlédnutelně odlišovaly. Jeden z přítomných na sobě měl vysokou zašpičatělou *capirote*, druhý čepici připomínající biskupskou mitru a tvář třetího zakrývala bílá, jakoby klaunská maska. V silně kontrastujícím světle a stínech se jevili jako postavy z náboženské noční můry.

To oni zpívali, ruce sepnuté v modlitbě. Katie poznala, z jaké písně refrén pochází, protože ho v minulosti nesčetněkrát slyšela na cédéčku *Elements*. Pokud však ty hlasy skutečně patřily oněm chlapcům, kteří nahrávku nazpívali, rozhodně oproti dřívějšku získaly na zvučnosti, vyspěly a obohatily se o jakýsi nadpřirozený rozměr, který v Katie vyvolával pocit, jako by stála v katedrále, a ne uprostřed mokrého pole kdesi v západním Corku.

Dojem, že se ocitla v dočista jiné dimenzi, v ní však nevzbuzoval jenom ten éterický zpěv. Kousek za členy souboru Fidelio se totiž tyčily tři nejméně čtyřmetrové lešenářské trubky a na vrcholku každé z nich byl připevněný kratší kus lešení, takže vypadaly jako obří písmena T. Byly seřazeny stejně jako kříže na Golgotě, když zemřel Ježíš.

K lešení byli za rozpažené ruce přivázáni tři nazí muži. Byli zhmoždění, poškrábaní a pokrytí krví a na temeni jim seděly koruny z ostnatého drátu. Hlavy měli sklopené, takže je Katie zprvu nepoznávala, ale když muž na lešení úplně vlevo vzhlédl k nebi a neslyšně otevřel ústa, s hrůzou si uvědomila, že je to monsignore Kelly. Zadíval se jejím směrem, ale ona pochybovala, že ji za hustou stěnou z břečťanu vidí, obzvlášť s očima zalitýma krví.

Muž uprostřed byl vyhublý a bělovlasý, se žlutavou pokožkou a hrudníkem, který vyhlížel jako opěradlo kuchyňské židle. Katie odhadla, že jde o biskupa Conora Kerrigana. Zcela napravo nehybně visel zažloutlý muž s kulatou hlavou a vypouklým břichem. Jeho levá tvář byla oteklá a pokrytá velkou tmavou modřinou. Bezpochyby to byl otec ó Súllabháin, kterého zahradník Tómas z Duchovního centra svatého Dominika překřtil na otce Kopačáka.

V tu chvíli Katie dohonil inspektor Fennessy a po něm se přihnal i zbytek policistů.

„Já nevěřím vlastním očím," zhodnotil Liam. „To je křížová cesta jak z nějakého hororu."

„Pojďte," řekla Katie. Hlas se jí třásl, i přesto si však za celou svou kariéru ještě nikdy nepřipadala tolik odhodlaná. „Skoncujeme s tím. Zavolejte někdo záchranáře a hasiče, a to hned."

Vytáhla z pouzdra revolver a vykročila zpoza stromu, následovaná inspektorem Fennessym. Členové Fidelia ihned zmlkli a ustoupili k lešení.

„Ani hnout!" zvolala Katie.

Muži však nepřestávali ustupovat, dokud nestáli těsně vedle lešení, každý u jednoho. Pohybovali se, jako by se řídili pokyny choreografa.

„Řekla jsem ani hnout! Ještě krok a budu střílet."

Zpěváci zůstali stát a pomalu zvedli ruce. Katie k nim vykročila, aniž by na ně přestala mířit, a vyzvala je: „A teď pěkně shodíme ty masky."

Muž ve špičaté *capirote* si sundal čapku a odhodil ji stranou na zem. Byl to korpulentní muž se zakulacenými rameny, který připomínal cherubína, přesně jak prohlašovala paní Rooneyová z Ballyhooly. Měl kudrnaté vlasy a jeho tváře byly kulaté a červené, ale nejvíc znepokojivé na něm bylo to, že se na Katie zeširoka usmíval, jako by udělal něco báječného, čím ji bezpochyby potěší.

„Vy jste Denis Sweeney, že?" domáhala se odpovědi.

Pokrčil rameny. „Říkám si různě." Mluvil sopránem jako mladý hoch nebo žena.

„Například?"

„Někdy se jmenuju Cípal, anebo — to když dostanu chuť být opravdu pompézní — Vymahač Božího odškodnění. Denis Sweeney ale postačí."

Inspektor Fennessy oslovil zbylé dva zpěváky: „Vy tam, shoďte ty masky, než vám je ustřelím."

Udělali, co jim nařídil, a pustili roušky do trávy. Vypadali dočista jako na svých webových stránkách. Měli ustupující brady a hnědé oči vypoulené jako křečci.

„Dvojčata Phelanova, nemýlím se?" poznamenala Katie.

„Správně," přitakal Denis Sweeney. „Zpívají jako andělé, ale moc toho nenamluví. Povídají si akorát spolu."

„Dobrá," řekla Katie. „Teď si všichni tři lehněte tváří do trávy a dejte si ruce za záda."

„Ne," prohlásil Denis Sweeney. V dálce opět zaznělo bručivé zamumlání hromu.

„Ne?" podivila se Katie.

„Přesně tak. Odmítám."

„No, Denisi, na to vám můžu odpovědět jediné: pokud mě neposlechnete dobrovolně, tady moji kolegové vás donutí poslechnout nedobrovolně. Za použití obušků, pokud to bude nezbytné."

Denis Sweeney vzhlédl k biskupu Kerriganovi a usmál se. „Může za to on, abyste věděla. Svatý muž by neměl skládat sliby a pak je porušovat."

„Dávám vám poslední šanci, Denisi. Lehněte si tváří do trávy a dejte si ruce za záda."

„Je tu bohužel menší problém," řekl Denis Sweeney. „A sice že v pravé ruce držím drát, který vede ke spojce na vrcholku téhle trubky. Nakolik se vyznáte v lešení?"

„Co se mi pokoušíte sdělit?"

„Snažím se vám vysvětlit, že pokud si lehnu tváří do trávy, jak po mně chcete, nevyhnutelně za ten drát škubnu, příčník se zhroutí k zemi a biskup Kerrigan sletí spolu s ním. Pro člověka v jeho věku by takový pád byl nebezpečný sám o sobě, jenže on je tu ještě jeden problém, kterého jste si možná nevšimla."

„O čem to mluvíte?"

„Mluvím o tom druhém drátu, který má biskup připevněný k varlatům a který ho při pádu vykastruje."

Pohodil hlavou směrem k monsignoru Kellymu a poté k otci ó Súllabháinovi. „Totéž platí i o těchhle dvou. Pokud Phelanovi cuknou za svoje dráty, dojde k dalším dvěma kastracím."

Katie k němu přistoupila blíž a zbraní mu mířila na hrudník. Nad jeho horním rtem se perlily kapičky potu. Katie rychle zvedla hlavu, aby se podívala na biskupa Kerrigana, a pochopila, že jí Denis Sweeney nelže. Kolem biskupova šourku byl pevně omotaný tenký drátek, jakým se v supermarketech krájí sýr, a jeho penis kvůli němu vyčníval jako úd novorozeného chlapce nebo cherubína na renesanční malbě.

Denis Sweeney řekl: „Beztak jsem je hodlal vykastrovat, kdyby se nic nestalo."

„Co tím myslíte, ‚kdyby se nic nestalo'?"

„Co tu podle vás asi provádíme? K něčemu se snad zavázali, ne? Biskup, ten blbec reverend i ti čtyři kněží. Jenže svůj slib nedodrželi. Vzdali jsme se svého mužství, abychom dostali, co nám slíbili. Šlo o jedinou věc na světě, kvůli které by se chlapec nechal připravit o mužství."

Katie na něj zírala. „Vy jste jim uvěřili?"

„Ovšem že jsme jim uvěřili. Tvrdili, že z nás biskup Kerrigan udělá nejlepší sbor v církevní historii. Prostřednictvím našeho zpěvu měl diecézi Cork a Ross přinést slávu, a tím mám na mysli slávu s velkým S. Byl odhodlaný dokázat, co ani papež Sixtus V. nedokázal.

Byli jsme sirotci. Nikdo nás nikdy nemiloval, dokonce ani vlastní rodiče ne. Neznali jsme nic než chudobu a citové odmítání. A zničehonic nám nějací kněží skládají k nohám celý svět. Ne — mnohem víc než svět. Oni nám nabízeli i nebesa."

Inspektor Fennessy řekl: „Pusťte ten zasraný drát, Sweeney."

„Ne."

„Řekl jsem, abyste pustil ten zasraný drát."

„Počkejte momentík, Liame," přerušila ho Katie. „Chci si to poslechnout."

Otočila se zpět k Denisi Sweeneymu a řekla: „Biskup Kerrigan vám slíbil, že se setkáte s Bohem, pokud se z vás stanou kastráti? To jako doopravdy?"

„Ano. Jenže k tomu nedošlo a pak nám oznámili, že biskup Kerrigan zemřel a sbor se rozpouští. Chápete to? My jsme se dali vykleštit a nic jsme z toho neměli, ani tu Slávu ne. Nikomu jsme neprozradili, čím jsme si prošli. Vy byste se s něčím takovým snad svěřovala? Nikdy jsme ale nepřestali věřit, že Boha jednoho dne uvidíme."

„Co vás tedy přimělo zabít otce Heaneyho, otce Quinlana a otce O'Garu?

A proč jste tu biskupa Kerrigana, monsignora Kellyho a otce ó Súllabháina rozvěsili jako vánoční světýlka?" „Samozřejmě proto, že jsme si poslechli to cédéčko. Znovu jsme uslyšeli svoje hlasy a uvědomili jsme si, jak moc jsme lidi povznášeli. Vzpomněli jsme si, kvůli čemu jsme se vzdali svého mužství. Chtěli jsme to znovu zkusit, nic víc. Byli jsme si jistí, že uspějeme. Netvrďte mi, že by Bůh dopustil, aby bylo šestnáct chlapců vykastrováno pro nic za nic. V takového Boha bych nemohl věřit.

Zašel jsem za monsignorem Kellym a pověděl jsem mu, že mě napadlo dát sbor zase dohromady a přizvat do něj tolik původních členů, kolik vypátrám. Řekl, že pro mě udělá všechno, co bude moct, ale že se nemám před nikým zmiňovat, co nám u Svatého Josefa provedli. Dal mi trochu peněz a tu dodávku, popřál mi hodně štěstí a tím to pro něj haslo."

„Proč jste ale museli vraždit?"

„Proč asi? Spojil jsem se s bratry Phelanovými, založili jsme Fidelio a zpěvem nám div nepukalo srdce, jenže Bůh se ani po tom neukázal. Monsignore Kelly nezvedal telefon, a tak jsem se vypravil za otcem Heaneym, jenže ten řekl, že mi pomoct nemůže a nemíní. Dostal ode mě přesně to, co si zasloužil."

„Monsignore Kelly věděl, že jste otce Heaneyho zavraždil vy?"

Denis Sweeney na duchovního pohlédl a v jeho tváři se zračil výraz naprostého znechucení. Monsignore byl stále při vědomí, začal se však třást, jako by ho popadl záchvat.

„Ano. Zavolal jsem do jeho kanceláře a tentokrát to zvedl. Pověděl jsem mu, že to já jsem s otcem Heaneym skoncoval.

On ale prohlásil, že kdyby se někdo dozvěděl, že biskup Kerrigan sestavil sbor z kastrátů a jaký k tomu měl důvod, byla by to pro církev nepředstavitelná pohroma. Strašná katastrofa. Řekl, že pokud o tom pomlčím a neublížím těm ostatním kněžím, zařídí, aby vina padla na někoho jiného."

„Ach, ano. Brendan Doody."

„Nemám ponětí, jak se jmenoval. Nějaký údržbář."

„Jenže vy jste svou část dohody nedodržel. Proč jste v těch vraždách pokračoval a šel po krku i otci Quinlanovi a otci O'Garovi?"

Denis Sweeney se ještě více rozrušil a jeho hlas zněl najednou pištivěji než předtím. „Monsignorovi totiž uklouzlo, že biskup Kerrigan je pořád naživu. Prý se nemám pokoušet spatřit Boha, protože biskup Kerrigan neměl všech pět pohromadě, a právě proto ho poslali do důchodu a všem namluvili, že je po smrti. Já si ale myslím, že mi monsignore Kelly lhal. Podle mě byli duchovní na diecézi vyděšení, protože podobně jako já věřili, že se biskup Kerrigan neplete a vážně dokáže přivolat Boha. Byli z té představy podělaní strachy, protože pak by Bůh na vlastní oči uviděl, jak nenasytní a zkorumpovaní jsou, jak si mastí kapsy, zneužívají malé děti a žijí si jako prasata v žitě."

Vzhlédl k noční obloze a zamrkal, protože mu do očí padly kapky deště. Pohnutím zhluboka dýchal.

„Vy se ptáte, co tu dneska děláme? Potrestali jsme svévolníky a očistili bezvěrce a dnes večer zazpíváme Bohu, a pokud se zjeví, dovolíme těmto třem obětem žít.

Pokud ne..." Znovu vzhlédl a nato Katie věnoval sladký odzbrojující úsměv. „Pokud ne, svrhneme je k zemi a naše odplata se završí. Voda, vzduch, oheň a země. Čtyři prvky, o kterých jsme tak přesladce zpívali."

Strážmistr O'Brien přistoupil ke Katie a sáhl jí zezadu na rameno. „Záchranáři jsou na cestě a hasiči taky. Maximálně pět minut a jsou tady."

„Díky," řekla Katie. „A vyřiďte jim, ať nezapínají houkačky." Obrátila se k Denisi Sweeneymu: „Dám vám poslední šanci, Denisi. Pusťte ten drát a lehněte si na zem, jinak vás budeme muset zastřelit. Rozumíte mi?"

Denis Sweeney se nepřestával usmívat, a místo aby drát pustil, pevně si jej omotal kolem zápěstí. „Pokud mě zastřelíte a já se zhroutím k zemi, biskup Kerrigan spadne se mnou."

„Měla jsem za to, že v něj věříte."

„Věřím, teď i tehdy. Jestliže ale Bůh uvidí, že pokud se nezjeví, bude jeho věrný služebník obětován, je přece mnohem pravděpodobnější, že se skutečně ukáže."

„Smím vám něco říct, Denisi?" vložil se do hovoru inspektor Fennessy. „Vy jste neskutečný magor."

Denis se stále usmíval. „Byl bych rád, kdybyste mi teď prokázali laskavost. Všichni ustupte až k okraji toho lesa. Mí drazí bratři a já začneme zpívat, a jestliže se Pán ukáže, bude to, jako by vyšlo samotné slunce. Moc by mě mrzelo, kdybyste kvůli tomu oslepli nebo přišli k nějakému zranění."

„Jak říkám, magor," zopakoval inspektor Fennessy.

Katie však řekla: „Poslechněte ho. Musíme ho udržet v klidu. Koneckonců jsme už takhle přišli o dost kněží."

„Jak myslíte, komisařko," pokrčil inspektor Fennessy rameny. Otočil se ke strážmistru O'Brienovi a mávl rukou, aby mužům naznačil, že se mají stáhnout mezi stromy.

Denis Sweeney se na Katie zahleděl a ona v jeho výrazu uviděla něco, co za celý svůj dosavadní život nespatřila: touhu tak intenzivní, až člověka bolí. Možná v tu chvíli z hloubi duše toužil po muži, jímž se nikdy nestal.

47

Denis Sweeney i bratři Phelanovi se dali do zpěvu. Začali písní „Gloria" od Guillauma de Machaut a pokračovali s „Ave Maria". Ačkoli byli pouze tři, z jejich souladu naskakovala Katie husí kůže. Ty písně zněly ještě dojemněji než na cédéčku. Celý výjev byl nepředstavitelně surreálný, ale přestože měla přímo před sebou tři nahé kněze zavěšené na lešení, nemohla si pomoct a jako uhranutá naslouchala zvuku hlasů, které stoupaly stále výš a výš. Když se kolem sebe rozhlédla, uviděla, že i ostatní strážníci stojí v dešti naprosto bez hnutí, jako by se proměnili v kámen.

„Zachraň nás, Hospodine, náš Bože,
a z národů nás posbírej!
Tvé svaté jméno ať oslavíme,
tvou chválou ať se chlubíme!

Ať je požehnán Hospodin, Bůh izraelský,
od věků až navěky!
Ať všechen lid odpoví: Amen!
Aleluja!"

Jakmile však doznělo závěrečné „Aleluja!", biskup Kerrigan nečekaně zvedl hlavu. Jeho obličej vypadal jako zakrvácená lebka s prázdnými důlky místo očí. Třikrát nebo čtyřikrát otevřel ústa a zase je zavřel, aniž by ze sebe vydal hlásku, ale potom vykřikl: „Není to dáno!" Jeho hlas byl pisklavý a slabý, přesto dostatečně hlasitý na to, aby Katie i přes pronikavý zpěv porozuměla, co říká.

„Není to dáno!" zopakoval biskup Kerrigan. „Pán svou tvář nikdy nezjeví! Nepřísluší nám, abychom ho povolávali. Jak se opovažujeme?" Hlava mu vyčerpáním klesla na prsa, takže Katie z jeho tváře neviděla nic než korunu z ostnatého drátu. Těch několik zoufalých slov ale vše dokonale vysvětlovalo.

Katie v duchu přemýšlela: Možná původně opravdu věřil, že se Bůh zjeví, ale nejspíš si postupem času uvědomil, že i kdyby mu ti chlapci zpívali sebesladčeji, nikdy k tomu nedojde. Třeba konečně pochopil, jak arogantní je požadovat od Boha, aby nám, prostým smrtelníkům, dokázal svou existenci, jak je to marné a prosté víry. Právě to ho připravilo o rozum, právě to vedlo k jeho rezignaci či odstranění.

Členové Fidelia přešli ke „Kyrie eleison". Ačkoli ani na okamžik nepouštěli z rukou dráty, jimiž hrozili strhnout lešení, nějak se jim podařilo natáhnout se a vzájemně si proplést prsty. Jejich zpěv dosahoval výšek, které téměř překračovaly možnosti lidského vnímání, a jeho poslech tudíž nebyl zážitkem ani tak smyslovým, jako spíše duchovním. Katie měla dojem, jako by vzduchem probíjela statická elektřina, a doslova cítila, že se jí ježí vlasy. Dokonce i déšť se třpytil.

„Kyrie eleison!
Christe eleison!
Kyrie eleison!"

A pak — bez jakéhokoli předchozího varování, zaburácení hromu či náhlého poryvu větru — udeřil do všech třech lešenářských trubek oslňující roztrojený blesk. Ozvalo se ohlušující zapraskání elektrické energie a tlaková vlna odhodila Katie do trávy.

Na všech třech lešeních praskaly a sršely oslepující jiskry, které přeskakovaly i mezi jednotlivými členy Fidelia. Obličeje zpěváků se proměnily v planoucí masky a z jejich dokořán otevřených úst se vyvalil kouř. Monsignore Kelly, biskup Kerrigan a otec ó Súllabháin se na lešeních postupně scvrkávali, pořád rychleji a rychleji, až nakonec připomínali strašáky z hnědého podzimního listí.

Jako zkratovaná pojistka třesklo vzduchem poslední zapraskání a na poli zavládlo hrobové ticho. Mezi kapkami deště stoupala k nebi oblaka kouře a za nimi se valil popel odprýskávající z těl tří sežehnutých kněží.

Inspektor Fennessy pomohl Katie vstát. „Ježíši," řekl. „Třeba to přece jenom dokázali. Třeba je Bůh vážně navštívil."

Dosud byli oslepeni bleskem, a tak si dávali velký pozor na cestu, zatímco se přibližovali k lešení. Inspektor Fennessy neustále vzhlížel, jako by očekával druhý blesk, ale Katie ho uklidnila: „Víte snad, co se říká, ne? Blesk nikdy neudeří dvakrát do stejného místa. A i kdyby udeřil, beztak byste si ho ani nevšiml."

„No, tihle volové si ho tedy určitě nevšimli.."

Členové Fidelia leželi mezi lešeními, tváře zčernalé a bílé hábity pokryté spletitými kudrlinkami, které se podobaly hebrejským písmenům — skoro jako by se Bůh rozhodl seslat na zem vzkaz: *Mene mene tekel ú-parsín.*

Inspektor Fennessy se nad každým kastrátem sehnul a pak se otočil ke Katie: „A teď vážně. Myslíte si, že to fakt byl Bůh?"

48

Druhý den odpoledne se Katie rozjela do Knocknadeenly, aby se sešla s Johnem. Většinu rána popršelo, nyní však vysvitlo sluníčko a mokrá silnice oslnivě zářila.

Jakmile ke statku Meagherových dorazila, vyběhl ze dvora Johnův černý labrador Lucifer, aby ji přivítal. Barney se na zadním sedadle divoce rozštěkal, začal vzrušeně poskakovat sem a tam a vrhat se na okna auta.

John vyšel ven a otřel si ruce kusem hadru. Byl zarostlý, ale Katie vždycky potěšilo, když se nestihl oholit. Na sobě měl bledě modrou kostkovanou košili, džíny a světlehnědý kožený pásek se stříbrnou přezkou ve tvaru buvola.

„Vypadáš úplně jako z westernu," podotkla Katie. Přistoupila k němu a on ji vzal do náručí a políbil.

„Zrovna jsem uklízel," řekl. „Mám kompletně sbaleno a zítra odpoledne odlétám."

Odešli do domu a do kuchyně, která byla nepřirozeně čistá, holá a prázdná. Žádné kořenky na policích, talíře pověšené na zdech ani květináče s pelargoniemi na okenním rámu. Místnost prostupoval silný pach antibakteriálního čističe.

„Koukal jsem na zprávy," řekl John. „Pěkně bizarní závěr případu, co? DO RITUÁLNÍCH VRAHŮ KNĚŽÍ UHODIL BLESK. Ale o tobě se nezmínili."

„Je toho hodně, o čem se nezmínili a taky nikdy nezmíní. Například že biskup Kerrigan byl celá ta léta naživu a o co jim doopravdy šlo."

„Hlavně že se ti nic nestalo, zlato. A aspoň je celá ta věc se zabíjením duchovních u konce. Líp sis to načasovat nemohla."

Katie mu dala ruce kolem krku, políbila ho a pak ještě jednou.

„Pojď do postele," zašeptala.

John jí polibek vrátil, nejprve na čelo a potom na rty.

„Proč?" usmál se. „Jsi snad unavená?"

Milovali se zalití odpoledním sluncem. Z ložnice zmizely veškeré obrázky a na tapetě po nich zůstal pouze vzorec z vybledlých čtverců. Žádný pokoj není tak prázdný jako ten, ve kterém nevisí ani jeden obrázek, pomyslela si Katie. Když z něj zmizí obrázky, znamená to, že už se člověk nevrátí.

V půlce jejich milování spustila ruku a vytáhla ho ze sebe. Hned nato se otočila na břicho, aby k němu byla zády.

„Katie?"

Když neodpověděla, sklonil se k ní a řekl: „Katie? Co se děje, zlato?"

„Ublíž mi," řekla.

„Cože?"

„Slyšels, ne? Ublíž mi."

Roztáhla nohy, sáhla za sebe a uchopila jeho penis. Umístila si jej mezi půlky a řekla: „Jen do toho. Však víš, že to chceš."

„Katie... co to do tebe vjelo?"

„Chci, abys mi ublížil, nic víc."

„Ale proč, sakra? Neublížil bych ti za nic na světě."

„Ani kdybych ti řekla, že s tebou nepojedu?"

Rozhostilo se dlouhé ticho. Konečně John řekl: „Ty se mnou nepojedeš? To jako teď, nebo nikdy?"

„Nemůžu. Ani teď, ani později."

„Ty mě nemiluješ, o to jde?"

Otočila se a oči se jí zalévaly slzami. „Ovšem že tě miluju. Miluju tě, jako jsem v životě nikoho nemilovala. Jenže s tebou jet nemůžu, prostě to nejde. V Corku je všechno, co znám, i všichni moji příbuzní. Jak bych je mohla opustit?"

„Katie. Ach, Katie," řekl John a sevřel ji v náručí. Pevně se objímali, jako by věřili, že čím pevnější jejich objetí bude, tím pomaleji čas uběhne, či se snad dokonce zastaví, aby spolu mohli zůstat navždy.

49

Druhý den v jedenáct dopoledne uspořádala Katie na Anglesea Street tiskovou konferenci, na níž novinářům pověděla o všem, co se v Dripsey přihodilo — tedy tu verzi událostí, kterou vymyslela ve spolupráci s vrchním inspektorem O'Driscollem a kanceláří biskupa Mahoneyho. Shodli se, že by nikomu neprospělo, kdyby policie zveřejnila všechny podrobnosti o sboru při Sirotčinci svatého Josefa a pomateném snu o nebeské slávě, jímž byl biskup Kerrigan kdysi posedlý.

Zrovna vycházela v doprovodu detektiva O'Donovana z budovy, když za sebou náhle zaslechla své jméno.

Rozhlédla se a hejno šedých vran, které seděly na střeše nadzemního parkoviště naproti policejnímu ústředí, se tiše zvedlo a odletělo. Volal na ni Paul McKeown a jí neušlo, že je oblečený o něco slušivěji, než když se s ním seznámila — na sobě měl šedý blejzr, černé kalhoty a naleštěné černé boty.

„Doufal jsem, že vás tu potkám," podotkl. „Chtěl jsem si s vámi promluvit o Denisi Sweeneym a dvojčatech Phelanových. Bože můj... já prostě nemůžu uvěřit, že do nich uhodilo."

Katie se podívala na hodinky. „Poslyšte," řekla. „Mám asi půl hodiny. Co kdybychom si zaskočili na kafe a já vám při tom všechno povím? Patricku, sejdeme se zhruba ve dvě odpoledne, jestli vám to nevadí. Musíme si projít důkazy ohledně toho drogového debaklu v Ringaskiddy."

„V pohodě, komisařko," prohodil detektiv O'Donovan a odkráčel.

Katie zavedla Paula McKeowna zpátky na stanici a nahoru do kantýny. Místnost byla úplně vylidněná, až na jednoho policistu v košili, který dojídal vejce se slaninou k snídani a četl si bulvární časopis. Katie zašla k přepážce pro dva šálky kávy a usadila se s Paulem McKeownem u okna.

„Takže," spustila. „Předpokládám, že po mně budete požadovat samé krvavé detaily, co?"

Paul McKeown se na ni zamračil se soucitem lékaře a řekl: „Než k tomu přejdeme, laskavě mi prozraďte, co se děje."

„Prosím? Vyšetřování je u konce, zbývá už jenom utřídit důkazy a sepsat hlášení."

„To jsem nemyslel. Ptal jsem se, co se děje s vámi."

„Cože? Nechápu, o čem mluvíte. Se mnou se nic neděje."

Paul McKeown se natáhl přes umakartový stůl a chytil ji za ruce. Z důvodu, který ani sama neznala, mu to dovolila.

„Katie," řekl. „Řídím svou organizaci už dostatečně dlouho, abych poznal, když někdo trpí."

„Ach tak. A z čeho konkrétně to poznáte, smím-li se ptát?"

„Z čeho jiného než z toho, že jste brečela?"

Katie se mu chystala odseknout, ať není směšný. Ne, nejenom směšný, ale i neskutečně důvěrný, obzvlášť když ji vůbec nezná. Najednou se jí však sevřelo hrdlo, takže se nezmohla na jediné slovo a oči se jí zalily slzami.

„Nemusíte mi nic vykládat," řekl Paul McKeown. „Ať se jedná o cokoli, je to vaše věc. Ale kdybyste si s někým popovídala, mohlo by se vám ulevit."

Stále nebyla schopna dostat ze sebe jedinou větu. Dokázala tam pouze sedět, držet Paula McKeowna za ruce a nechat slzy, aby se jí koulely po tvářích — protože přišla o syna hned po jeho prvních a jediných narozeninách, protože přišla o Paula, toho hrozného dobrodruha, protože ztratila Jimmyho

O'Rourka, protože byla u toho, když zabili doktorku Collinsovou, a protože nyní nadobro ztratila i Johna.

Paul McKeown jí podal papírový ubrousek a Katie si osušila oči. Po chvíli mu trhaně a přiškrceným hlasem konečně vysvětila, proč je tak rozrušená. Poslouchal s vážným výrazem ve tváři a ani jednou ji nepřerušil.

Počkal, až skončí, a teprve potom promluvil: „Něco vám povím, Katie. Pokud člověk přijde o příliš mnoho lidí, ocitne se v reálném nebezpečí, že přijde i o sebe samotného. Nedovedu spočítat, kolikrát jsem to už zažil. Nedovolte, aby se totéž stalo i vám."

50

O půl čtvrté odpoledne se ozvalo hlášení, že cestující mají zahájit nástup na palubu letadla číslo 722 společnosti Aer Lingus směřujícího do San Francisca s mezipřistáním v Londýně a New Yorku.

John dopil pivo, vzal své příruční zavazadlo a laptop a vyšel z letištního baru. Sjel po eskalátoru do hlavní haly a zařadil se do fronty u celní a bezpečnostní kontroly. Žena před ním hlasitě mluvila do mobilu: „Žádné strachy, ve čtvrtek jsem zpátky a pak tomu emanovi naflákám, že se bude divit."

John si poněkud hořkosladce uvědomil, že se s corkštinou víckrát nesetká. Už žádné „jak ti to visí, kámo?", „valím pryč" nebo „támhleten drban ti vočumuje kotletu".

Byl už téměř u celní kontroly, když mu někdo zničehonic položil ruku na rameno, velice zlehka, téměř jako by se ho dotkl naprostým omylem.

POZNÁMKA PŘEKLADATELE

V textu byly použity úryvky z následujících publikovaných českých překladů:

Alighieri, Dante. *Božská komedie*. Přeložil Vladimír Mikeš. Praha: Academia, 2009.

Donne, John. *Komu zvoní hrana*. Přeložil Zdeněk Hron. Praha: Prostor, 2009.

ROZBITÍ

Graham Masterton

ANDĚLÉ

Z anglického originálu *Broken Angels* vydaného
nakladatelstvím Head of Zeus v Londýně roku 2013
přeložila Radka Knotková
Redaktorka Kateřina Menclerová
Obálka (s použitím podkladů Shutterstock.com
a plainpicture) a typografická úprava Lucie Zajíčková
Sazba písmy Tabac a Futura Jaroslav Bulíček
Tisk a knihařské zpracování
CPI Moravia Books, s. r. o., Pohořelice

Vydal Host — vydavatelství, s. r. o.
Radlas 5, 602 00 Brno, tel.: 545 212 747
roku 2015 jako svou 1060. publikaci
První vydání. Počet stran 400
e-mail: redakce@hostbrno.cz
www.hostbrno.cz